文春文庫

犬も平気でうそをつく？

スタンレー・コレン
木村博江訳

文藝春秋

犬も平気でうそをつく？◉目次

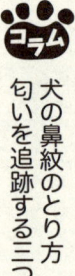

犬も平気でうそをつく？

はじめに

犬には考える力があるのか。人間とおなじように、世界を思い描けるのだろうか。意識や自意識はそなわっているのか。犬の知能はどの程度か。行動学者や哲学者が集まった部屋で、これらの疑問を口にしたら、たちまち熱い論争がはじまるだろう。

人間と犬が少なくとも百四十世紀にわたってともに暮らしてきたことは、古生物学者によって証明ずみだが、犬の頭の働きについて、あるいはそもそも犬に知能があるかについてさえも、いまだに意見はわかれている。犬は思考力のない、命をもった機械にすぎないとする者もいれば、犬は毛皮のコートをまとった小さな人間のような存在だと言う者もいるのだ。

犬を飼う人たちは、犬には知性や意識といえるものがそなわっており、ただそれを表にあらわさないだけだと感じることが多い。この考え方は、ジンバブエの民話にも残っている。民話によると、その昔、犬は非常に頭がいいばかりか口をきくこともできたのだが、そのおかげで人間にこき使われ、猟の手伝い、見張り番、家畜の群れの世話、さらには使い走りまでさせられるようになったので、しゃべらないことに決めたのだという。

教養ある論理的な人びとですら、犬の知能についてとなると妙なことを考える。私自身も、かの有名なO・J・シンプソン事件のときに、担当弁護士から、事件を目撃していたと思われる秋田犬に面接して事件について確認がとれるか試してみてほしいとまじめに頼まれた。私は、犬の知能は人間でいえば二歳程度であり、しかも九か月前のことを覚えているはずがないと説明したが、相手は引き下がらなかった。そこで私が冗談に「イエスなら一回、ノーなら二回吠えてもらうとか、するわけかい？」と訊ねると、「すばらしい、その手でぜひお願いしたい」と言われたのだ。

この本の中で私は、（この弁護士もふくむ）みなさんに、犬がどんなふうに頭を使うのかお話ししたい。犬の頭の働きを理解するには、犬がどのように世界を感じとるか、彼らの犬的な行動は、どの程度遺伝的にプログラムされているか、そして犬がなにをどのように学習し、変化する条件にどこまで適応できるかを知っておく必要がある。それを見ていく過程で、犬とともに暮らし、心をつうじあわせている人なら誰もが興味をもつ数々の問題についてもお話ししよう。さまざまな犬種の個性、犬の性格に影響をあたえる幼児期の体験、そしてまた成長や年齢とともに犬の思考力に生じる変化についても探ってみたい。その途中で、人が犬にかんして抱く風変わりな疑問も取りあげてみよう。犬には芸術的感覚があるか、数学を理解できるか、超感覚知覚（ＥＳＰ）がそなわっているか、地震を予知できるか、人間の癌を発見できるか、などなど。この本の内容は、毛皮の奥に隠れた頭脳の働きを垣間見せてくれる、新しい研究結果にもとづいている。驚くような事実にも出会うだろう。あなたが犬にあるとは思っていなかった能力や可能性、あるいはあると思っていたのに、じつは犬にそなわっていない能力などだ。そしてまた、あなたの犬をより深く理解し、これまで以上に正確に犬と意思をつうじあわせる方法、犬の行動を好ましい方向へと導き、あなたの生活にもっとしっくり溶け込ませるための方法にも出会えるだろう。さらには、犬の考えや行動についての興味深いデータや、すばらしい物語も用意されている。

最後に、私の原稿に苦労しながら目をとおしてくれた、やさしく賢い妻ジョーンに感謝したい。彼女の協力と支えがなければ、この本は生まれなかった。

1　ご主人を散歩に連れ出す方法——犬の頭脳

私は、考え深い犬たちに何度か出会った。——ジェイムズ・サーバー

古生物学者によると、一万四千年前、石器時代人は焚き火を前にしながら、いまの私たちが見てもすぐに犬とわかる動物を眺めていたという。犬の祖先となったこの動物は、ペットではなかった。その子孫はいま、牧畜用犬、軍用犬、救助・捜索犬、警察犬、番犬、盲導犬、聴導犬、身障者のための介助犬などの役をはたすと同時に、家族の一員あるいはコンパニオンとして大切な存在になっている。太古の時代に、棒切れや石、骨などで武器や道具を作ることを覚えたばかりの人間は、自分のかたわらにいる動物の、訴えるような黒い目を見つめて、こんなことを考えたかもしれない。「こいつはなにを考えているんだろう。どのくらいものがわかるのか。こいつには感情があるのだろうか。あるとしたら、おれのことをどう思っているのか」

彼らが焚く最後の火が消えて、百四十世紀たったいまでも、私たちは犬族についておなじ疑問を抱きつづけている。たいていの犬の飼い主が、知性も感情も意識もそなえていそうな愛犬の目をのぞきこんで、この犬はどんなことを考えているのかと思いをめぐらせる。昔から、大勢の人びとがこの問題に頭を悩ませてきた。その目の奥にものを理解する知性がひそんでいると直感する者もいれば、犬はたんに遺伝で受け継いだ本能にしたがって行動するだけだと結論する者もいた。

雨の日の散歩にご主人を連れ出す方法

古代ギリシアの哲学者プラトンは、犬の知性を非常に高く評価していた。彼は「気高き犬」を、「学ぶことが好き」で、「驚嘆すべき獣《けもの》である」と表現した。プラトンは『対話集』に、ソクラテスと弟子のグラウコンとの対話を書き記したが、その中でソクラテスは、分析を重ねたすえに「わが犬こそ真の哲学者である」と弟子に説いている。

プラトンと同時代人のディオゲネスも、やはりギリシアの偉大な哲学者だった。かなりの変人で、ランプを手に「真人間を探して」世界を歩いたと言われている。人間については疑い深かったディオゲネスも、犬をきわめて道徳的で知的であると考え、〝犬《キュオン》〟というあだ名までつけられた。そして弟子たちとともに作りあげた学派は、そのあだ名から〝犬儒派《キュニコス》〟と呼ばれた。

わが家の犬たちの行動を見ると、そんなプラトンやディオゲネスに共感したくなることが多い。ある冷たい雨の日、私はあまりに疲れて気分がわるく、犬たちをいつものように朝の散歩に連れていけず、少しのあいだ庭で遊ばせるだけにした。これはフラットコーテッド・レトリーバーのオーディンにとって、受け入れがたいことだった。その日の夕方、私が本を読んでいると、足元でカサコソ音がした。見下ろすと、オーディンが自分のリードをくわえてきて、床に落としたのがわかった。私はそれを拾い上げて、となりのソファーに置き、彼の頭をなでて「あとでな、オーディン」と声をかけた。

しばらくすると、また足元で音がした。オーディンが今度は私の靴の片方を運んできたのだ。私が無視すると、彼は急いで靴のもう片方もくわえてきて、私のそばに落とした。冷たい雨がやまないので、相変わらず腰を上げようとしない私が、彼にはきっと鈍感で頑固に思えたにちがいない。そのときだった。オーディンがドアに駆け寄って、おなじみの声で吠えた。それは、私の妻のジョーンが帰ってきたときに使う吠え声だった。私はニューヨーク市の大学で何年か教えたので、ニューヨーカー特有の習慣を身につけていた。自分が家で仕事をしているときでも、かならずドアに鍵をかけるというのもその一つだ。それは警戒の必要がない安全なカナダのアルバータで育ったジョーンには、うっとうしいことだった。そんなわけで、オーディンが「ジョーンが帰りましたよ」と吠えたとき、彼女が雨に濡れながら鍵をまさぐり、私の不便な習慣にうんざりせずにすむよう、私は立ち上がってドアを開けにいった。私がドアまであと一、二歩のところまでいったとき、オーディンはダッシュしてソファーまでもどり、リードを拾い上げた。

私がジョーンの車が帰っていないのに気づくよりも早く、彼は口にくわえたリードを私の手に押しつけていた。

彼の無言の訴えに、私は思わず笑ってしまった。一連の行動のあいだ、彼が頭の中でどんなことをつぶやいていたか、想像できる気がした。「散歩にいきたい、だからリードをもってきたよ――ほら、あなたの靴。だから散歩にいこう――これでよし、あなたがドアの前にいるあいだに、ぼくがリードをもってきたから、ねえ、散歩にいこうよ」

これはもちろん、オーディンの行動に意図的な計画性があったと考えて、あれこれ推理をつけくわえ、心の動きを言葉にしたものだ。だが、私の推理が彼の行動からはずれていないことは、たしかだろう。ついでながら、彼は望みどおり散歩にいけた。

人と犬の脳の構造は似ている

犬には知能も感情もあるという意見は古代ギリシアの時代からあったとはいえ、十七世紀には犬たちも面食らうことになった。フランスの哲学者ルネ・デカルトはローマ・カトリック教会の影響力を背景に、動物は意識も知能もない、たんなる機械にすぎないと説いた。彼の説によれば、犬が状況に応じて反応を変えるのも、自動人形の動きが、操作のしかたに応じて変わるのとおなじだというわけである。

犬には知能も意識もないというデカルトの見方は、その後二世紀にわたって学者のあいだで支配的だったが、十九世紀なかばに大きなゆさぶりがかけられた。チャールズ・

ダーウィンとその進化論が急浮上したのだ。種《しゅ》はそれぞれ個別に神によって造られたとする通説とは一線を画して、ダーウィンは人間だけが特別な知能をもっているわけではないと結論した。彼は『人類の起源』の中で、人間とその他の低次な哺乳類との差は、「程度にあり、本質的なちがいはない」と指摘した。そしてさらに「愛情、記憶力、注意力、好奇心、模倣《もほう》力、推理力などの感情や能力は、低次の動物にも未発達ながらそなわっており、ときにはきわめて発達した状態で見いだされることもある」と述べている。

ダーウィンは、動物も人間もともに進化の連続体の一部であり、その中で種はそれぞれに程度のちがう認識力、推理力、知能、記憶力を発達させたのだとしている。彼によると、これらは意識の構成要素なので、種によって意識のレベルにも差が生じた。つまり犬には精神力も自意識もあるが、人間とは程度がちがうというわけである。

このダーウィンの見解を支持するかのように、最近の研究では犬と人間の神経組織の類似性が指摘されている。たとえば、犬の脳内の神経細胞が、人間の脳とおなじように働くことが実証されたのだ。人間の脳を形づくる神経単位《ニューロン》は、犬の脳のニューロンとおなじ化学物質で構成されており、情報伝達のパターンもおなじである。そして犬の脳には、人間の脳とほぼおなじ器官がそなわっている。

人間の脳と同様、犬の脳は活動ごとに、つかさどる領域がわかれている。実際に、機能べつに犬の脳を図解してみると、驚くほど人間の場合と似たものになる。たとえば、犬も人も、視覚をつかさどる領域は脳のうしろ側に、そして聴覚をつかさどる領域は脳の左右のこめかみに近い場所にある。触覚や運動能力をつかさどるのは、犬も人も、脳のてっぺんに帯状にのびている部分だ。

さらに驚くべきデータが、犬の遺伝物質《ゲノム》にかんする研究でもたらされた。メリーランド州ロックヴィルのゲノム研究所のユーエン・カークネスとその研究チームは、プードルと人間のＤＮＡを比較した。その結果、人間と犬の遺伝コードが七十五パーセント以上重なることがわかった。こうした生理学的な類似点は、人間と犬が、行動のうえでも頭の働きのうえでも共通点が多いことを示唆している。

犬に意識や感情を認めない人びと

動物の知能と意識にかんする学問では、振り子が両極に振れがちになる。ダーウィンの考え方が完全に否定されたことはないが、二十世紀はじめには、心理学で〝行動主義〟と呼ばれる新しい見方がもてはやされた。これはダーウィンよりも、デカルトに近い考え方だった。動物の行動にかんするこの新しい見方は、ジョンズ・ホプキンズ大学の心理学者ジョン・Ｂ・ワトソンが考えだしたもので、ハーヴァード大学の有名な心理学者Ｂ・Ｆ・スキナーの研究によって現在まで伝わっている。

行動主義者たちは、唯一研究対象になりえる行動は、客観的に観察・計測されるものだけだと考える。彼らから見れば、動物の〝意識〟や〝知能〟について語ることなど、むなしい憶測にすぎない。なぜなら認識力や感情や思考力は、実際に計測できないからだ。行動の裏に、意識や思考力を考えに入れることも必要とみなされない。ワトソン博士は、わが家のオーディンの行動に〝知的な働き〟を見いだした私の解釈には猛反対だろう。

行動主義者の見方を説明するために、私がワトソン博士に私の犬は「肉が好きだ」と言ったと仮定しよう。博士はそれを、私の感情移入だと指摘するだろう。私から肉をあたえられたときの犬の行動——吠える、跳び上がる、尾を振る、よだれを流す、口を開ける、肉を食べるという事実——を描写するのは理にかなっているが、犬が肉を「好きだ」、「ほしがった」、あるいは「もうじき肉をもらえるのに気づいた」という表現は、おかしいと言うにちがいない。こうした表現は、人間の観察者が犬に嗜好《しこう》や感情を投影した結果にすぎず、犬に思考や感情があるという見方を裏づける証拠は、一つもないと主張するはずだ。デカルトと同様、彼らはオーディンを見ても、肉を前にすると活動レベルが上がり、肉を手に入れるためにいくつかの反応行動をおこなう、と分析するだけだろう。

現在では、動物の認識力に関心が高まるにつれ、心理学者の意見は動物に知能を認める方向へふたたび傾きはじめている。生物学者も心理学者も動物の〝意図的な〟行動について取りあげ、犬が自分たちの世界を意識的に表現している可能性について、表立った議論がかわされるようになった。だが今後も〝考える〟犬と、〝機械にすぎない〟犬とをめぐる論争はつづくにちがいない。世界の行動科学者のあいだでかわされる議論は、ときには猛烈に熱をおび、宗教論争のような様相を呈することも多いだろう――話が科学的な事実から離れ、信念や感情の問題になってしまうのだ。

科学的に認められる事実

というわけで世の中には、犬に意識や推理力や複雑な思考力をそなえた知能を認める人もいれば、犬はシリコンチップのかわりにニューロンを使って情報処理をおこなう機械にすぎないと主張する人もいる。だがどちらの側に立つにしても、つぎのことがらは科学的事実として受け入れることができる。

- 犬は世界を感じとり、情報を取り込んでいる
- 犬は状況に適応するよう行動を学習したり、修正したりできる
- 犬には記憶力があり、ある種の問題を解決できる
- 子犬時代の経験が、成犬になってからの行動を形づくる
- 犬には感情がある
- 犬にはそれぞれ個性があり、犬種によって気質にちがいがあるようだ
- 遊びをふくむ仲間とのふれあいが、犬には非常に重要である
- 犬は犬仲間や人間と意思をかよわせることができる

残念ながら、これらの事実がまた、数々の新しい疑問を引き起こす。たとえば、犬は人間とおなじように世界を見ているのだろうか。おなじでないとしたら、彼らから見た世界はどのようなものなのか。人間から見て犬にできないことはなにか、そして犬から見て人間にできないことはなにか。犬はどんな問題を解決できるのか。そして、彼らの知能がおよばない限界はどこにあるのか。犬は時間、美しさ、音楽、数学を理解できるのか。一部の人たちが主張するように、犬には本当にＥＳＰがそなわっているのか。犬の気質を問題にするとき、それは人間の場合の〝性格〟とおなじものなのか。犬はほかの犬の行動を観察するだけで、自分のすべきことを学習できるのか。これらの疑問には、犬に思考力や意識があるのか、それとも毛皮をまとったコンピュータにすぎないのかという問題とは関係なく、答えをだすことができる。

人間は動物になりかわれない

この本の読者の中には、私とおなじ願望をもっている人が多いと思う。それは、犬がどんなことを知っていて、なにをどのように考えているか、理解したいという願望だ。だが現実としては、それは達成しがたい目標であり、犬の心を人間同士のように完全に理解することはできないだろう。

大きな問題は、私たちが人間であるため、人間としてしか推理できないことだ。動物の経験が人間とまったくかけ離れていて異質だとしたら、私たちにはその行動の裏にある〝思考〟を解釈できるだけの、手がかりが欠けている。たとえば、生まれつきそなわった音波探知機《ソナー》だけを頼りに夜空を飛ぶコウモリや、聴覚も視覚もなく、化学物質にたいする感覚と原始的な触覚しかもたない小さな線虫に、世界がどのように見えているか想像してみてほしい。どちらの場合も、私たちは自分にわかっている人間としての経験をよりどころにするだろう。たとえば、ソナーを頼りに飛ぶコウモリの意識は、人間が目を閉じて音や反響で物の位置を捉えようとするようなものだと。だが、それは憶測でしかない。コウモリのソナーは、さまざまな物であふれる世界を、ゆたかに完全な形で彼らに経験させているかもしれない。あたかも現代の船で使われているハイテクのソナーが、音の反射と高度なコンピュータ分析を利用して、海底の克明な地図を作りあげるように。それがどのように翻訳されて、意識に伝わっているかは想像しがたい。線虫の経験はどうだろう。まわりの環境を味で捉える自分など、想像できるだろうか。自分が浸っている化学物質の濃度を感じとって、頭の中に世界の地図を作りあげることなど、あなたにできるだろうか。私たちは、人間以外のものになりかわって感じたり考えたりする能力はもっていないのだ。

犬が問題を解くとき

きわめて慎重な科学者でも、あらゆる行動を人間に置き換えて言葉にしがちだ。だがあいにく、人間と動物が似たような行動をしても、その裏にある動機や理由はおなじではないかもしれない。例をあげてみよう。子供に、いまから問題を解いてほしいと言って、それ以上はなにも伝えないでおく。そして表向きに置いてあるカードの中から、二枚とって子供に渡す。二枚とも〝2〟と書かれたカードである。ここで子供に、その答えを探してもらう。子供は残りのカードの中から、〝4〟のカードを抜きだす。つぎに犬を実験室に入れて、おなじ二枚のカードを犬に見せる。するとなんと犬もやはり、答えとして4のカードを選びだす。犬には直接聞けないので、どんなふうに考えたかを知るために、人間の子供に「なぜ〝4〟を選んだの？」と訊ねてみる。すると子供は二枚のカードの数字を足したら、その合計が4になったからと答える。

では、この子供とおなじように、犬にも足し算ができたのだろうか。そう考えたくもなるが、科学的な立場から言えば、それは大きなまちがいだ。まず第一に、人間は2と4を数字として見るが、犬の目にはわけのわからない形としか映らない。そして人間から見ると、カードでいちばん目立つのはそこに書かれている数字だが、じつはカードや実験室には犬が反応したくなるものが、ほかにもたくさんある。犬はただカードに書かれている数字を眺めていただけではないかもしれない。たとえば犬は、カード以上にそこにいる人間に興味をもつ。私たちは犬に計算能力を期待すると同時に、自分の頭の中でカードの数字を足しているため、自然に4のカードに目がいく。犬に計算の知識はないが、人間の視線の先をたどって、私たちが見ているカードを取りにいくのだ。

犬は、世の中を私たち人間とはまったくべつの見方で見ており、知覚能力もちがえば、行動するときの優先順位もちがう。犬の被験者は、私たちが用意した知能テストを実際に解いていないのかもしれない。犬は、人間には考えもおよばない思考プロセスや情報源を使っている可能性がある。たとえば、私の子供たちがとても小さいころ、わが家にはフリントという名のケアーン・テリアがいた。そして私は、子供たちにフリントには文字が読めると思わせたことがあった。そのとき私は、まず子供たちになにかの絵を描いてもらった。たとえば猫だ。そして三枚の紙に、それぞれべつの言葉を書いてもらった。〝ねこ〟、〝いぬ〟、〝うま〟というぐあいに。つぎにその紙を半分に折り、犬に文字が見えるように立てた。そして犬に猫の絵が描かれた紙を見せた。私は重々しい声で、「フリント、これは猫だ。〝ねこ〟という言葉を見つけてきなさい」と言った。それに答えて、フリントはうれしそうに小さな声で吠えると、正解の文字が書かれた紙をくわえてきた。私たちは、べつの絵とべつの言葉を使って、何度もこの実験をくり返した。この〝テスト〟結果をもとに、子供たちはフリントは文字が読めると確信した。子供ばかりか私の心理学者仲間ですら、そう思い込んだ。彼らは私が、かんたんな言葉を使って、絵と声の響きとを結びつけながら、文字の形を犬に覚えさせたと考えた。

タネをあかせば、私はマジシャンとおなじような、目くらましの手口を使ったのだ。フリントに〝文字を読む〟芸当をさせる前に、私はバスルームにいって左手の爪で石鹼を引っかいておいた。子供たちが絵を描いているあいだに、爪に入った石鹼を左の手のひらになすりつけた。そして左手で正解を書いた紙をもちあげて、紙に石鹼の匂いがつくようにした。石鹼がついていない右手は、不正解の言葉が書かれた紙を見せるときに使った。フリントに絵を説明し、なにが描かれているかを伝えるあいだ、私は紙を彼の鼻に近づけ、彼に石鹼の匂いを嗅がせた。彼が言葉を〝読んで〟駆け出すとき、彼はたんに私が嗅がせたとおなじ匂いのする紙を探しにいっていたのだ。これを見破った者は一人もいなかった。子供たちも学者仲間も、視覚に頼りがちな人間の見方しかしなかった。嗅覚のような人間にとってあまり重要でない感覚に、答えの鍵があるとは思いもしなかったのだ。

というわけで、さきほどの犬と二枚の2のカードの話でも、犬は人間とはまったくちがう方法で問題を解いたかもしれない。フリントのように、犬が匂いで問題を解いた可能性もある。子供は2と書かれたカードと、4と書かれたカードの両方を手でさわった。だからどちらのカードにも、子供の匂いがついていた。そこで犬は、「この2枚とおなじ匂いをもつ、ほかの物を見つけてきなさい」という問題をあたえられたと考えたかもしれない。あるいは、私たちの理解がとどかない、べつの思考方法をたどったのかもしれない。

この点に、私たちは用心してかかる必要がある。おなじ行動が、まったくべつの思考プロセスから導き出されるのだ。人間の場合、女の子から「いや」と言われた男の子の反応を予想しなさいという問題をだされたら、まず彼がなにを彼女に頼んだのかがわからないと、答えをだせない。同様に、犬の考えや行動を解釈しようと思ったら、犬がどのように問題を読み解き、なにを達成しようとし、どんな方法を使ったかを知る必要がある。おなじ状況に直面しても、犬が人間とおなじように考えるとはかぎらないのだ。

犬の思考プロセスを説明する第一段階として、まずは世の中が犬にどう見えているかを理解する必要がある。それには犬の感覚について、知っておかねばならない。捕食性の魚の中には、近くの水を動物がゆらす動きや、水の振動を感じとって獲物を捕らえるものもいる。ミツバチは人間の目には見えない紫外線の光を頼りに、蜜のありかを探し出す。花の蜜や花粉は、紫外線の光をとおすと、標的に似た黒いパターンで見えることが多いのだ。捕食性のヘビの多くは、人間には見えない赤外線が見える。恒温《こうおん》動物の体温は赤外線エネルギーなので、暗闇の中でも、ヘビには赤い信号として見えるのだ。こうした動物たちの世界は、人間が目にする世界とは大きくちがっているはずだ。彼らは人間にない感覚をそなえていたり、おなじ感覚でも人間とはべつの使い方をしている。

犬と人間の感覚のあいだには、大きなへだたりがある。私たちはまず、犬がその感覚でなにを体験しているかを、探っておく必要があるだろう。感覚的な情報こそが、犬の見ている現実であり、ひいては世界にたいする犬の考え方を作りあげているのだから。

2　犬にとって尿は新聞がわり——犬の鼻の能力

一八七九年、ヴィルヘルム・ヴントがドイツのライプツィヒに世界初の心理学実験室を開いて以来、心理学者たちは視覚、聴覚、触覚の実験をとおして、意識の構成要素を解明しようとしてきた。これら三つの感覚および味覚と嗅覚がなかったら、人間の脳は、頭蓋の中に閉じ込められたさびしい囚人でしかなくなる。感覚から送り込まれるデータは、思考力や知力を築き上げる礎《いしずえ》のようなものだ。ギリシアの哲学者プロタゴラスは、紀元前四五〇年ごろにそれについて指摘し、「われわれは感覚が集まった束にすぎない」と述べている。

この表現に反発をおぼえるとしたら、脳をコンピュータになぞらえることもできる。脳の働きは、コンピュータのデータ処理と似ている。コンピュータは処理するデータを、どこからか送り込まれる必要がある。動物の場合は、情報が感覚をとおして脳のコンピュータに送り込まれるが、コンピュータはキーボードからデータが送り込まれる。だが、そのキーボードに〝B〟の文字が欠けていたとしたら。「脳《ブレイン》」と「雨《レイン》」の区別はつけられない。つまり、コンピュータは、送り込まれた言葉が体の一部を指すのか、それとも天気を指すのか、判断できなくなる。同様に、動物の感覚能力に限界があったら、脳がくだす結論に影響がでたり、ゆがんだりするだろう。感覚のありようで、脳が処理できるデータに限界が生じるのだ。〝B〟の文字が欠けているキーボードのように、ある動物に色を識別する能力が欠けているとしたら。色のちがいが重要な情報に結びつく場合は、状況を正確に把握できないことになる。あるいは、ある感覚がほかの感覚より強いとしたら。よりすぐれた感覚データがもたらす情報源をもっぱら頼りにし、すぐれたデータがえられない情報源は無視するようになるだろう。というわけで、人間が「百聞は一見にしかず」（人間の場合、もっとも正確な情報源は視覚である）と言うとき、犬なら「百聞はひと嗅ぎにしかず」と言うのではなかろうか。

どんな種にも、とくにすぐれた、あるいは支配的な感覚組織がある。もっとも単純な生き物、たとえば単細胞の海綿やサンゴといった海の生物は、もっぱら水中に溶けている化学物質の〝味〟から、生存に必要な情報を手に入れる。ヒトデ、クラゲ、イソギンチャクなど、いくらか複雑な生物は、おもに触覚に頼っているようだ。コウモリ、ウサギ、トガリネズミそして夜行性動物の多くは、音にもっとも強く反応する。人間、類人猿、猿、鳥は、視覚性の種であり、ほかの感覚以上に視覚を頼りにする。だが、犬をふくむその他の哺乳動物にとっては、嗅覚がもっとも重要であることが多い。

犬の場合、鼻は顔の中でも、脳の中でも支配的な位置を占めていて、ものの見方もそれにもとづいている。人間の脳は、おもに視覚と光にかかわるデータ処理を中心に作られているが、犬の脳は、匂いからえた情報を中心に作られているのだ。人間は匂いの多くを無意識レベルで処理しており、匂いが意識にまで到達するのは、非常に強い場合か、とくに重要な場合にかぎられる。犬は人間よりはるかに多くの匂いに反応し、それによって人間とはちがう、きわめて独自な世界を作りあげている。犬の気持ちが謎に思えるのも、そのためだ。もし私たちが一瞬でも犬の意識を体験できたら、それまで知っていた人間の世界のほうが異質で不可解に見えることだろう。目に見えるものではなく、匂いでできあがっている世界を、私たちはどう読み解けばいいのか。というわけで、犬の思考と行動を理解するには、まず彼らの嗅覚について理解する必要がありそうだ。

匂いにかかわる脳の部分

人間の脳と犬の脳では、匂いを処理する構造が大きくちがっている。どちらの脳も、下のほうに二つの神経細胞の集塊がある。それが嗅球、つまり匂いの解読センターだ。人間の場合、それは小さな軸索の先にできた小さな突起でしかない。犬の場合、嗅球ははるかに大きく、脳のほかの部分につながる軸索がほとんど見えないほどだ。人間ではこの嗅球の重さは約一・五グラム、かたや中型犬の場合は約六グラム、人間の四倍だ——犬の脳そのものの大きさは、人間の脳の十分の一しかない。つまり犬の脳の中で匂いの分析にかかわる部分の割合は、人間の四十倍なのだ！　犬に嗅ぎ分けられる匂いは、人間の千倍から一万倍と考えられている。
脳の中で匂いの解読にあてられている部分が大きいのにくわえて、犬の鼻そのものもかすかな匂いまで嗅ぎとれる特別設計になっている。その驚くべき器官について、ざっと見てみよう。犬の鼻先の、毛が生えていない部分は、たいてい黒っぽい色をしているが、犬種によって茶色、ピンク、まだらなどもある。一般的に、白い犬あるいは被毛に白の部分が多い犬は、鼻先の色が薄めだ。これらの犬は、冬になると鼻の色が褪《あ》せて白っぽくなりやすい。夏が近づくともとの色にもどるが、老犬になると白っぽいまま変わらなくなる。プラスティックやゴム製の食器で食べつづけている場合も、鼻の色が薄くなったり、斑点がついたりする。これは〝プラスティック容器皮膚炎〟と呼ばれている。鼻の色素が、そうした容器の酸化防止剤にふくまれる化学物質に反応するのが原因だ。

〈犬の鼻紋のとり方〉

犬の鼻をよく見ると、こまかい畝《うね》ができていることがわかる。この模様と鼻孔の輪郭で構成される鼻紋《びもん》は、人間の指紋のように個体によってちがい、一つとしておなじものはない。そのため犬の鼻紋は、世界各地のケンネルクラブで個体を証明する確実な手段とみなされている。鼻紋を登録して、行方不明になったり盗まれたりした犬を見つける手がかりとするケンネルもある。犬の鼻紋をとる作業は、ごくかんたんだ。まず犬の鼻の水気をとる。そして食品着色剤をペーパータオルに落とし、それを犬の鼻にこすりつける。数秒間なめさせないようにし、紙切れをそっと鼻にあて、鼻の両脇にも紙をおしつける。きれいな鼻紋がとれるまで、これを何度かくり返す。食品着色剤は毒性がなく色も落ちやすいが、犬の鼻にインクやペンキは塗らないこと。

犬は息をとめて匂いを嗅ぐ

犬は人間より積極的に匂いを集める。漂ってきた匂いをたんに嗅ぐだけでなく、人間にはない能力を使って、周辺から匂いを集めるのだ。まず第一に、犬は左右の鼻孔をべつべつに動かして、匂いがどの方向からきたか探ることができる。そのうえ犬は、呼吸するのとはべつに、匂いを嗅ぐための特別な能力をそなえている。匂いがきたほうに向かって鼻を突き出しているとき、犬は実際には呼吸をとめている。犬が匂いを嗅ぐと、匂いをふくんだ空気はまず鼻腔の中の骨でできた棚のような部分に入る。ここに匂いをふくんだ空気が封じ込まれ、息を吐き出したとき匂いが逃げないよう守られる。それによって匂いの分子が鼻の中にたまる。犬がふつうに鼻や口で呼吸するときは、空気は棚の下の通路を通って、肺へと送り込まれる。だが、匂いを嗅ぐときは、空気が一瞬上の棚にためられ、その内容が解読されるのだ。

匂いを嗅ぐ機能と息をする機能がわかれていることは、犬が猛暑の中で匂いを追跡する場合、重要な意味をもつ。人間の体には二種類の汗腺がそなわっているが、そのうちの一つ〝エクリン腺〟は、体の皮膚の表面から汗として水分を外にだし、体温を下げる役目をはたす。汗が蒸発すると皮膚の温度が低下し、それで涼しく感じられるわけだ。この汗腺は人間の場合は皮膚の全域に分布しているが、犬の場合は足の肉球にしかない(犬がストレスを感じたり体が過熱状態になったとき、濡れた足跡を残すのはそのためだ)。犬は口を開けてハアハア息をすることによって、口や舌から水分を蒸発させて熱を逃がし、冷却能力を高める。嗅覚を使って仕事をする犬は、暑い季節には能力が鈍る。それは口を開けて息をすると、匂いを処理する機能がオフになるからだ。ハアハア息をあえがせている犬に、あなたの手やビスケットを差し出すと一瞬口を閉じる。匂いを嗅いでたしかめる能力を、意図的にオンにしているのだ。調査によると、過熱状態にある犬は、匂いでなにかを追跡したり品物を探し当てたりする能力が、四十パーセント落ちるという。暑い季節に犬が捜索救助に駆り出される場合、これはきわめて問題になるだろう。

暑いときに犬の嗅覚能力の低下をふせぐには、いくつか方法がある。一つは、もちろん、犬の体を冷やすことだ。園芸に使われるような霧吹きを使って、犬に水をかけてやる。表面から蒸発する水分によって体が冷やされ、息をあえがせる必要が減り、嗅覚能力が改善される。もう一つは、犬を数日間暑い条件の中で短時間働かせて、訓練すること。たいていの犬はかなり暑さに慣れ、数秒間匂いを嗅いだら、そのあと少しのあいだハアハア息をするという方法を身につける。この、嗅いでは口を開けて息をする方法で、匂いを追跡する能力が改善される。ただし、仕事をこなす速度はぐっと遅くなる。

濡れた鼻は匂いを集めやすい

誰でも知っているとおり、犬の鼻はたいていいつも冷たく濡れている。私は早めの朝食をねだろうと考えた犬に、冷たい鼻を耳に押しつけられて目を覚まされたとき、あらためてそれを思い知らされる。そんなふうに鼻先が濡れているのは、犬の鼻にあるたくさんの粘液分泌腺のためだ。粘液には鼻先を冷たくたもつ目的もあるが、おもな目的は匂いの分子を集めやすくすることだ。匂いの分子はすべて水に溶ける。犬の鼻を出入りする水分はマジックテープのような役目をし、匂い分子がふれるとその表面にくっついて粘液の中で溶け出す。鼻の表面を適度に湿らせている粘液が不足してくると、犬は鼻をなめることで匂いを集める力を補給する。鼻の中にはこまかい毛のようなものがあり、それが匂いの分子を鼻腔へと送り込む。この毛状のものが溶けた匂い分子を内側へ押していき、匂いを感じとる特別な細胞の近くに分子を集める。このしくみをつねに効果的に働かせるためには、大量の粘液が必要になる。この粘液は犬種によっては垂れ下がった上唇から頬にかけて流れ出し、よだれのように見えることもある。平均的なサイズの犬で、一日に約〇・五リットルの粘液を分泌する。犬が大量に水を飲むのも、おそらくそのせいだろう。

犬の嗅細胞は人間の五十倍

犬の鼻が捉えた空気は、最終的に渦巻状の〝鼻甲介〟という骨でできたひだへと到達する。これらのひだは厚いスポンジ状の膜におおわれ、ここに匂いを感知する細胞と脳に情報を運ぶ神経のほとんどが集まっている。人間の場合、この部分はおよそ七平方センチ、切手くらいの大きさである。犬の場合は、この部分を広げると、三百九十平方センチほど、つまりタイプ用紙よりやや小さめくらいだ。この表面積の大きさは、犬の鼻の長さと幅によって差がある。鼻が長くて広がっている犬は、この表面積も大きいが、パグやペキニーズのように鼻が短くてつぶれた犬は、この面積がかなり小さい。

この部分の大きさは重要な意味をもっている。鼻の大きな犬種は、嗅細胞の数が多いため嗅覚も鋭くなるのだ。たとえば、ダックスフントの嗅細胞の数は約一億二千五百万個、フォックス・テリアは約一億四千七百万個、そしてジャーマン・シェパードは約二億二千五百万個だ。とりわけ〝嗅覚獣猟犬〟など、かぎられたスペースにできるだけたくさん嗅細胞をつめ込むように作られた犬の鼻は、非常に長く幅も広い——嗅覚が重要な役割をするビーグルは、体重十四キロ、体高三十三センチだが、体重三十五キロ、体高六十センチのジャーマン・シェパードとおなじ二億二千五百万個の嗅細胞をもっている。そしてチャンピオンはもちろんブラッドハウンドで、その鼻にはおよそ三億個の嗅細胞がひそんでいる。かたや人間の嗅細胞はわずか五百万個で、小さなビーグルの二パーセントにすぎない。

脳の、匂いをつかさどる部分に特別な機能があり、嗅細胞が人間の五十倍であることを考えあわせると、犬が人間より匂いに敏感なことは驚くにあたらない。だが、ある種の匂いについて、両者のちがいがいかに大きいか、たいていの人はわかっていない。もともとハンターであった犬の鼻は、当然ながら、動物にかかわる匂いにとりわけ敏感である。汗の成分である酪酸《らくさん》の匂いについて調べてみると、人間の嗅覚は、その匂いをかなり低い濃度で、つまり一立方メートルの空気中に五百万分の一グラムを蒸発させただけで、嗅ぎとる。だが、自慢にはならない。おなじ量の酪酸を百万リットルの水に溶かしても、犬には嗅ぎ分けられるのだ。一グラムの酪酸を、十階建てのビルの中で蒸発させるようなものだが、ドアを開け放っても人間にはほとんど嗅ぎ分けられないだろう。おなじ量の酪酸を広さ三百五十平方キロ、高さ九十二メートルの場所で撒いても、犬はやはりその匂いを嗅ぎとる。この広さは、フィラデルフィア市とほぼおなじだ！　そこにはおよそ百五十万の住人がいて、みんな汗をかく（とくにむし暑い夏の日には）。そんな都市は、犬にとっていったいどんな匂いがするのだろう！

嗅覚の遺伝的要素

犬はみなすばらしい嗅覚をもっているが、選択育種によってその能力が高められる場合もある。ビーグル、バセットハウンド、ブラッドハウンドは、嗅覚能力に遺伝的な部分もあることをしめす好例だ。これらの犬はその才能――匂いを嗅ぎとり識別する能力だけでなく、匂いのあとをたどり、追いかけ、見つけようとする情熱――をのばすよう交配がおこなわれたのだ。

遺伝によって人間と犬の嗅覚にはっきりとちがいがもたらされた面は、ほかにもある。多くの動物とおなじように、犬の鼻には〝ヤコブソン器官〟あるいは〝鋤鼻《じょび》器官〟と呼ばれる特殊な器官がそなわっている。パンケーキ形をした袋のような器官で、特別な受容細胞が集まっている。口蓋《こうがい》の上部にあり、口にも鼻にも導管がのびていて、匂い分子が入り込む。ここに大量の神経が集まっていて、血液が送り込まれているのは、犬にとって重要な器官である証拠だろう。犬の脳の嗅球に、この器官から送られる情報を処理するための特殊な領域がある点から見ても、それが言えそうだ。

長いあいだ人間その他の霊長類には、ヤコブソン器官がないと考えられていた。だが最近の研究では、この器官は霊長類にも存在するが、痕跡のみで、ほとんど機能していないことがわかっている。人間の場合この器官には嗅細胞がほとんど存在せず、脳に情報を送るための神経細胞も欠けており、脳の中の嗅球にはこの器官から送られた情報を処理できる特殊領域もない。

フェロモンや尿で情報交換

犬は、私たち〝鼻の不自由な〟人間にわからない、どんな匂いを嗅いでいるのだろう。

犬の鼻は、生物学的に意味のある匂いを嗅げるようにできている。なかでも重要なのがフェロモンだ。たいていはおなじ種の動物同士が、自分以外の個体へ情報を伝えるために分泌する芳香性の化学物質である。以前は発情した雌が、雄を引きつけて交尾するために分泌するものと考えられていた。だが現在では、この化学物質が発情のほかに多くの情報を伝達することがわかっている。

アリ、ハチ、シロアリを研究した結果では、フェロモンの匂いが、群れのメンバー同士の意思疎通に欠かせないことがわかった。フェロモンは虫の脳を刺激して、異性を引きつける、食糧を集める、戦うなどさまざまな特殊行動を起こさせる。この匂いの効果は絶大なので、人工的に作りだしたフェロモンを使って、虫を罠《わな》におびき寄せたり、虫の侵入をふせいだりすることもある。

人間をふくむ霊長類では、フェロモンの効果は虫たちの場合ほど強力ではなく、無意識のレベルで作用することが多いため、たいていは気づかない。それは、脳内の嗅球が大脳皮質（情報を処理し意識にのぼらせる部分）に、ほんのわずかしか感覚情報を送らないためだ。匂いの情報は、大部分が〝大脳辺縁系〟に送られる。すべての脊椎動物にそなわっているこの部分は、太古の時代から進化してきた脳の中心部だ。辺縁系の各部は、行動の重要な三つの側面にかかわっている。一つは感情や気分、二つめは事実と場所にかんする記憶、三つめは性欲、縄張り意識、群れの支配といった動物的衝動の制御である。エッセンシャルオイルの香りを使って、気持ちを鎮《しず》めたり活性化させたりする

〝アロマテラピー〟は、大脳辺縁系に働きかけ、個人が匂いを意識しなくても、気分を変えることができる――これは動物にたいするフェロモンの働きと似ているだろう。

フェロモンは、特殊な汗腺である〝アポクリン腺〟から分泌される。人間の場合、アポクリン腺は体の特定の部分にしかなく、脇の下や股間にもっとも集中している。だが犬や多くの動物では、このアポクリン腺が体全体に分布している。だから、動物の体は人間より匂いが強いのだ。フェロモンを分泌するアポクリン細胞は毛穴にもあるため、犬の被毛にはこの化学物質が付着しており、ほかの犬にも嗅がれやすい。フェロモンが分泌すると、ほぼ同時にバクテリアが活動しはじめるため、匂いはより強くなる。犬がなにかに体をこすりつけると、フェロモンの一部がそこに付着し、犬にかんする記録を残す。フェロモンは、犬の年齢、性別、健康、さらには気持ちの状態まで伝える。それにくわえて、この匂いには雌が発情期にあるか、妊娠中か、あるいは最近出産したかなど、生殖にかんする情報も数多くふくまれている。

フェロモンの匂いのほかに、犬は尿でもさまざまなことを伝える。犬の尿（あるいは糞）にはフェロモンの化学物質が溶け込んでいるため、個体にかんする情報がゆたかにふくまれている。そこで犬は人が新聞を読むように、消火栓や樹木についた尿の匂いを嗅いで、ほかの犬たちにかんする最新情報を手に入れる。犬が垂直に立っているものに放尿するのは、地面より高い場所に匂いをつけると、匂いが遠くまで運ばれるからだ。しかも高い場所に匂いをつければ、自分の体の大きさを、ほかの犬たちに伝えることができる。犬にとって、体の大きさは支配力の大きな決め手だ。そして支配することはとくに雄にとって重要なので、雄は片脚を上げて、高い場所に尿をかける習慣を身につけた。高いところに匂いをつけると、ほかの犬にその上から尿をかけられ、メッセージを消される確率も少なくなる。

尿は犬の感情状態も伝える。感情の変化は、ストレスと結びつくホルモンの分泌に影響をあたえる。このホルモンは血液のほか、汗、尿、涙などの体液に流れ込む。というわけで、怒っている動物はおだやかな動物とちがう匂いを発する。動物が〝恐怖の匂い〟まで発散するという説もある。警察官の話では、警察犬はこの恐怖の匂いをかんたんに嗅ぎとり、捕まりはしないかと怯《おび》える犯罪者を追跡するという。恐怖は感情であり、感情に匂いはないはずだ。だが、恐怖が汗など体液の化学物質構成を変え、その化学物質が匂いを発するとすれば、たしかに恐怖その他の感情には、それぞれ匂いがあると言えるかもしれない。

匂いで相手との接し方を判断する

進化はなぜ、体液の匂いに感情の合図をしのばせるようなことをしたのだろう。ちょっと考えると、匂いで恐怖が伝わるのは、進化のうえでは有利どころか、かえって逆効果に思える。動物が怯えて恐怖の匂いを発散したら、敵に弱さをさとられて、攻撃されかねない。だが、犬のように群れを作る動物にとっては、仲間が感じていることがわかると、群れ全体の生存の可能性が高まる。つまり〝恐怖の匂い〟は、仲間には〝危険の匂い〟と読みとれるのだ。また、よそ者に恐怖の匂いが感じられなければ、接近を許しても大丈夫であり、なにがしかのきずなを結べる可能性もある。

犬の鼻にあるヤコブソン器官は、フェロモンを感じとって、犬にべつの犬との接触をうながす働きをする。犬同士が出会ったときにおたがいに嗅ぎあうのは、挨拶の儀式の一つだ。匂いの情報交換は、まずおたがいの顔を嗅ぎあうことからはじまる。そしてすぐに相手の尻へと注意を移す。そこに集まっているアポクリン腺から、たくさんの情報がえられるからだ。しかも尿や糞、あるいは交尾などにかんする匂いも嗅ぐことができる。一か所からさまざまな種類のフェロモンを嗅ぎとれるのだから、犬が興味をもつのは当然だろう。犬はこの情報を素早く読みとり、相手との接し方を決める材料にする。

犬は見知らぬ犬の匂いを嗅ぐだけでなく、おなじ家で暮らす犬同士もおたがいに嗅ぎあって、仲間が今日はどんな気分か、警戒が必要な否定的感情や攻撃的感情は芽生えていないか、新しい情報を仕入れようとする。

犬は人間の尻の匂いも嗅ごうとして、人を戸惑わせることがある。それはほかの犬の生殖器のあたりに引きつけられるのとおなじ理由からで、そのあたりにフェロモンを分泌するアポクリン腺からの匂いがゆたかに集まっているからだ。犬は見知らぬ犬にたいしてと同様、見知らぬ人間に興味を抱き、とくに性的な匂いに引きつけられる。性行為をしたあとの人間は、犬の注意を引きやすい。生理期間中の女性や出産して間もない

（まだ赤ちゃんに母乳をあたえている）女性も、犬からぶしつけにお尻の匂いを嗅がれることが多いだろう。

犬は匂いのソムリエ？

犬の鼻はもともと狩りに役立つよう進化した。ハンターとしての犬の鼻には、二つのことが求められた。一つは、匂いを感知する能力。そしてもう一つは匂いを残した動物の種類を認識すると同時に、自分が追っている特定の個体の匂いを嗅ぎとる能力である。特定の個体の匂いを識別できるからこそ、野生の犬族は獲物が疲れて走れなくなるか、抵抗をあきらめるかするまで、とことん追いつづける。逆に、追うほうも獲物から離れられなくなるのだ。

たとえば、狼の群れが一頭のカリブーを群れから切り離し、追跡を開始したとする。獲物が群れから離れたまま平原を逃げまわるなら、狼は獲物を追いつづけ、弱ったところで攻撃するだけでいい。だが、カリブーは群れの動物である。危険が迫ると、彼らは安全な（自分の姿が目立たない）群れの中に逃げ込もうとする。たとえば狼がカリブーの追跡に二十分ついやした場合。それほど長いあいだ追われたカリブーは、疲れて足が遅くなっているにちがいない。そして狼は、獲物が群れにもどったあとも、その個体が休息をとって元気を回復しないうちに捕らえようと追跡をつづける。そうしなければ、それまでの努力がむだになるからだ。犬族の視力はそれほどよくないし、群れの中の個体は見分けにくい。そこで彼らは嗅覚に頼って識別しながら、すでに弱っている個体を追跡しつづけるのだ。

相手の群れに何度邪魔されようと、特定の個体の匂いを嗅ぎ分けて追いつづける、という犬族の能力は、私たち人間の想像を超えている。私たちはある匂いを嗅いでも、もっと強いべつの匂いがすると、前の匂いはすぐにわからなくなる。たとえば、ユリの匂いを嗅いでも、スカンクがその上にスプレーをかけたら、ユリの匂いは消えてしまう。だが犬は、個々の匂いをべつべつに嗅ぎ分けられる。言い換えると、犬の脳には人間よりはるかに大きな嗅覚コンピュータがそなわっていて、匂いを識別するプログラミング能力が非常に高いのだ。匂いをべつべつに嗅ぎ分ける犬の能力は、物をべつべつに見分ける人間の能力になぞらえることができる。

たとえば、鮮やかな色の花柄のキルトを思い浮かべてみてほしい。その上に懐中電灯、金槌《かなづち》、ボールペン、本を置くとする。それらの品物を、視覚だけを使って見分けることは、人間にとっていともたやすい。さまざまな色が重なりあってごっちゃになることはなく、一つ一つの物をキルトと切り離して見ることができる。キルトの上に本をのせ、その本の上にボールペンをのせるというぐあいに、物をつぎつぎに重ねて置いても、容易にそれぞれを単体として見分けられる。それとおなじことを、犬の嗅覚組織は匂いでおこなえるのだ。複数の匂いを嗅いでも、ごっちゃになったり、支配的な匂いしか嗅ぎとれなくなったりしない。これは、〝匂いの階層化《レイヤリング》〟と呼ばれることもある。たとえば、誰かがチリソースを作っているキッチンに入ったとき、あなたが嗅ぎとるのは、鍋で煮えているチリの匂いだろう。だが犬は肉、豆、トマト、タマネギ、そして使われている香辛料を一種類ずつべつべつに嗅ぎとる。私たちがキルトの上の品物を一個ずつ見分けるのとおなじように、犬はこの〝匂いの風景〟に、さまざまな物の匂いを一個ずつ嗅ぎ分けるのだ。

鋭い嗅覚を仕事に活かす犬たち

犬に匂いを識別する能力がなく、関係のない匂いは無視して、だいじな匂いに神経を集中させることができなかったら、いまのように犬が仕事で必要とされることもなかっただろう。爆発物探知犬は、匂いを嗅ぎ分ける能力を活かし、多くの場面でみごとな活躍ぶりをしめしている。たとえば、犬に勘づかれないよう、爆発物に香水や香油の匂いをかけて持ち込もうとしたテロリスト・グループがいた。コーヒー袋に隠した例もあれば、汚れたソックスで爆発物をくるみ、それをさらにビニール袋に入れた例もある。汚れたおしめを入れた容器の中に隠した者もいた。だが、どれもみな探しだされた。最近では、爆発物探知犬が、地下六十センチに埋められたダイナマイトの箱を見つけだしている。

麻薬密輸業者も、強烈な匂いのするもので密輸品を隠そうとして、あまり成功していない。アーカンソー州警察のクレストン・ハットンは、メグという黄色いラブラドール・レトリーバーと一緒に仕事をしていた。彼が一台の車を調べていたとき、メグは麻薬があると彼に知らせた。警官たちはありそうな場所を探したが、なにもでてこなかった。メグは密輸品があると主張して引き下がらず、車の横側をしめした。だが、やはりなにも発見できなかった。ハットンはメグの判断の正しさに自信があったので、捜索をつづけるよう頼んだ。メグがしめした場所は、車の燃料タンクの入り口近くだった。警官がタンクを探ってみると、まさしく、ガソリンの中からプラスティック容器に入った十六キロのマリファナが見つかったのだ！

麻薬をほかの匂いで隠そうとしても、犬にはまったく効き目がない。その証拠に、ラブラドール・レトリーバーのスナッグは百十八回捜索に成功し、金額にして八億一千万ドルにのぼる麻薬を見つけだした。麻薬組織のボスたちの必死の努力にもかかわらず、ロッキーとバルコのチームが、テキサスとメキシコの国境線（通称コカイン通り）をパトロールして、一九八八年の一年間に摘発した麻薬は九百六十九件におよんだ。組織のボスたちはこの犬たちの首に三万ドルの賞金をかけたが、さいわい二頭は難をまぬがれ、引退するまで命をながらえた。

犬が嫌いな匂いというものもある。たとえばレモン、ライム、オレンジなどの柑橘《かんきつ》類や、赤唐辛子などの刺激的な匂いだ。とくに苦手なのがイネ科のハーブ、シトロネラ。犬よけのスプレーに使われているほか、吠えるのをやめさせる首輪にも使われている。この首輪に取りつけられた小さなマイクロホンが犬の吠え声を拾うと、シトロネラがごく少量噴射され、犬が吠えなくなるというしくみだ。これは少しのあいだ効いても、犬が匂いに順応してしまうと効き目がなくなる。

匂いの面通し

犬は人間を一人一人匂いでたくみに嗅ぎ分ける。人の匂いは汗の中に作りだされたあと、汗や皮膚に作用するバクテリアによって変えられる。影響をあたえるおもなバクテリアは五種類で、どんな人も多かれ少なかれこれらをもっている。また人の汗にはおもに八種類の化学成分がふくまれ、それらの濃度は個人の生理的な状態と気分によって変化する。皮膚の構成要素もまた、人種、年齢、日光との接触度、脂肪腺から分泌される脂肪分、食事などによって少しずつちがってくる。これらすべての変化要素の組み合わせを考えると、人の匂いには何百万種類もあり、しかもそれぞれの匂いに個人独特のものがあるのだ。そして人には香水、防臭剤、煙草など体から発する以外の匂いが皮膚や服についている。ニンニクやタマネギなど、ある種の食べ物を食べると化学成分が変化し、その人の〝匂いのしるし〟が変わってくる。たとえば、香水や防臭剤などがべつのものに変わり、個人独特の匂いを構成する化学物質の構成が変わると、犬は混乱し、匂いによる識別をまちがいかねない。だが、いつもとちがう匂いにではなく、いつもと変わらない匂いのほうに嗅覚を集中させることを学びとれば、すぐに正しく認識できるようになる。

犬が匂いでどれほど正確に人を識別できるかを知るために、人間が視覚でほかの人間を識別する能力とくらべてみよう。視覚による識別力について、もっとも組織的な研究をおこなっているのは法心理学者で、彼らは面通しで容疑者を選びだすときの正解率を調べた。目撃者は、人種や性別がおなじで、体型も似ている数名の中から一人を選びだすよう頼まれる。人間は視覚に頼りがちなので、容疑者の確認はおもに外見のみによる判断でなされる。調査によると、人はこの手の識別にあまり成功していない。心理学者のラルフ・ハーバーとリン・ハーバーは、面通しでの正解率について、三十七の調査結果を分析した。その結果、六人の中から選ぶという、条件がもっとも有利な面通しでも、目撃者が識別に成功したのはわずか五十五パーセント、つまり二分の一強だった。

犬の場合、視覚による面通しに匹敵するのが、〝匂いの面通し〟と呼ばれるものだ。まず犯罪現場にあった品物の匂いを犬に嗅がせる。つぎに人を整列させるかわりに、犬の前に六個から十二個の弾倉あるいは布切れがならべられる。その中に容疑者がさわった品物が一つあり、その他はべつの人間がさわった物である。犬はならんだ物の中から、犯罪現場にあった品物とおなじ匂いの物を選びだすよう要求される。そうして選びだされた品物は、多くの国の法廷で〝証拠品〟と同等の扱いを受けている。この仕事における犬の識別力にかんする調査では、正解率は八十パーセント——人間の目撃者の視覚による識別より数倍高い成功率だ。人は二回に一回しか正確に識別できないのに、犬は五回のうち四回正解をだすのだ。

犬もときには匂いによる識別に失敗するが、それは匂いのちがいに敏感すぎるため、という場合もある。調査によると、犬は個人の匂いを識別するだけでなく、それが体のどの部分から発した匂いかも嗅ぎ分ける。つまり、人が肘《ひじ》をこすった布切れの匂いと、脇の下をこすった布切れの匂いのちがいもわかるのだ。犬の鼻からすると、人はさまざまな匂いをもっている。匂いの面通しで識別に失敗するのは、ならべられた品物と犯罪現場にあった品物に、それぞれ容疑者の体のべつの部分の匂いがついていたからかもしれない。容疑者の体のいろんな部分の匂いや、時期のちがう匂いのサンプルがあれば、犬はその人間固有の基本的な匂いを学びとり、ほかの人間と区別するだろう。

このことから、犬がおなじ家に同居する家族のメンバーを取りちがえやすい理由もわかってくる。そして犬は一卵性双生児の匂いもときどき嗅ぎまちがえる。双子がそれぞれちがうものを食べていれば、まちがいは少なくなる。そして犬にまず二人の匂いをべつべつに嗅がせると、区別がつけやすくなる。この条件のもとだと犬のすぐれた嗅覚能力がフル回転し、二人の匂いの微妙なちがいを探しだす。そして二人を直接くらべたあとは、犬は匂いで一人一人を識別し、片方の匂いのあとだけをたどることもできるようになる。

匂いの強弱が追跡の羅針盤

見たものや聞いたものは一瞬で消えてなくなるが、匂いは残る。臭跡は過去のスナップ写真だ。少し前にある場所をなにかの動物が通りすぎた場合。犬はそれがどんな動物で、どの方向に向かったか、あるいはどのくらい長くそこにいたかを嗅ぎ分ける。そしてその動物が獲物である場合は追跡し、外敵である場合は避けて通ろうとする。人間は犬のこの能力を、犯人追跡や捜索救助の仕事に利用している。

ひと昔前には、犯人の皮膚からごく少量の血がしたたり落ちて、犬はそれを嗅いで追跡をおこなうと考えられていた。ブラッドハウンドの名前の由来もそこにある。現在の学者たちは、〝垢《あか》〟とか〝ふけ〟と呼ばれるこまかな皮膚細胞が、汗にまみれ、バクテリアの作用を受けて、人間の匂いを運ぶのだと考えている。人間の体は毎分五千万個の細胞を落とす。つまり垢が、目に見えないほどこまかな粉雪のように体から地面に降りそそいでいるのだ。生物的匂いやフェロモンにたいして敏感な犬の鼻は、かんたんにこれらの垢を識別し、それを落としていった人間を追跡する。

そこを通りすぎた人の痕跡を見つけるのは、犬の仕事の第一歩にすぎない。犬はその人間がどちらの方向に向かったかを判断しないといけない。オスロ大学の研究者は、臭跡の方向をつきとめる犬の能力を調べた。彼らは誰かに野原や舗装された場所を歩いてもらい、二十分後に、追跡犬を連れてきてその人物が歩いた道の中間地点に置いた。犬たちの行動は目ざましかった。彼らはおよそ三、四秒のあいだ、人間の五歩ぶんに相当する範囲を嗅ぎまわったあと、まさしく人物が進んでいった方向へと自信ありげに走りだした。犬たちが足跡の形などではなく、臭跡を追ったことは明らかだった。被験者に後ろ向きに歩いてもらっても（つまり足跡が逆方向を向いていても）、犬たちは実際に彼が立ち去った方向へ向かったのだ。

先に歩いた足跡ほど古くなり、匂いも薄くなる。これが、犬にとって追跡すべき方向をつかみとるヒントになる。つまり、匂いがしだいに強くなる方向を選べばいいのだ。だが、方向を正確に知るには、はっきりした臭跡が必要になる。歩くかわりに自転車に乗っていった人間のあとをつけさせたところ、犬たちの正解率はぐっと低くなった。足跡のように古い匂いとそれより新しい匂いとの差がはっきりせず、匂いの変化にまったく切れ目がないので、方向をつかむのがほとんど不可能になったのだ。自転車の後輪に皮の小片を貼りつけたところ、それが足跡のような役割をはたし、犬たちは匂いの強弱を識別して方向を正確に嗅ぎとった。

私はわが家でもっとも優秀な追跡犬、フラットコーテッド・レトリーバー、オーディンを使って、犬が臭跡の方向をどのようにつかみとるか、実験したことがある。私は自分の説が正しい場合は、オーディンが不正解をだす、という筋書きを考えた。友人に協力してもらい、彼の靴の底にペパローニ・ソーセージをこすりつけた。その靴で彼は九十メートルほどの距離を歩いた。つぎにオーディンを彼が歩いた道の中間地点につれていき、おなじペパローニ・ソーセージを塗りつけた布切れを嗅がせ、その匂いを追跡するよう命じた。この追跡実験では、私の友人の靴についたペパローニの匂いが、歩けば歩くほど薄くなる、という点がみそだった。オーディンが、もし匂いの強くなっていく方向を目指すなら、彼は友人が歩きだした出発地点（進んでいった方向ではなく）へと向かうことになる。そして実際に、オーディンはそのように行動した。何度試してもオーディンは数秒で心を決め、自信ありげに出発地点へと向かった――友人が待っている到着点へではなく。この結果から見ても、犬がなにかを追跡するとき、道に残された匂いの強さで方向を判断していることは明らかだ。

臭跡が古くなり、匂いが薄くなると、進路を判断するのはむずかしくなる。日射しの明るい暑い日には匂いが消えやすい。紫外線は匂いを発する化学物質の一部を破壊し、匂いを大幅にそこなう。汗で濡れたTシャツを太陽の下で乾かすと、数時間でさっぱりと匂いがとれるのもそのためだ。といっても、古い臭跡は追跡不可能なほど匂いが薄くなるわけではなく、匂いの方向をつかみとるのがむずかしくなるだけだ。こんなとき追跡犬は、ハンドラーのほうを見て、進むべき方向のヒントをえようとする。ハンドラーが方向を見失ったり、判断をあやまったりすると、犬は目標物を見つけられない。だが、出発地点がわかりさえすれば、犬は臭跡が古いという不利な条件のもとでも、みごとに追跡をおこなう。

川に飛び込んでも犬の追跡はかわせない

司法機関で犬にまかされる重要な仕事の一つが、犯罪者や脱獄囚を追跡し発見することだ。たとえば、マーティン・ルーサー・キング牧師暗殺容疑で有罪になったジェームズ・アール・レイが、その数年前にべつの犯罪でジェファーソンシティ近くのミズーリ州厳戒刑務所に服役中、脱獄を試みたときのこと。数時間後に脱獄を知った警察は、通常の捜索に乗りだしたが、彼を発見できなかった。四十八時間以上たったとき、バターカップという雌のブラッドハウンドが捜索にくわわった。警察側にわかっているのは、レイが逃げた出発点だけだった。レイのゴム・ブーツの足跡が湿った地面にはっきり残っていたのだ。ゴムの靴なら犬に匂いを嗅ぎとられないだろうと考えて、レイが盗んだものだった。だが、この手の工作はまったく意味がない。匂いを運ぶ垢が体じゅうの皮膚から落ちるので、犬はそれだけで十分追跡できるのだ。その日は霧雨が降って地面が濡れていたが、バターカップは臭跡からべつの情報をえる必要はなかった。彼女は方向を探りだすと、臭跡からそれることは一度もなかった。数時間後、彼女はレイの隠れている場所の前で激しく吠えた。刑務所から十一キロ離れた地点だった！

これはバターカップのすばらしい手柄に思えるが、もっと古い臭跡で、もっと長い距離まで追跡した犬たちの記録も残っている。私が知っている最長記録は、捜索救助犬のブラッドハウンド、ランディとそのハンドラー、スティーヴン・ジョンソンが、広大な原野で迷子になった二人の子供の臭跡を追ったときのものだ。子供たちの遊ぶ姿が最後に目撃されたのは、歩道の脇にあるキャンプ場だった。ランディは子供たちの衣服の匂いを嗅ぐと、たしかな足どりで歩道を歩きはじめた。五時間近くたったころ、キャンプ場から五十六キロほどの場所で、怯えてお腹をすかせた二人の子供が発見された。

冒険ものや犯罪ものの小説には、犯罪者がブラッドハウンドの追跡をかわそうと、川に飛び込んで自分の匂いを消す場面が描かれ、読者に誤解をあたえることが多い。これは半分しか事実ではない。実際には、水にも匂いが残るのだ。川が十分に大きくて深ければ、そして流れが十分に速ければ、人の匂いは散るだろう。だが、川がそれほど深くなく、流れがそれほど急でなければ、あるいは川の上に微風が吹いていれば、匂いは川岸沿いに広がり、そのしめった表面に漂う。この臭跡は、追跡犬に十分すぎるほどの情報をあたえる。だが、直射日光を五、六時間浴びた場合は、おそらく匂いがうしなわれるだろう。強い風も急な流れと同様、匂いを散らしてしまう。というわけで、脱獄で犬の追跡をかわすための理想的な条件は、強風をともなう土砂降りの日か、猛烈に暑くて日射しが強く風も激しい日に、五、六時間犬より先んじることだ。

優秀な追跡犬は、標的を追うにあたって標的の匂いだけを頼りにはしない。足跡は土にめりこんで、ちがう匂いを作りだす。歩く途中で草その他の植物を踏んだり折ったりすると、やはりべつの匂いが発生する。臭跡が新しいあいだは、それらが標的の匂いとまじりあう。追跡犬にとってさいわいなことに、その匂いの多くは、直射日光を浴びても汗やフェロモンより長く残る。そこで標的の匂いが薄くなっても、ほかに大勢の人間がおなじ場所を歩いたりしないかぎり、犬はそれらの匂いを手がかりに追跡をつづけることができる。

〈匂いを追跡する三つの方法〉

犬は鼻を使って匂いのあとを追うとき、足跡をたどる、痕跡のあとをつける、空気を嗅ぐという三種類の方法をとる。犬種によって得意とする方法がちがい、方法それぞれに適した仕事や条件がある。

足跡をたどる　痕跡のあとをつける方法とおなじように考えられがちだが、じつはちがう。足跡をたどるのは、標的を追うもっとも正確な方法だ。犬が鼻を低くして一つの足跡からべつの足跡へと臭跡を追って移動していくからだ。この方法は、臭跡が比較的新しいときに、もっとも威力を発揮する。犬は荒らされた地面や植物の匂いも手がかりの助けにする。彼らは標的が通った道を正確にたどるため、標的が落としたり隠したりした品物を見つけることも多い。

痕跡のあとをつける　犬が臭跡をたどるもっとも一般的な方法で、足跡そのものより、相手の体から落ちた垢やふけの匂いを追う。垢などが落ちる場所は風の速度や向きに影響されるので、犬は標的が実際に通った道から、何メートルも離れた場所で並行に走る道をたどることもある。

足跡をたどる場合も、痕跡のあとをつける場合も、犬は人間の視力が役に立たなくなる夜中でも、難なく追跡をつづける。どちらの方法でも、犬には長いリードをつける。そうしないと、追跡に夢中になった犬がハンドラーを置き去りにしかねないからだ。

空気の匂いを嗅ぐ 犬が頭を上げて標的の匂いを嗅ぎ、匂いをつきとめるまであたりを調べまわる。いったん匂いをとらえると、犬はまっすぐに標的へと向かう。標的が実際に通った道をたどるのではなく、匂いが漂ってきた方向へと直行するのだ。この方法では、風と天候が成功率に影響をあたえる。無風状態の暑い日には、人間の匂いは遠くまで運ばれないので、匂いをつきとめるには、犬は近くにあるたくさんの道を調べまわらねばならない。理想的な条件のもと――夕暮れどきか明け方で、地面が冷えていて少し湿りけがあり、風が安定している――では、人間の匂いは遠くまで運ばれるので、犬がそのあいだのどこかで匂いをとらえる可能性は高い。

ブラッドハウンドは、追跡のスーパースターだ。彼らには匂いにたいするすぐれた記憶力がある。たいていの犬種は、二、三時間おきに探すべき標的がさわった品物を嗅ぎ直さないと、匂いを忘れてしまうが、ブラッドハウンドは一回も嗅ぎ直さずに、一日じゅう追跡をつづけられる。だが多くのハウンドと同様、空気の匂いを嗅ぐのは、ほかの犬種ほどうまくない。彼らは鼻面《はなづら》を上げて空中に漂う匂いをとらえることより、鼻面を下げて地面から上がってくる匂いを嗅ぐほうが得意なのだ。捜索救助の仕事で空気の匂いを嗅ぐのがうまいのは、ジャーマン・シェパードとラブラドール・レトリーバーだ。

被害者を救出する犬、遺体を発見する犬

空気の匂いを嗅ぎとるのが得意な犬は、建物の倒壊など災害時に活躍する。標的のあとをつけるのとはちがう、被害者のいる場所をつきとめる仕事だ。こうした犬は複数の人の匂いがまじった匂いを覚える訓練を受ける。罹災《りさい》地で、不特定の被害者を見つけられるようにという配慮からだ。犬が指示にしたがって現場を歩くあいだに、生存者につながる匂いを嗅ぎつけたら、救助できる可能性がある。犬たちは生存者を見つけたときにもっとも強く反応し、死者を発見したときはひどく動揺することもある。行方不明者の死が予想される場合は、〝遺体発見犬〟と呼ばれる犬が仕事をする。

遺体発見犬は、死体にむすびつく匂いを嗅ぎとるよう訓練を受ける。彼らは犯人が殺人を認めはしても、死体をどこに捨てたか正確に思い出せないときの捜査にも使われる。さらに遺体発見犬は、水から立ち昇る匂いを追跡することも可能で、溺死者や水底に隠された死体を見つけだす仕事もこなす。

二〇〇一年に、三十七歳のキンバリー・シュムスキーが、フィラデルフィアの自宅からいなくなったまま三か月消息を絶った。彼女と仲がわるかった建築作業員の夫に、殺人の容疑がかかった。勘と目撃者の断片的な証言にもとづいて、捜査陣は二頭の遺体発見犬に夫が作業をしていた建築途中の建物を探させた。犬たちは即座に、建物の一か所になにかがあると合図した。人間の目には、べつだん変わったところはなさそうに見え

たが、警察は二頭の能力を信頼して、その壁面を壊させた。中からビニールに包まれダクトテープを巻かれた、キンバリーの遺体が見つかった。鉄筋で補強された壁の、建築用ブロックの下にセメントで埋め込まれていたのだ。それでも犬たちは匂いを嗅ぎとり、場所を正確につきとめたのである。

遺体発見犬の中には、〝遺体の一部を発見するプロ〟もいる。その典型的な例が、一九九九年にミシガン中央部で能力を発揮した、ドーベルマン・ピンシャーのイーグルだ。医師のアジズル・イスラムは、妻のトレーシーと喧嘩をした。そして十二月二十日、アジズルは子供たちに、おまえたちのお母さんはイギリスに帰り、親戚のもとで暮らしていると告げた。その二日後、レストランのゴミバケツから切断された体の一部が見つかり、一週間後に野原に捨てられたゴミ袋から、さらにほかの部分も発見された。警察はその遺体をトレーシー・イスラムのものと推測し、その自宅から彼女の歯ブラシを入手して、DNAサンプルを採取した。つぎに彼らは、イーグルに自宅を捜索させる許可をアジズルから取りつけた。警察が彼の家を訪ねてみると、漂白剤の強烈な匂いがあたり一面に漂い、イーグルのハンドラーは、犬にうまく仕事ができるかどうか不安を抱いた。捜索のためにまず地下室に下りたとたん、イーグルはペンキのローラーに向かって警告の吠え声をたてた。そしてそのすぐあとに、犬はアジズルがペンキを塗った床になにかがあることを知らせた。その後の分析で、ペンキと床の一部から血液が検出された。DNA鑑定の結果はトレーシーの血液と一致し、アジズルは第一級殺人罪で有罪となった。

放火をつきとめ、害虫駆除にも役立つ鼻

犬の嗅覚の優秀さをもっともよくあらわしているのは、人間がその能力を見込んで犬に頼む仕事の幅広さだろう。匂いを探知する電子機器の力も、犬の鼻の敏感さと識別力にかなわないことが多い。

アメリカでは、年におよそ七万五千件の放火が起きる。保険金目当て、殺傷やテロ目的のため、あるいは財産や犯罪証拠を抹消するためだ。放火によってアメリカでは毎年五百人が死亡している。二〇〇〇年の一年間だけでも、放火による被害総額は十三億四千万ドルにのぼった。放火犯が火をつけるために使うのは可燃性の炭化水素、たとえばガソリン、シンナーその他の溶剤が多い。

焼け方のパターンから放火を立証できる場合もあるが、意図的に使われた可燃性の触媒を探りだすことはむずかしい。そこで捜査では〝放火探知犬〟が広く使われている。放火に使われそうな可燃性の液体を探りだすよう、訓練を受けた犬たちだ。調査によると、こうした犬は鎮火から十八日後まで触媒の存在をつきとめることができる。いっぽう、電気的な測定器で信頼にたる結果をえるためには、捜査官が現場ですぐに調べないといけない。だが焼け落ちた建物はくすぶっていて危険な場合があり、かなり長いあいだ再燃の可能性がある。放火探知犬を使えば、安全な状態で現場に入れるようになるまで、捜査官が待つことができる。この仕事に適した犬は黒いラブラドール・レトリーバ

ーだ(黄色いラブラドールでもいいのだが、煤《すす》のあいだを嗅ぎまわったあとは体が黒く汚れるので、何度も洗ってやらねばならない)。現在保険会社では、独自に放火探知犬を使っているところが多いし、アルコール・煙草・火器・爆発物等取締局は、このたぐいの犬を五十頭ほど確保している。

可燃性炭化水素を探知する犬の少し変わった実例が、一九七四年にあった。カナダのオンタリオ州で、天然ガスのパイプラインが新たに地中に埋め込まれ、始動が間近に迫った。一回目のテストで、ガスが途中で大幅にうしなわれることが発見された。パイプラインのどこかで漏れだしていたのだ。テクノロジーを駆使して調べたが、技術者も科学者も穴を発見できなかった。ガス漏れによる惨事の可能性が高いにもかかわらず、パイプラインの始動まであと九日しかない。そのとき誰かが、さまざまな匂いを嗅ぎ分ける犬を訓練しているグレン・ジョンソンに連絡してはどうかと提案した。時間が迫るなか、ジョンソンはほかの匂いですでに訓練ずみの三頭を選び、わずか二日半のあいだに、ブチルメルカプタンの匂いのついた物で訓練し直した。ガスが漏れたとき人間に嗅ぎとれるよう、天然ガスの〝匂いづけ〟に使われる化学物質である。パイプラインの最初の三十二キロ地点までのあいだで、工事にあたった作業員は三か所に小さな亀裂がある可能性を指摘していたのだが、犬たちは一日で二十か所の亀裂を教えた。技術者たちはそれを信用せず、誤りだと考えた。ところが実際に掘ってみると、犬の教えたすべての場所で亀裂が発見された。犬たちは、地面から十二メートル下にある匂いをつきとめたのだ。調査を終えるまでに、犬たちによって発見された危険な亀裂の数は百五十以上におよんだ。

犬は虫の匂いにも敏感だ。そのため、犬はシロアリ退治にも使われている。シロアリはアメリカの家庭に、毎年十億ドルにのぼる被害をあたえる。だが初期段階では、侵入したシロアリの三分の二が、人間の害虫検査員には発見できない。それは検査員が被害の徴候を視覚に頼って探すためだ。残念ながら、被害が目に見えるようになるころには、家はすでに深刻な打撃を受けている。フロリダのウィリアム・ホイットスタインの家は、シロアリ検査を受け、徴候はないと言われた。だがその三か月後、シロアリの大群による甚大《じんだい》な被害が発見された。ホイットスタインは、麻薬、爆発物、放火の発見用に犬を訓練しており、シロアリがだす化学物質の匂いも、教えれば探せるようになるはずだと考えた。研究結果でも、この考えが正しいことが証明された。カリフォルニア大学の研究室で、木片に穴を開け、そこにシロアリを入れて実験したところ、シロアリ探知犬は五十個のうち四十九個で正解をだした。そして犬の正解率九十五パーセントにたいし、化学物質探知器の正解率は五十パーセント以下だった。

害虫の探知という例では、マイマイガの卵を探しだす犬たちもいる。一八〇〇年代なかばにたまたま北米に入り込んだこの蛾は、森林を破壊し、何百種類もの樹木に被害をあたえている。

犬はまた、虫の保護にも役立っている。ミツバチは〝腐蛆《ふそ》病〟という、巣全体にたちまち広がる伝染病に冒される危険性がある。授粉者であるハチは、農業にとってはきわめて重要な存在だ。腐蛆病の徴候を調べるのは、養蜂家《ようほう》にとって時間も根気もいる仕事だ。だが、訓練を受けた犬なら、二百個の巣を一日で、ほぼ完璧に調べあげる。おかげで病気が広がる前に、感染した巣を消毒することができるのだ。

犬はまた、訓練によって毒性のカビも発見できるようになる。カビは浸水や漏水《ろうすい》などで湿気をふくんだ建物に発生しやすい。石の壁や木材が使われた部分、敷物を敷いた場所などは、カビの成長に理想的な場所だ。北米では、人びとが日常の七十五から九十パーセントを屋内ですごす。つまり、こうしたカビに接触する危険性が非常に高くなる。カビの胞子にはきわめて毒性の高いものが多く、喘息《ぜんそく》、蓄膿《ちくのう》症、発疹、深刻な呼吸障害(肺炎もふくむ)の原因になりやすい。これらのカビは敷物や家具の下、壁の中、鋳造物の後ろ、あるいは屋根裏や床下に発生するため、発見がむずかしい。だが、犬に探しだしてもらえば、かんたんに汚染をとりのぞくことができる。

医療に役立つ犬たち

犬の中には、人間の癌を嗅ぎとれる犬もいるようだ。この驚くべき事実を一九八九年四月に、権威ある医学雑誌『ランセット』ではじめて報告したのは、医師のハウェル・ウィリアムズとアンドレス・ペンブロークだった。一人の女性患者が、腰にある黒子《ほくろ》について相談に訪れた。飼っているボーダー・コリーとドーベルマン・ピンシャーの雑種犬が、ズボンの上からその黒子の匂いをしつこく嗅ぐので、気になったという（犬は彼女の体にあるほかの黒子には興味をしめさなかった）。そしてショートパンツをはいたとき、犬が黒子を食いちぎろうとしたので、医者に診《み》てもらうことにしたのだ。検査の結果、黒子はなんと悪性のメラノーマ（黒色腫）と判明した。ウィリアムズとペンブロークはこう書いている。「犬は、腫瘍がまだ初期の段階で、医師の診断をあおぐよう飼い主をうながし、その命を救った」その悪性腫瘍は、「蛋白質《たんぱくしつ》合成が変質しており、人間にはわからないが、犬には容易に嗅ぎとれる異臭を放つ」のだろうと、二人は推測している。

この一例だけなら、たんなる偶然として片づけられただろうが、犬が黒子や皮膚障害を嗅ぎとって飼い主の注意をうながし、のちに悪性腫瘍とわかった例は、現在までに七件報告されている。これらの報告をもとに、フロリダのタラハシー記念地方医療センターの皮膚科医アーマンド・コネッタ博士は、犬を特別に訓練して癌の発見に役立てようと考えた。実際に訓練にあたったのは、元警察犬の訓練士ドゥエーン・ピッケル。そしてテストケースとして訓練されたのが、すでに爆発物探知犬として実績をあげていた七歳のシュナウザー、ジョージだった。ジョージはガラス瓶に保管されていた患者のメラノーマの組織サンプルを、嗅ぎ分けることを覚えた。実験にあたっては、一本のプラスティックのチューブに十個穴を開け、そのうち一個の穴の下に、ガーゼに包んだ微量の癌細胞サンプルを置いた。あるいは人の体にメラノーマのサンプルをテープで留め、その上に包帯を巻いた。それらをジョージに探させたのだ。一九九六年、コネッタ博士は全米癌協会に、ジョージの正解率が九十九パーセント以上だったことを発表した。博士はまた、七人の癌患者と癌ではないと診断された数人の患者を、ジョージに調べさせた。ジョージは七人のうち四人の癌を、正確に嗅ぎあてた。そして癌ではない患者の一人について、ジョージは判断をまちがえ、特定の黒子をしつこく嗅ぎつづけたあと、警告の合図をした。念のためにと、その黒子を切除して検査した結果、なんとジョージが正しかった。黒子は悪性だったのである!

こうした先例を受けて、犬の鼻について、現在さまざまな医学的な実験がおこなわれている。カリフォルニアの研究者は、肺癌検査に役立てるよう、シン・リンという名のスタンダード・プードルを訓練した。癌ではない患者と、まだ治療されていない肺癌患者から呼吸サンプルを採取して、訓練がおこなわれたのだ。予備報告によると、犬はこの作業で八十五パーセントの正解率をしめした。またケンブリッジ大学では、男性の死亡率が高い前立腺癌の探知に、犬を訓練できるかどうか実験が進んでいる。健康体の男性の尿と癌患者の尿を犬に嗅ぎ分けさせるのだ。男性は前立腺癌の検査方法に大きな抵抗を覚えがちで、検査を受けたがらない。犬がたんなる尿サンプルで初期の前立腺癌を探知できるようになれば、確実に大勢の命を救えるだろう。なかには、人間の唾液サンプルの匂いを嗅いで、結核を探りだす訓練を受けた犬もいる。この病気は貧しい国や、戦争や自然災害をのがれた人たちのための仮設キャンプで蔓延《まんえん》することが多い。こうした場所では、医療スタッフや高度な医療機器が不足ぎみになるから、素早く病気を嗅ぎ分ける犬たちがいれば、何千人もの命を救えるかもしれない。

3　犬には眼鏡が必要か——犬の目の能力

たいていの人は、自分の四歳以前のことはほとんど覚えていない。もちろん人は最初の三、四年間で膨大なことを学習するし、その経験の多くは記憶の中に取り込まれる。人はその時期にトイレの使い方を覚え、道具を使ってものを食べる方法を学び、両親をふくむ家族の見分け方も覚える。私たちはそのころ子供の遊びをいくつか覚えただろうし、動物園や海水浴場など、楽しい場所にもいったにちがいない。こうしたできごとは記憶の中にしまいこまれるが、脳の内部では視覚的な映像《イメージ》としてコード化され、記録されている。そしてもっと高度な言語能力が発達すると、記憶の記録方法が変わり、そのほとんどが言語コードの形で記録されるようになる。そして人はイメージではなく言語を使って考えはじめる。それより前の記憶も残っているのだが、いまや言葉で考えているため、思い出すことができない——言葉ではなくイメージで記録された過去へつうじる鍵が、うしなわれてしまったからだ。

複数の言語を身につけた人は、特定のことがらについて考えるとき、その情報を最初に受け取ったとき使った言葉で考えるほうが、しっくりくるという。私の友人に、フランス語と英語ができる女性がいる。彼女はパリで学生だったころ、現在の夫と出会って結婚した。二人はいま英語圏に住んでいるが、おたがいに親密な話になるとフランス語を使う。二人が恋に落ちたときに使った言葉だからだ。「彼に個人的な話をするときは、フランス語のほうが感情や意味がこめられる」と彼女は言う。「おなじことを英語で話すと、まるで嘘っぽくなるの――滑稽な感じになったり。でも、ヴァンクーヴァーに移ってからのことを話すときは、いつも英語を使うわ。ぴったりな言葉がフランス語では見つからない気がして」

イメージによる記憶

犬は言葉をもたない。少なくとも人間のような、言語を基本にした伝達手段はもっていない。つまり彼らの思考は、人間とはまったく異なる形でコード化されているのだろう。言語をもたない犬の思考プロセスは、幼児期の人間の、感覚にもとづく思考と似ているのではないかと思われる。といっても、犬の頭の中でビデオが回っていると言いたいわけではない。犬の思考プロセスの中で言葉のかわりをしているのが、感覚的な経験に結びつく、一連のイメージではないかということだ。

脳の電気的な生理現象の研究に犬を使ったロシアの科学者V・S・ルシノフは、テストの時間がくると、犬たちが実験装置をつけられなくても、テストを受けているときとおなじ脳波パターンをしめすのを発見した。そして彼は、犬が時間の推移に敏感であり、テストの時間になると、これからどんなことが起きるか考えはじめるのだと結論した。犬は感覚的なイメージでものを記憶するため、自分がいつも研究室で体験しているのとおなじことを見たり聞いたりすると、考えただけで脳の一定の領域が刺激されるというわけだ。

感覚的なイメージが犬にとって言葉の役目をはたしているとしたら、犬の思考プロセスを理解するには、その感覚的な言語を理解する必要がある。そしてもし犬の感じ方が人間とちがっていたり、人間が感じないものを感じとっているとしたら、できごとにたいする犬の理解や考え方は、人間とはかなりちがうはずだ。というわけで、犬がなにを考えているかを理解するには、犬の感覚がもたらす言語を学ばなければならない。

犬は薄暮好き

人間と犬の目は、だいたいおなじようにできているが、世界の捉え方に影響をあたえるような重要なちがいもある。人間の場合、視覚系組織はほかの感覚系よりも脳の中で大きな割合を占めており、情報を処理し伝達するニューロンの数も多い。つまり私たちは自分が見たもので、状況を判断する傾向が強い。だが、これは犬にはあてはまらない。犬の視覚系組織は脳の中でそれほど支配的ではないし、状況判断でそれほど視覚に頼ることもないのだ。

さまざまな点で犬の視覚能力は人間より劣っているが、動物の中ではかなり視力がいい。視覚処理能力では実際に人間よりすぐれている面もある。たしかに、投げられたフリスビーの飛んでいく先を犬が目で追い、跳び上がって空中でキャッチする姿を見れば、そのイメージの処理能力やすぐれた視力に疑いをもつ人はいないだろう。犬種の中には、視覚能力を活かした仕事ができるよう交配され訓練されてきた犬も多い。レトリーバーは鳥の姿を目で追い、猟師が撃ち落とした場所を頭にきざみこむ。牧羊犬は、群れの統制が乱れたらすぐさま行動にでられるよう、羊たちのちょっとした動きも見逃さない。そして、遠くにいるご主人が送ってよこす手や腕の合図を目でたしかめて、自分がどこにいくべきか、群れをどの方向へ移動させるべきか判断する。グレーハウンドなどの視《サイ》覚《ト》銃猟犬《ハウンド》は、猛スピードで逃げる獲物を、視覚だけを頼りに追跡して捕らえるよう、何千年もかけて交配されてきた。盲導犬は、目の不自由なご主人にかわって、自分の目で視覚情報を受け取る。

進化は種が存続できるよう、それぞれの感覚を微調整してきた。人間は木の上で生活する霊長類から進化したため、色が正確に識別できて（熟した果物や実を、木の葉のあいだからもぎとるために）、視力がよく（小さな木の実も見落とさないために）、すぐれた距離感をそなえた（枝と枝のあいだの距離を見誤って地面に落ちないために）目が必要だった。犬の祖先はおもに狩りをおこない、肉を食べていたので、地面を早く走って獲物を捕らえるように適応してきた。犬族はまた〝薄暮性〟である。つまり夜明けや夕暮れどきに活動することが多いので、人間とちがって、薄暗い光の中にいるほうが快適なのだ。夕暮れどきや夜の活動に必要とされる目は、明度の低い光への敏感さが要求されるが、色の識別能力はそれほど必要ない。

犬の目がぶきみに光るわけ

犬の視覚の話に入る前に、目の解剖学と生理学を少しばかり説明しておこう。それはカメラに似ている。目もカメラも光を取り込む穴（カメラではレンズの開口部、目の場合は瞳）、光を一点に集めるレンズ、そして像を記録する敏感な膜（カメラではフィルム、目の場合は眼球のうしろ側にある網膜）が必要だ。目もカメラもさまざまな光の状態に応じて調整できるしくみが必要で、どちらも明度の低い光まで感じとる能力と、細部まではっきり見える能力とのあいだで、たえず折り合いをつけないといけない。

だが、犬の目が作りあげられる過程で、明度の低い光を感じとる能力を高めるために、細部まで解像する能力はいくぶん犠牲になった。たとえば、人間にくらべて犬の瞳孔《どうこう》ははるかに大きい。縁《ふち》に虹彩《こうさい》の色がほんのり見えるだけで、目全体が瞳のような感じをあたえる犬も多い。そのため光を多く取り込めるが、瞳孔が大きいと奥行きの感覚、つまり近くから遠くまで、ものがはっきり見える能力がうしなわれる。カメラとの比較にもどると、カメラマンが手前の人物を中心にして、その背景をぼかしたい場合、奥行きをなくすためにレンズの開口部を開く（開放にする）。逆に遠くの山まですべてをはっきり写したい場合は、レンズの開口部をできるだけ小さく絞る。犬の瞳孔も開いたり縮めたりできるが、人間ほど小さく絞って、遠近を感じることはできない。

犬の目はレンズが大きいため、たくさんの光を取り込むことができる。光をたくさん集めるには、レンズは大きなほうがいい。たとえばカリフォルニアのパロマー山天文台にある天体望遠鏡は、直径が五メートルだ。人間も犬も、目にはレンズとして使われる部分が二つある。一つは角膜。眼球の前面にふくらんだ透明な部分で、ここで実際に光が集められる。もう一つは水晶体で、瞳孔のうしろにあり、光の焦点を変える役目をする。暗がりの中で活動する動物は、たいてい角膜が大きい。あなたの犬の角膜を見れば、人間にくらべてどれくらい大きいかわかるだろう。

瞳孔と水晶体を通過した光は、網膜の上で像を結ぶ。ここで光の大部分が取り込まれ、〝光受容体〟と呼ばれる特殊な神経細胞によって記録される。網膜には二種類の光受容体がある。細くて長い〝桿状体《かんじようたい》〟と、太くて短く、先が細い〝錐状体《すいじようたい》〟である。桿状体は暗い光のもとで威力を発揮する。当然ながら、犬の目には人間より多くの桿状体がそなわっている。だが夜の狩りに適した、人間にはないメカニズムはそれだけではない。

夜、車のヘッドライトやフラッシュの光を浴びたとき、犬の目がぶきみな黄色や緑色に光るのを見たことがおありだろう。この色は、網膜のうしろで鏡のような働きをする、タペータムと呼ばれる〝反射膜〟から発せられるものだ。タペータムは、光を感じる細胞が捉えきれなかった光を網膜に跳ね返し、光受容体に、目に入ってくる薄暗い光を捉えるための二度目のチャンスをあたえる。タペータムの光電現象は、蛍光性の光を発し、それが光の明度を高めると同時に、反射される光の色にわずかな変化をあたえる。この色の変化によって、光の波長は、桿状体が感知しやすいものへと変わる。このタペータムによる光の反射のおかげで目の感度はよくなるが、代償もともなう。タペータムから反射される光は、ビリヤードの球が台の縁にぶつかったときのように、入ってきたときとおなじ方向にはもどらないのだ。このように入るときと出るときとで、光の方向がずれるため、網膜の上に結ばれる像は不鮮明になる。というわけで、薄暗い光にたいする感度がよくなったかわりに、こまかな部分まで鮮明に見える能力は犠牲になった。

ハスキー系の瞳がブルーの犬は、光を跳ね返すタペータムをもたないため、ライトを浴びても目が光らない。これは選択育種の結果、たまたまそうなったものと思われる。こうした犬が育てられる北の山岳地帯は、一年じゅう雪におおわれることが多い。この土地柄では、夜の空からとどくどんな光も雪が反射させるため、視界がよくなる。そうした環境では、タペータムが光を反射させてもあまり意味がなく、この組織が育種の過程で、うしなわれたのだろう。逆に、つねに地面から光が反射される環境では、タペータムはないほうが有利だという説もある。つまり、光にたいする感度のよさをたもつと同時に、こまかな部分まで鮮明に見える能力がもてるからだ。

レンズの開口部が大きく、光を集めるレンズが大きく、網膜にある桿状体の数が多く、タペータムもそなえた犬の目は、薄暗い光の中では人間の目よりかなり感度がいい。夜、ものを見るときに犬が必要とする光の量は、人間の四分の一だと言われている。ちなみに、究極の夜のハンターである猫族の目はそれ以上に感度がよく、光量は人間の七分の一しか必要としない。

〈近視の犬、遠視の犬〉

カメラの場合、ピントをあわせるためには、レンズを前後に動かして、レンズとフィルムのあいだの距離を調節する。人間の目の場合は、筋肉がレンズの厚みを実際に変化させて、ピントをあわせる。対象物が遠いときは平らになり、対象物が近い場合は厚めにふくらむのだ。犬は人間のようにレンズの厚みを変えられないが、犬には猫とおなじように、目をわずかに長くしたり短くしたりする筋肉があり、それで焦点をあわせているという説もある。レンズの焦点をどれほど有効に変えられるかが、犬の視力に直接影響をあたえる。

外から入ってきた光がきちんと網膜の上でピントがあえば、最大限の視力がえられる（このもっとも望ましい状態は、〝正視〟と呼ばれる）。入ってきた光が網膜の手前でピントがあったり（近視の状態）、網膜のうしろでピントがあったりする（遠視の状態）と、像はぼやけてくる。近視の場合は遠くのものが、遠視の場合は近くのものがぼやけて見える。〝検影器《レティノスコープ》〟という器具を使って、角膜と水晶体を通過する光のピントがあう場所を調べ、視力を測定することは可能だ。ただしこれで犬の目を調べる場合は、協力的な犬と、忍耐強い熟練の研究者が必要になる。

ウィスコンシン大学獣医学部のクリストファー・マーフィーとその研究チームが、レティノスコープを使って、二百四十頭の犬の視力を測定した。彼らが対象として選んだのは、コッカーとスプリンガーのスパニエル、ゴールデンとラブラドールのレトリーバー、チェサピーク・ベイ・レトリーバー、ジャーマン・シェパード、プードル、ロットワイラー、ミニチュア・シュナウザー、チャイニーズ・シャー・ペイ、そして何種類かのテリアと雑種犬だった。ほとんどの犬が正視で、光の焦点のあう位置が、目の大きさと形にふさわしいという結果がでた。だが、例外もあった。ロットワイラーの半数以上が近視で、ミニチュア・シュナウザーとジャーマン・シェパードも同様だった。

特定の犬種にその傾向があるという事実は、遺伝的なものとの関連を思わせる。盲導犬として育てられたジャーマン・シェパードをテストした研究者が指摘したように、選択育種が影響をあたえるのかもしれない。これらのジャーマン・シェパードが近視になる割合は、ほかのシェパードのように二頭に一頭ではなく、わずか七頭に一頭だった。どうやら、特殊な仕事のために育種がおこなわれる過程で、犬の視力に差がでるようだ。これは、獲物を遠くまで追跡するよう育てられたグレーハウンドが、遠視ぎみになるという報告とも一致する。遠視は正常な視力とは言えないが、遠くの獲物を追いつめて倒すというグレーハウンドの仕事には適している。

目の中にある二種類のフィルム

正しくピントがあうかどうかという問題のほかにも、犬の視力を左右する要素はある。目の光受容体の構造が、写真のフィルムに似た効果を生むのだ。カメラのフィルムは、光に反応する銀塩をふくむ感光剤でおおわれている。薄暗い光にも反応するフィルムには、銀塩の一粒一粒が、化学反応を起こすのに十分な光を捉えるよう、粒の大きめな銀塩が使われている。残念ながら、写した写真は、〝きめのあらい〟ものになり、こまかな部分が鮮明にならない。光量が大きい場合は、もっと感度の低い、銀塩の粒がこまかくて隙間なくつまったフィルムが使えるため、細部まで鮮明に記録される。

網膜の光受容体は、このフィルムの感光剤にふくまれる銀塩の粒に似ていて、粒のあらいのが桿状体（薄暗い光にも反応）、粒のこまかいのが錐状体（明るい光に反応）である。

動物は、カメラマンが光の条件にあわせて感度のちがうフィルムを使うようには、光受容体を変えられないため、進化によって、行動と生存にもっとも適した目が作りだされた。おなじように桿状体と錐状体の両方をもっていても、動物それぞれに光受容体のある領域や配置がちがう。人間では網膜のうしろの中心に中心窩《か》と呼ばれる小さな部分がある。そこには錐状体だけがぎっしり集まっていて、明るい光の中にいるときこまかな部分まで見えるように働く。中心窩からはずれたところでは錐状体の数が少なくなるため、周辺視野ではこまかな部分を鮮明に見る能力も低下する。なにかを見ようとするとき、人は自分の中心窩でそれを追っているのだ。たとえば、このページを読んでいるとき、あなたは中心窩で文字を追いながら読んでおり、読んでいない周辺の部分はぼやけて見えるはずだ。

というわけで、私たちは目の中に二種類の〝フィルム〟をもっている——明るい光の中でこまかな部分までがよく見える中心領域と、光にたいする感度は高いが、こまかな部分はさほど鮮明に見えない周辺領域だ。

犬の目も領域によって光にたいする感度がちがうが、構造は人間とおなじではない。犬の目の中心窩はやや大きくて横長だ。人間とおなじように、ここには光受容体が密集しているが、錐状体だけが集まっているわけではない。細くて数は少ないが、桿状体もある。そのため、目のこの部分は人間より感度がいい。この光受容体が密集した横長の細胞から、目を横切るように筋がのびていて、そこにもぎっしり細胞が集まっている。この帯状で横にのびている細胞は、犬に横方向にたいするすぐれた視力をあたえ、彼らの祖先が獲物を水平方向に追跡するときの助けになった。これとおなじ構造が、開けた平原で暮らす、その他の足の速い動物にも見られる。馬やレイヨウなどがその例で、捕食動物の接近を素早く察知できるよう、適応がおこなわれたと考えられている。

視覚を頼りに狩りをおこなう足の速いグレーハウンドは、この横長の視神経がきわめて発達している。いっぽう、ビーグルなどおもに嗅覚を使って狩りをおこなう犬種は、横にのびる視神経の帯がそれほど目立たない。特殊な行動のために選択育種されたことで、犬種によって基本的な体や神経の構造にかなりのちがいが生じた。犬と人間で、見ている世界がちがうだけでなく、グレーハウンドとビーグルが見ている世界もちがっているのだ。

犬の視力は最高で〇・二六

犬の視力は、どのくらいだろう。まずは、私たちの視力について考えてみよう。一般的には、視力検査表（検眼のときによく見かける、いちばん上の列に大きなEの文字が書いてあるようなもの）で、自分に読めるいちばん小さな文字があなたの視力になる。正常の視力で六メートル離れたところから読める文字が、六メートル離れて読めたら、その視力は六分の六、すなわち一。正常の視力で十二メートル離れたところから読める文字が、六メートルまで近寄らないと読めない場合は、十二分の六、すなわち〇・五だ。

犬に文字を読んでもらうことはできないので、その視力を測るにはべつの方法がとられる。おなじサイズの、黒と白の縞が入ったカードと、縞が入っていないただのグレーのカードとを見分けるよう、犬を訓練するのだ。犬が縞柄のカードを選んだ場合はほうびをあたえ、グレーのカードを選んだ場合はなにもあたえない。そして黒い縞の幅をしだいに細いものに変えていく。やがてその縞は、犬の視力では筋が入っているのかどうか判断できないほど細くなり、縞の入ったカードと、縞の入っていないグレーのカードとの区別がつかなくなる。この段階にたっしたとき、それを犬の視力の限界と考える。犬に見える縞の細さの度合いを、人間の視力検査表にあてはめるのだ。

実際にやってみると、犬たちは縞が非常に細くなって視力の限界が近づくと、少しばかりいらつくようだ。人間はパターンが見えにくくなると、ぼやけた部分を懸命に見ようとするが、犬はすぐにあきらめて、あてずっぽうに選ぶ。犬は人間ほど視力に頼っていないらしい。それに結局のところ、あてずっぽうに選んでも、ビスケットをもらえる確率は二分の一あるのだ。このテストでこれまで最高点をだしたのは、ハンブルクで検査された、仕事熱心なプードルだった。それでも視力がいいとは言えず、人間に見える最低限度より、ほぼ六倍近く太い縞を見分けたにすぎない。この結果を人間の数値に置き換えてみると、犬の視力は〇・二六。視力が〇・五以下だと、アメリカでは運転免許取得のために視力検査を受けても合格できない。犬の視力は、それよりはるかにわるいのだ。

だが、この数字にだまされてはいけない。犬の視力は人間よりかなりわるいが、焦点がぼやけていようと、こまかな部分が鮮明に見えにくかろうと、犬の目から脳へは数多くの情報が伝達されている。大まかに言えば、目のこまかいガーゼや、ワセリンを表面に塗ったセロファンをとおして世界を見ているような感じだろう。物の全体としての輪郭は見えても、その中の線的なディテールはぼやけたり、見えなかったりする。

犬の視力について理解すると、不可解に思える犬の行動にも説明がついてくる。たとえば、犬たちが庭にいるとき、私がわざとゆっくり歩いてでていくと、犬たちは立ち止まってこちらを見つめる。そのままゆっくり近づいていくと、彼らは二、三歩不安げに足を踏み出したり、身がまえるように地面に伏せたりする。私が誰なのかよくわからないようなのだ。だが声をかけると、たちまち緊張を解き、私に駆け寄ってくる。そしてフラットコーテッド・レトリーバーのオーディンは、いつもの酔っぱらったような挨拶のダンスを踊る。この場面に少し手を加えてみよう。犬たちを探しに庭にでていくとき、私がいつも外でかぶる、つばの広いカウボーイハットをかぶった場合。私の姿を目にしたとたん、オーディンはダンスを踊りながら挨拶に駆け寄ってきて、ほかの犬たちもすぐそのあとにつづく。

なぜ犬たちは最初の例では私を認識できず、第二の例ではすぐさま私を見分けるのだろう。最初の例の場合、犬たちは私を目の形や鼻や口など、彼らにはせいぜいぼんやりとしか見えない小さな部分で見分けないといけない。だが、第二の例では、すぐに目につく帽子で、私の姿がはっきりわかる。私の家族の中に、おなじスタイルの帽子をかぶっている者はほかにいない。それで、視力がそれほどよくない犬たちの目にも、かんたんに見分けられるというわけだ。

犬のすぐれた動体視力

犬たちが私を見分けられなかった例の中で、見逃してならないのは、私が「わざとゆっくり歩いた」という点だ。犬の目はまわりの環境変化に、とりわけ敏感にできている。なにかが動いたとき、その動きのパターンで正体をつきとめるのは、ハンターにとって非常に重要なことだ。研究結果や身近な経験から見て、犬にすぐれた動体知覚力がそなわっていることは事実のようだ。十四頭の警察犬による実験では、犬が九百メートル離れた場所からでも、動くものを見分けることがわかった。だが、おなじものがもっと近い場所（五百八十五メートル）で動かない場合は、見分けられなかった。

数年前、私は犬のすぐれた動体視力について、驚くべき実例を目のあたりにした。それは私が、ドッグレースからグレーハウンドを守る活動をしているチャーリーを訪ねて、フロリダにでかけたときのことだ。彼の小さな牧場に行くと、チャーリーと息子のテッドが、元レース犬の里親候補であるスティーヴとスーの二人と話していた。チャーリーは、里親になる場合は、グレーハウンドをいつもリードにつなぐようにして、犬と意思がつうじあうようになるまで、特別な訓練をするほうがいいと説明していた。

「犬たちはほんとに目がいいんです。なにかの姿を認めると、一・五キロ先のものでも、見分けます。それが追うべきもので、しかも追いつけるとわかったら、彼らはすぐさま飛び出していく。人の言うことをあまりきこうとしません。ですから、まずは訓練して合図したらくるように、しつけたほうがいいでしょう」

チャーリーは、ジェニーという名の淡い黄褐色のグレーハウンドの頭に、やさしく手を置いた。ジェニーの被毛には黒いぶちがあり、一八〇〇年代なかばの本によく登場した、古風なグレーハウンドの挿絵にそっくりだった。

「彼らは目がいいので、ものを探しだすのが上手です。このジェニーは誰かから『チャーリーはどこにいる?』と聞かれると、私を探しだします。たとえ私が一・五キロ離れた場所で、人に囲まれていてもね」

この言葉に、私の科学者としての好奇心がくすぐられ、私はチャーリーに、いま言ったことを実証してみせてほしいと頼んだ。バーボンのボトル一本を賭けて、チャーリー、テッド、ジェニー、そして私は彼のヴァンに乗り、里親候補二人は自分たちの車でうしろからついてきた。私たちは近くの砂浜にいった。チャーリーがここを選んだのは、カー・レーサーが練習場に使っていて、五百メートルにわたって一メートルおきに旗が立っており、さらにはスタートラインから二・五キロにわたって、五百メートルおきに目印の旗が立っているからだった。チャーリー、スティーヴ、スーの三人はスタートラインから一・五キロの地点まで車で移動した。三人はその場所で三十メートルずつ離れて立ち、黙ってこちらに顔を向けた。そのとき、テッドが「チャーリーはどこにいる?」とジェニーに声をかけた。ジェニーは自分のすべきことがわかっているらしく、遠くをじっと見つめ、ご主人を探してあたりをひとまわりした。三人はまったく動かず、ジェニーはひどく困惑したようすで、テッドは質問を何度もくり返した。そこで私は、遠くにいる人たちに向かって、腕を振るように合図した。距離がありすぎて、私には女性と男性の区別もつかないほどだった。だが、今回「チャーリーはどこにいる？」と言われたとたん、ジェニーは遠くの三人に目をやり、向かって右側にいるチャーリーに視線をあわせると、まっしぐらに彼のほうへと駆けだしていった。数分後、三人とジェニーを乗せた車が、スタートラインにもどってきた。チャーリーはすでに賞品はもらったと、得意げだった。

ジェニーのすばらしい演技で勝負はついていたが、私は全員にもう一度実験をさせてくれないかと頼んだ。今回は、もっとずっと近い九十メートル地点の旗のところで、チャーリーに向かって左側に立ってもらったのだ――最初は誰も動かずに。テッドが「チャーリーはどこにいる？」とジェニーに声をかけた。この距離なら、私にも合図を待って立っている三人がはっきりと見分けられた。ところが、ジェニーは三人にまったく気づかず、ご主人を探してあたりをうろつきまわるだけだった。だが、三人に腕を振るよう合図したとたん、ジェニーはまちがいなく向かって左側に目をやり、チャーリーのほうへと飛びだしていった。つまりジェニーは一・五キロ離れた場所からでも、ご主人が動いた場合は見分けられたが、動かないときはわずか九十メートルしか離れていなくても、見分けられなかったのだ。

犬の視界は最高二百七十度

人間と犬の目で、もう一つ大きくちがうのが、視界――どの範囲まで見えるか――だ。人間の目にくらべて、犬の目は左右に離れてついているため、視界が広い。実際に犬は自分の左右で起きたできごとを、かなり遠くから視覚的に捉えることができるし、後方からでも視覚的な情報をえられる。

人間の視界も、目の位置よりややうしろまで広がっている。これはかんたんに自分で実験できる。目の前の、ある程度距離を置いた一点を選んでそこを見つめる。両手を目線の三十センチほど上まで上げて、人差し指を上に突きだす。目は前を見つめたまま、指が目の端にかすかに見えるところまで両手をうしろに引く。その位置で手をとめ、頭を動かさないようにして、指を顔に近づける。左右の指が、あなたのこめかみのあたり、目のややうしろにふれるのがわかるだろう。それが、あなたが実際に「自分のうしろ」を見ているあかしだ。人間の目に前だけが見えるなら視界は百八十度だが、私たちは実際には左右でそれより十度ずつ広いところまで見ており、視界はおよそ二百度である。

目が左右に離れてついている犬の視界は、人間よりかなり広く、およそ二百四十度。言い換えれば、人間より自分のまわりがよく見えている。ただし視界の広さには、犬の頭の形に応じて差がある。パグやペキニーズなど、口吻《こうふん》の短い〝つぶれ顔〟の犬は、目が前のほうに寄っており、視界は人間よりやや広めといった程度だ。口吻の長い犬は、目の位置が両脇に離れているので、視界も広く、およそ二百七十度まで見える。そういう犬の目をごまかすのは、なかなかむずかしい。

〈犬の視界をかんたんに測る方法〉

犬の視界を、家庭でもかんたんに測れる方法をご紹介しよう。この実験には、人が二人いるほうがいい。一人が犬の前でおやつを見せて犬の目を引きつけているあいだに、もう一人が実際のテストをおこなう。実験者は、犬の視線がとどく範囲内で、犬の横に一、二歩離れて立つ。犬の目から目を離さずに、ゆっくり犬のうしろのほうへ移動し、犬の瞳孔が見えないところまでいく。そこが犬の視界の限界である。犬の頭のかなりうしろまで下がれることがわかり、犬の視界の広さを実感するだろう。この広い視界のおかげで、犬はあなたに背中を向けているときでも、あなたがどこでなにをしているかわかるのだ。

犬は世界を黄色と青で見ている

犬の視力と関連してよく耳にするのが、犬に色が見えているかどうかという問題だ。犬は色が見えず、なにもかも灰色に見えていると思い込んでいる人が多い。これはまちがいだ。犬には色が見えており、色を手がかりに行動することもある。ただし、見ている色は、人間の見ている色ほどゆたかではなく、種類もかぎられている。

このことを理解するためには、犬の網膜の、光を捉える細胞について知っておく必要がある。犬にそなわっている錐状体の数は人間よりはるかに少ない。錐状体は、人間にすぐれた視力と細部まではっきり見える能力をあたえると同時に、色の識別能力にもかかわっている。その点、犬は錐状体を十分にそなえていないため、色を感じることはできても、その色はゆたかで鮮やかではないのだ。

色を識別するには、光のさまざまな波長に反応する何種類かの錐状体が必要だ。そのさまざまな波長を、脳が色として認識するのだ。人間は、三種類の錐状体を進化させた。青（短い光の波長）と緑（中ぐらいの波長）とオレンジ色（長い波長）に反応する錐状体である。目に光が入ってきたとき、この三種類の錐状体が、自分の担当範囲に近いか遠いかに応じて、それぞれ強くあるいは弱く反応をおこなう。三つの錐状体の重なり合った活動によって、ふつうの人には紫、青、青緑、緑、黄色、オレンジ、赤の虹を見ることができる。

人の色覚障害で多いのは、三種類の錐状体のうち一種類が欠けているタイプだ。錐状体が二種類だけでも、色を見分けることはできるが、識別できる色の数は、正常な色覚をもつ人よりはるかに少ない。犬もその例だ。彼らには錐状体が二種類しかない。一つは人間の場合の青に反応するもの、もう一つは黄色（人間の場合の、緑とオレンジの中間）に反応するものである。犬が赤い色にたいして人間より鈍感なのも、そのためだ。

カリフォルニア大学サンタバーバラ校のジェイ・ナイツとそのチームは、犬の色覚テストを実施した。このテストでは、犬に三枚のパネルが見せられた。パネルのすぐ下にはカップが置いてあり、パネルが押されると、その中にビスケットが落ちるしかけになっていた。そしてコンピュータがさまざまな色の組み合わせを選び、パネルにその色の光を投影させる。つねに二枚のパネルはおなじ色だが、一枚はちがう色である。犬はちがう色のパネルを選んで、そのパネルを押す。犬が正解をだしたら、パネルの下のカップにごほうびが落ちる。まちがえたら、ごほうびはもらえない。このテストで苦労したのは、犬に三枚の中から色のちがう一枚を見つけだす仕事を覚えさせることだった。訓練には四千回ほどくり返しが必要だった。犬は人間ほど視覚を頼りにしていない。色にかかわる問題を犬に教えるのがむずかしかったのは、犬が色にほとんど関心をもたないためだろう。

犬たちがあたえられた問題を理解したところで、実際のテストに入った。一セッションにつき二百回から四百回テストがおこなわれ、全体で期間は数週間におよんだ。これほど何度もテストがおこなわれたのは、統計的に正確な分析が可能になるよう、データの数を増やすためだ。研究者たちは犬が見分けられる色と、見分けられない色を探りだした。犬が三十三パーセント以上（まぐれあたりの範囲を超えて）正解をだした色は、識別できたと判断された。

そしてナイツとそのチームは、犬にはたしかに色が見えているが、その色数は人間よりずっと少ないと結論した。虹の色を紫、青、青緑、緑、黄色、オレンジ、赤と見るかわりに、犬は暗い青、明るい青、グレー、明るい黄色、暗い黄色（茶色に近い）、とても暗いグレーと見るのだ。言い換えると、犬は世界を基本的に黄色と青で見ている。彼らは緑、黄色、オレンジを黄色っぽい色として、そして紫と青をブルーとして見る。青緑はグレーに見える。赤は犬には見えにくく、非常に暗いグレーあるいは黒に近く感じられるようだ。

〈犬の玩具は何色がいいか〉

現在、犬にとってこさせる玩具の色で、もっとも人気が高い色の一つが〝安全色のオレンジ〟、工事中の道路などに置かれる円錐形の標識や、道路作業員が着けるベスト、猟師の帽子などに使われる蛍光色のオレンジだ。だが、オレンジ色のボールを投げて犬にとってこさせようとしても、犬は近くに駆け寄るものの、鼻で匂いを嗅いでやっと見つけるという場面をよく目にする。犬がボールを拾いもせず、その近くを通りすぎてしまうのを見て、理解に苦しむ人も多い。

それは犬がおろかだからでも、かたくなだからでもない。この行動の裏にある理由は、いたって単純だ。犬にとってボールのオレンジ色は、それが落ちた草地の緑色とおなじ色、すなわち黄色に見えるのだ。赤に近いオレンジ色も、やはり草とおなじ系統のやや暗い色に見える。オレンジ色の玩具を草地や芝生で見つけるのは、犬にとって視覚的にはかなりむずかしい。これらの玩具は、犬の飼い主が見つけやすいように作られているのだ。犬に見やすいようにではなく！　では、犬の道具を作るには何色がいいのか。まず、犬が活動をおこなう場所の背景色を頭に置く必要がある。草地で遊ばせる道具に、もっとも適した色は青系だろう。犬がどんな色の場所で遊ぶかわからない場合には、犬に見える色、つまり青系と黄色系の組み合わせがよさそうだ。

研究結果から、犬が生まれつき色にそれほど注目しないことがわかっている。そして犬の目は明るさの変化にきわめて敏感だ。というわけで、犬にとって見つけやすい玩具を作るには、色彩にコントラストをつけるほうがいい。玩具の色が背景色よりはっきりと明るかったり、暗かったりするほうが見つけやすいだろう。そして玩具自体の色が、暗い部分と明るい部分に大きくわかれているものがいい。迷彩色のように、色や明度がこまかくわかれていると、玩具の輪郭が見えにくくなる。

草地で使う玩具に適しているのは、大きく青と白にわかれた色がついているもの。かたや青空を背景に空中でキャッチするフリスビーには、黄色かオレンジ色。そして明るいブルーで、模様か標的パターンがついているほうがいいかもしれない。犬が空中でつかまえそこなって、草地で拾い上げなければならないときのために。

だいじなことは、犬が人間のように視覚中心ではないということだ。

犬の目は獲物を追うためにある

犬と人では、視覚の使い方もちがっている。犬はたいてい、自分がすでに知っていることを確認するために視覚を使う。たとえば、ご主人が階段を上がってくる足音を聞きつけた場合。彼はすでにご主人の足音がわかっている。というわけで、実際に入ってきたご主人の姿を見るのは、自分が聴覚で捉えたものの確認にすぎない。おなじことが、嗅覚による認識の場合にも起こる。嗅覚が犬に、自分が追っているのはウサギだと告げる。隠れているウサギに近づいて、実際に目で見るとき、視覚はその存在を確認するにすぎない。ウサギが動きだすと、犬の目は情報を集める道具としてそれまでよりも能力を発揮する。犬はウサギの動きを目で追い、逃げるウサギを捕まえられるよう、追跡の道筋を頭で組み立てる。獲物となる動物の多くは、犬の視覚の限界を逆手にとる本能を進化させた。そこで彼らは一つの場所でじっと動かなくなる——犬に勘づかれないための、もっとも単純で効果的な方法だ。相手が動かなくなると、犬には見えないも同然になる。

人間は視覚に依存する生き物だが、犬はその目をもっぱら追跡に使う。目は逃げる獲物を追う道案内となり、その顎《あご》が確実に獲物に食らいつけるよう力を貸す。視覚から取り込むそれ以外の情報は、犬にとってはたんなるおまけだ。犬の頭には世界にかんする情報がぎっしりつまっているが、そのほとんどは視覚的イメージの形をとっていない。

4 犬が掃除機の音を嫌う理由——犬の耳の能力

私が机に向かっていると、犬のダンサーが跳ね起きてドアのところで吠える。それは「おーい、危険が迫っているぞ」の吠え声ではない。オーディンとおなじように、「ジョーンが帰ってきた」と、私の妻の帰宅を教えているのだ。ダンサーはオーディンからこの吠え方を学んだのではないかと思う——吠え声そのものというより、どんなときに吠えるかを。わが家の犬たちは、家族のメンバーや親しい友人がきたのを知らせる合図を心得ている。同じ声で吠える犬は一頭もいないが、毎回じつに明確で、私はどの吠え方が誰を迎えるときの合図か、聞き分けられるようになった。ダンサーの合図に応えて私は妻を出迎えるべく、ドアまでいって鍵が開いているのを確認する。外をのぞいても、そこには誰もいない。こういう場面は何度も経験ずみなので、いまでは状況がすっかりわかっている。デスクにもどって数分すると、ダンサーがまた「帰ってきた」宣言をおこなう。今回は窓から外をのぞくと、妻のヴァンがいつもの駐車スペースに停まるのが見える。

といっても、犬が私の妻の帰宅を実際より二、三分前に感じとったのは、超能力のせいではない。犬の聴覚が——少なくともある種の音にかんして——人間より鋭いためなのだ。ダンサーが数年前からこの吠え方をしていたことから言っても、超能力の可能性はない。だが、ジョーンの車がいよいよポンコツ状態になって買い換えが必要になったとき、ダンサーは新車になってからひと月近くのあいだ、「帰ってきた」と吠えなかった。新しいヴァンの音を学習する必要があったようだ。そして私たちの娘カーリの家を訪ねたジョーンが、娘婿《むすめむこ》のジョンの車で送られてくるときも、ダンサーは吠えない。予知能力だとしたら、私の妻がどんな車で帰ってこようと関係なくわかるはずだ。音に鍵があるとすれば、ジョンが運転するディーゼルトラックも四輪駆動車も、ジョーンのヴァンよりかなりやかましいが、耳慣れた音ではないが危険を感じさせる音でもないので、ダンサーは警告の吠え声をたてないのだろう。

犬は人間より聴力がいいようだが、たんに私たちが聞いているのとおなじ音に敏感だというわけではない。犬の聴力は人間の四倍と言われることも多いが、これは厳密には正しくない。この説は、カナダのアルゴンキン公園で森林狼の行動を観察していたP・W・B・ジョスリンが、非公式におこなった実験にもとづいている。囲いの中の狼たちは、彼が六・四キロ離れた場所から遠吠えを真似た声をだすと、それに応えた。だが、静かな夜に、一・六キロの地点からおなじように遠吠えをしても、人間たちの耳には聞きとれなかったのだ。人間より四倍遠い地点からの音を、犬族が聞きとったという事実が、この解釈に結びついたのだろう。ある種の音にたいしては、たしかに犬の耳は私たちより何倍も敏感だ。だがほかの音にたいしては、犬も人間も耳の感度はだいたいおなじ、というのが本当のところだ。

犬はモーター音が大嫌い

音は、耳が感じとる小刻みな気圧の変化である。音が音として聞こえるのは、音の二つの性質のためだ。音の強さ、すなわち音量と、音の周波数、すなわち音の高低である。音の強さは、一秒間の気圧の高低差で測定される。ふつうの音の場合、この変化は規則的なリズムをとり、波形であらわされる。周波数は、一秒間にくり返される波の数で、単位はヘルツ（Hz）。周波数の高い音波は高い音として、周波数の低い音波は低い音として聞こえる。

犬の聴力を調べるのは、最近までむずかしかった。人間の聴力を調べる場合は、周波数や強さが異なる音を聞かせて、聞こえるかどうか訊ねるだけでいい。犬（をふくむ動物）の場合は、あらかじめ訓練した犬を、左右にスピーカーがあり、その下にパネルが用意された部屋に入れる。実験者は左右のスピーカーから、任意に音をだす。犬は左右のどちら側から音が聞こえたかを選んで、スピーカーの下のパネルを押す。正解の場合はパネルの下にあるカップにごほうびが入り、不正解の場合はなにももらえない。これは犬の色覚を調べるテストとほぼおなじやり方で、訓練に何週間もかかり、テストが何百回もくり返されるという、時間も忍耐力もいる方法である。

近年になって、〝聴性脳幹反応（ＢＡＥＲ）〟と名づけられた聴覚テストが、犬の聴力測定に使われるようになった。つまり内耳（蝸牛管《かぎゅうかん》）の内部と、音の情報を脳に送る神経系の内部で起きる電気的活動を調べるのだ。実験者は犬の頭に小さな電極をつなぎ、イヤホンのようなものを耳に挿入する。こう書くと恐ろしげだが、実際には痛みもなく、おだやかな犬の場合はかんたんにすむ。

テストでは犬の耳に短い音を送り込み、脳が音に反応したかどうかをコンピュータが読みとって記録する。脳に反応がなければ、犬には音が聞こえなかったと判断される。この方法のいい点は、時間をかけて犬を訓練する必要がないこと。じつのところ、そのあいだなにをされているのかもわからないうちに、犬はテストを終える。不利な点は、聞かせる音が短いほど結果が有効になるため、周波数の異なる音のテストがきわめて微妙な作業になること。低い音が短すぎると、耳の中で波形が高くならず、聞くという反応を引き起こさない。そして犬が鎮静剤をあたえられていると、音にたいする反応がにぶり、聴力を正当に評価しにくくなる。それでも、聴力を調べるのに比較的かんたんで信頼できる方法として、ＢＡＥＲはすぐれている（とくに、あなたの犬の聴力が落ちた場合などに）。

スピーカーを使う方法でも、ＢＡＥＲでも、犬の聴力にかんしてはだいたいおなじ結果がでている。犬と人間の聴力で大きくちがうのは、高音の領域である。人間の場合、若者は二万ヘルツまで聞きとることができる。この可聴範囲の最高音をだそうと思ったら、現在使われているピアノの高音部に、あと二十八鍵（およそ三オクターブと三分の一）つけ足さなければならない。歳をとると、音波に反応する耳のメカニズムが衰え、高音のほうから聞こえにくくなる。耳を大きな音にさらすと（ロックコンサートに通いすぎたり、長時間テープやCDを大音量で聞きすぎた場合）、とくに高音領域で聴力は急速に衰える。

犬は人間にくらべて、かなり高い音まで聞きとれる。可聴範囲は、犬の種類によって最高四万七千ヘルツから六万五千ヘルツ。ピアノに置き換えると、高音部にもうあと四十八鍵つけ足さないといけない。このうち最高音部の二十鍵分は、耳のいい人にも聞こえないだろう。

音の強さはデシベル（dB）で測られる。ゼロデシベルは、健康な若者にかろうじて聞こえる程度の音、つまり人に聞こえはじめる音で、〝最小可聴値〟と呼ばれている。ゼロ以下の音は、マイナスをつけてあらわされ、ふつうは弱すぎて人間には聞こえない音になる。周波数二千ヘルツ以下、六十五ヘルツまでの低い音については、人間も犬も耳の感度にあまり差がない。三千から一万二千ヘルツの範囲では、犬は平均マイナス五からマイナス十五デシベルの音を聞きとれる。つまり、犬はこうした高い音に人間よりはるかに敏感なのだ。一万二千ヘルツ以上になると、人間の聴力は犬よりぐっと鈍くなり、数値的な比較が意味をなさなくなる。

犬が人間より音に敏感で、とくに高音をよく聞きとるという事実から、犬が掃除機や芝刈機や、電動工具の音をいやがる理由もわかってくる。こうした器具では、たいてい羽根や刃のついたモーターが猛烈な速度で回転し、周波数の高い金属的なキーンという音をだす。これは犬にはたえられないほど大きく聞こえるが、犬より鈍い人間の耳にはそれほど苦痛でもない。私たちに聞きとれる範囲よりも、はるかに周波数が高いからだ。

犬の耳はなぜ高い音に敏感なのか

犬が高周波の音を聞きとれるのは、彼らの祖先が進化した過程と関係がある。狼、ジャッカル、キツネは、ハツカネズミ、ハタネズミ、クマネズミなどの小動物を獲物にすることが多い。これらの齧歯《げっし》類は高くて鋭い声をだし、木の葉や草のあいだを走りまわって、こすれるような高周波の音をたてる。狼のような野生の犬族の中には、もっと大型の、シカ、野生の羊、レイヨウなどの獲物を狩るものもいるが、調査によると、夏のあいだ狼はネズミやウサギなどの小型齧歯類を主食にすることがわかっている。というわけで、これらの小動物がたてる高周波の音を聞きとることが生存には重要であり、高い音を聞きとれる犬族だけが生き延びられたのだろう。ついでながら、小型齧歯類のみを食糧とする猫は、犬より五千から一万ヘルツ高い音まで聞きとる。

人間の耳もまた、その生活にとって重要な音に照準をあわせて作られている。五百から四千ヘルツのあいだの音がだいじなのは、それが話し言葉の音の高さにおおよそ一致するためだ。人間の耳は、この話し言葉の音域の中間、すなわち二千ヘルツあたりがもっともよく聞こえるようにできている。犬の場合、もっとも聞きやすい音はそれよりずっと高く、八千ヘルツ。人間の耳には、すでに聞きとりにくい高さの音だ。ちがいを実感するには、「シ」という発音を長く引きのばして「シーッ」と言ってみる。たいていの人がだす「シーッ」が、およそ二千ヘルツ。つぎにガラガラヘビがたてるような、「スーッ」という音をだしてみる。これがだいたい八千ヘルツ弱。おなじくらいの強さで発音した場合、「シーッ」のほうが「スーッ」より大きく聞こえる。それは私たちの耳がこうした高い音に鈍感なせいだ。だが犬には、「スーッ」のほうが「シーッ」よりもやや大きく聞こえている。

有名なロシアの生理学者イヴァン・パヴロフは、犬の耳がもっとも鋭敏な領域では音を聞きとるだけでなく、音程を正確に認識することを証明した。調査にあたって彼は、犬たちを一定の楽音に反応すると同時に、その音から少しでもずれた音には反応しないよう訓練した。犬は音程のちがいに非常に敏感で、ドの音と、ドから八分の一音ずれた音とのちがいを聞き分けた。だとすれば、わが家のダンサーが、車のエンジン音を聞き分けたのもふしぎはない。

超音波を聞きとる犬の能力を利用して作られたのが〝サイレント・ホイッスル〟、警察や警備会社が犬に命令を伝えるときに使う、音の聞こえない笛だ。この笛で警察は犬を犯罪現場に送り込み、容疑者に不意打ちを食わせることができる。声による命令が相手に聞かれてしまう可能性のあるときは、とくに役に立つ。この笛は実際には音がしないわけではなく、人間の耳に聞きとれる限界を超えた音（だいたい二万五千ヘルツ）がでるのだ。この笛を使って狩りをする人たちもいるが、彼らは笛の音が犬だけに聞こえ、獲物には聞こえないと誤解しているのだ。なかにはこの音が聞こえない鳥もいるが、獲物になる野生動物の大半はこの音が聞きとれる。犬だけに聞こえてシカ、レイヨウ、アライグマに聞こえない音となると、四万ヘルツ近くが必要なのだ。

猟犬は聴力をうしないやすい

人間とおなじように、犬の聴力も年齢とともに衰える。だが、加齢のため以外に、犬が聴力をうしなう原因が二つある。子犬のときに判明する先天性の聴覚障害は、遺伝性の場合が多い。後天性の難聴は、たとえば深刻な耳の感染症などが原因で、音を聞きとる機能がそこなわれた場合に起きる。ある種の化学物質も、聴力をそこなう原因になる。ありふれたシンナーや、接着剤、洗剤などに使われている溶剤が鼻から吸い込まれたり、皮膚についたりして犬の体内に取り込まれると、抗生物質（アミノゴリコシド系のもの）を使っても、聴力への影響はまぬがれない。溶剤の成分が耳の分泌液に蓄積され、音を聞き分ける器官がそこなわれてしまうのだ。

とはいえ、後天性の難聴のいちばんの原因は、人間の場合とおなじく、耳が大きな音にさらされつづけることだ。内耳の〝蝸牛管〟と呼ばれる部分には、音が入ってくると収縮してそれを脳に伝達する有毛細胞がある。だが、強烈な音はこの毛を傷つけたり根っこから引き抜いたりしてしまう。いったん破損すると、細胞の毛は再生しないため、聴力が少しうしなわれる。音の強さと長さが、その破損量に影響する。人間の場合、百デシベルの音を十五分から三十分聞きつづけると、聴力がそこなわれはじめる。これはチェーンソー、オートバイのエンジン、空気ドリルなどの音を、耳にプロテクターをしないで間近に聞いたような場合だ。音量が五デシベル増えるごとに、安全に聞ける時間は半分に減る。つまり、百二十デシベル（雷鳴や、スピーカーの前で聞くロックコンサートなど）では、損傷は一、二分ではじまる。百四十デシベルになると、即座に損傷が起きる。

耳は、〝聴性誘発反応〟と呼ばれるものを使って、連続する大きな音からみずからを守ろうとする。鼓膜のすぐうしろにある小さな筋肉が、音を内耳に伝える骨の動きをコントロールしているのだ。この筋肉は大きな音が入ってくると、骨の動きをゆるめて、内耳から脳へと伝わる音の強さをやわらげる。この反応はきわめて素早く、二十分の一秒で起き、聴力の損傷をある程度ふせぐことができる。これがうまく機能するのは、音が徐々に強くなる場合だ。瞬時にピークにたっする強烈な音は、聴性誘発反応をすりぬけて、かなりの損傷をあたえる。こうした音は〝衝撃音〟と呼ばれることが多い。

以前から知られていたことだが、レトリーバーはほかの犬たちよりずっと早く聴力が衰える。割合は低いが、ポインターやスパニエルにもおなじ傾向がある。最初は、これらの犬種の遺伝的欠陥が原因だろうと考えられた。だが、ミシシッピ州立大学獣医学部のアンドリュー・マッキンとそのチームは、べつの結論を引き出し、聴力の失調は犬の生活環境に原因があると指摘している。これらの犬は猟に使われるが、銃の発射音は衝撃音だ。その音は即座にピークにたっし、聴性誘発反応で保護される前に内耳まで到達する。しかも音量が非常に大きい。12口径の猟銃の発射音は、およそ百四十デシベル。もっと小さい22口径ライフルの場合は、百二十五から百三十デシベル。非常に短い音なので、人間はそれほど大きな音とは感じない。だが、百三十デシベル以上の衝撃音は耳に瞬間的な損傷をあたえる。賢明なハンターは、自分の耳を守るためにプロテクターを着けるが、犬は着けてもらえない。レトリーバーはつねにハンターのかたわらに、すなわち音がもっとも大きい銃口の近くにいるため、発射音による聴力失調を起こしやすい。猟のとき、ポインターやスパニエルは、ハンターよりだいぶ前を歩くので、爆発音のする銃口から少しは離れていられるため、レトリーバーより障害を起こす割合が少ないのだろう。

研究チームは、犬種によるちがいを最小限に抑えるため、ラブラドール・レトリーバーだけにしぼって調べた。そして四歳から十歳の、〝中年〟の犬を選んだ。少なくとも二、三シーズンは猟に使われたが、加齢による聴力失調を起こす年代にはたっしていない犬である。犬たちは猟に使われた犬と使われていない犬の、二つのグループにわけられた。狩りにでたことのない犬は、正常な聴覚をしめしたが、何シーズンか銃の発射音を間近に聞いた犬には、明らかな聴覚失調がみられた。これらの猟犬に聞きとれたもっとも小さな音は、およそ六十デシベル。つまり、ふつうの会話がかろうじて聞こえるくらいの聴力であり、犬になにかを伝えようとするときには、大声をださなければならない。自分の犬は、声の号令より手の合図によく反応すると言うハンターが多いのも、このためだろう——破壊的な銃の衝撃音に長期間さらされた犬たちには、飼い主の言葉が聞こえなくなってしまうのだ。

〈先天的に聴覚障害の多い犬〉

先天的な聴覚障害は、遺伝的な要因によることが多い。バトンルージュにあるルイジアナ州立大学のジョージ・ストレインの研究は、犬の被毛およびその他の部分の色素的なものが、先天的聴覚障害と関係があるという、それまでの調査結果を裏づけた。聴覚失調を生みだす遺伝的要素は、犬の被毛の白、糟毛《かすげ》（灰色に白のさし毛がまじったもの）、黒白のぶちと密接な関連がある。黒白ぶちの被毛をもつ典型的な犬は、ダルメシアンだ。この犬種の二十二パーセントは片耳が聞こえず、八パーセントは両耳が聞こえない。なんと、三十パーセントがなんらかの聴覚障害をもって生まれてくるのだ。ダルメシアンはすべて黒白のぶちだが、ほかの犬種では個体によって白の犬も、糟毛の犬も、黒白ぶちの犬もいる。たとえば、ブル・テリアは白い場合も、はっきりと黒い部分をもっている場合もある。白いブル・テリアは先天的聴覚障害をもつ割合が二十パーセントだが、黒い斑点をもつ犬の場合は障害率わずか一パーセントである。

被毛に白い色をもたらす遺伝子をもった犬は、目が青い場合が多い。この遺伝子は聴覚障害と結びつくため、青い目のダルメシアンは耳が聞こえない可能性が高い。そして実際に、目の青いダルメシアンのうち、なんと五十一パーセント（二頭に一頭）が、少なくとも片耳は聞こえない。

頭の大きな犬は音の方向感覚が鋭い

野生の世界で、犬の耳に要求される重要な仕事の一つが、音がどの方向から聞こえてきたかをつきとめることだ。狩りをしていた犬の祖先は、獲物の姿が見えるずっと以前に、その気配を音で感じとることが多かった。もちろん、なにかが近づく音は危険を意味することもある。その場合は逃げるべき方向を察知するのが重要だった。

立ち耳の犬の場合は、耳の外側の部分（耳殻《じかく》）を回転させてより多くの音を集め、方向を正確に捉えることができる。垂れ耳の犬はその点不利になる。耳が垂れているため、耳に入る音の一部が進入路をふさがれ、吸収されてしまうからだ。そして垂れ耳はあまり回転させることができず、音の出どころを立ち耳ほど正確につきとめられない。

犬の脳が音の方向をつきとめるとき、一つの手がかりになるのが、片方の耳がもう片方よりわずかばかり音源に近いという単純な事実だ。そのため左右の耳にとどく音に、わずかな差が生じる。音源に近い耳にとどく音のほうが、ほんの少し大きくなる。それは音源に近いためと、犬の頭がもう片方の耳にとどく音をふさぐためだ。それにくわえて、音源に近い耳のほうに、音がほんの少し先にとどく。この左右の耳にとどく音の時間差が、音の出どころをつきとめる助けになる。となると、頭が大きいほうが左右の耳のあいだが開いているので、有利なことは明らかだ。

一般に、犬のように獲物を捕える動物は、音がどこから聞こえたかを鋭くつきとめる。音にたいする犬の方向感覚を測るためには、犬の頭のまわりに想像上の円を描いてみる。二つの音がべつべつの方向からとどいた場合。それぞれの音源から円の中心へ線を引いて、二つの線のあいだの角度を測る。角度の狭い音のちがいを聞き分けられるほど、音にたいする方向感覚は鋭いことになる。テストの結果では、犬はわずか八度ちがう方向からの二つの音を聞き分けた。人間は犬その他の動物より音にたいする方向感覚が鋭く、わずか一度のちがいも聞き分ける。

犬の聴覚の衰えは、まずこの音にたいする方向感覚にでることが多い。犬の名前を呼んでも、こちらを見なくなる。不安げにあたりを見まわし、あなたの姿を見つけてようやく近づいてきたりする。あるいは大きな音がしたとき、犬はまちがった方向へ首をまわす。ただし、一方の耳の聴覚だけがうしなわれ、もう片方は正常である場合にも、この音にたいする方向感覚の失調は起こる。

聴覚の中で犬が比較的最後までうしなわないのが、鋭くて大きな音を聞く能力だ。もはや人間の声には反応しなくなっていても、強く手を叩く音や、鋭くて短い笛の音を聞くと、耳をぴくりとさせたり、首をまわしたりして、音が聞こえたようすを見せる。犬にとって聞く能力は大切だが、聴覚が衰えた犬とは、ほかの感覚を使って意思をつうじあわせることができる。あなたが呼んでも犬に聞こえない場合、犬はあなたが近づくのに気づかず（眠っているときはとくに）、ハッと驚くだろう。耳の聞こえない犬を起こすには、あなたの手を犬の鼻面に近づけるだけでいいかもしれない。犬はあなたの匂いで目を覚ます。あるいは、わざと床を踏みしめて近づくと、犬は床の振動であなたがくる気配を感じとるだろう。部屋をでるときは、犬をなでて、あなたがいなくなるのを教えてやってほしい。

〈**耳の聞こえない犬のケア**〉

耳の聞こえない犬のケアでもっとだいじなのは、リードをつけてやることだ。リードは命綱にも、安心毛布がわりにもなる。耳の不自由な犬がつながれずに歩くと、自動車、外敵、落下物、通行人などに気づかず、危険にさらされる。耳が聞こえないと方向感覚もうしなわれ、それが犬をパニック状態にさせる。リードはそうした犬たちの動きをコントロールし、危険から遠ざける。そして犬たちにはあなたの動きが感じられるので、方向感覚もうしなわれずにすみ、安心していられる。

聴覚障害の犬用に補聴器の開発も進んでいるが、あなたの犬を介護するには、もっと手近な方法がある。できれば、犬の友だちを飼ってやることだ。犬は群れを作りたがる動物なので、まだ使える感覚を使って、ともに暮らす犬に注意を向けるだろう。わが家のキャバリア・キング・チャールズ・スパニエルのウィザードは、晩年ほかの二頭と生活を共にし、ふつうの人には彼の耳が聞こえないことはわからなかった。外の物音に気づいたほかの犬たちがドアに駆け寄って吠えはじめると、ウィザードもそのあとについていった。誰かが部屋に入ってきて、ほかの犬たちが挨拶のために起き上がると、まるで自分がその音を聞きつけたかのように、ウィザードもさっそく挨拶の儀式にまじった。彼にとってなによりだいじだったのは、ほかの二頭のおかげで、キッチンから「夕食ができたよ」と呼ぶ私の声がわかったことだった。彼の補聴器は、ともに暮らす犬たちだった。そしてそれはとても助けになった。

〈聴力の衰えを調べるテスト〉

あなたの犬の聴覚に疑問をもったときは、犬に見えないようにうしろに立って、音のでる玩具を鳴らす、笛を吹く、手を叩く、金属のスプーンでコップを叩く、などしてみる。聴覚が健常な犬は耳をひくつかせるか、首ないし体を音のするほうにひねる。このとき、犬のすぐうしろには立たないよう気をつけること。犬は空気の流れに敏感なので、あなたの動作や自分のうしろの床の振動を感じるからだ。また、音をたてる前に、犬に姿を見られないようにすること。犬が眠っているときを見計らって、テストするといいかもしれない。あなたの動きを見て犬が反応する可能性を、減らすことができるからだ。

犬があまり幼いときにこの聴覚テストをするのは、適切とは言えない。犬は聴覚が完全な状態で生まれてくるわけではないのだ。生後十一日から三十六日の子犬の聴覚を調べると、耳は生まれたときから聴こえているものの、最初の一、二か月のあいだに聴覚が発達することがわかる。というわけで、子犬の聴覚が心配な場合は、生後五週目くらいまで待ってから、テストしたほうがいいだろう。

5 犬もベジタリアンになれるか――犬が感じる味

ドッグフードの広告を見ると、「犬が大好きなチーズ味」「犬にはたまらない、すてきなビーフ味」「犬に言うことをきかせたかったら、このベーコン味」などとあり、犬には味覚がなによりだいじなのかと、思いたくなる。たしかに犬は食べ物が好きで食べることが好きだが、人間ほど味にこだわらない。

進化の面から見ると、味覚は非常に古い感覚だ。味覚は、この地球上に現れた最初の生物と、それが浸っていた化学物質のスープとの接触から生まれた。水の中に浮かんだり溶けたりしていた物質は、この原初の生物が生き延びるために重要だった。物質の中には食べられるものも、危険なものも、害をあたえ命まで奪うものもあった。生物が進化するにつれて、味覚組織も特殊化し精密になった。味覚があたえる快感と不快感は、生存にとって意味のあるものだった。少なくとも自然物の場合、原則としていやな味のするものはなにか害のあるもの、食べられないもの、もしくは有毒な物質であり、いい味のするものは体の役に立つ、食べられる物質だ。

これが生存にとって重要なので、犬の場合も、味覚は早くから機能しはじめる。生まれたばかりの子犬でも味覚、触覚、嗅覚だけは働いているようだ。だが味覚が完全に成熟し鋭くなるには、数週間かかる。

犬の味蕾《みらい》の数は人間のおよそ五分の一

人間とおなじように、犬は味蕾と呼ばれる特別な受容体で味を感じとる。味蕾は舌の表面の〝乳頭〟と呼ばれる突起にある。味蕾の一部は口蓋の柔らかな部分と、口の奥の喉がはじまる部分（喉頭蓋《こうとうがい》と咽頭《いんとう》）にもある。

なにかの味を感じるためには、その物質の化学成分が水に溶ける必要がある。溶かす役目をするのが唾液だ。犬には四組の唾液腺が舌の下、口の奥、耳のうしろ、目の下にそなわっている。また唾液には水っぽいものと、粘液質のものとがあって、食物のタイプに応じて使いわけられる。肉を食べるときは粘液質の唾液が、植物系のものを食べるときは水っぽい唾液が分泌されるのだ。

動物の味覚の敏感さは、味蕾のタイプと数によって差がでる。それは嗅覚の敏感さが、嗅細胞の数によって決まるのとおなじだ。味覚競争では人間に軍配があがる。人の味蕾の数は約九千個にたいし、犬の味蕾は千七百個。そして猫の味蕾は犬よりはるかに少なく、四百七十個ほどしかない。

味蕾の寿命はわずか数日で、進化のもとになった皮膚細胞と同様、新しいものと入れ替わる。年齢とともに肉体的な活動力が衰えると、新しい細胞を作りだす再生能力も弱まる。それは犬も人間も共通している。老犬になって味蕾の数が減ってくると、味覚もしだいに衰える。病気、それもとくに老年期特有の病気（糖尿病や甲状腺機能低下など）や、治療に使われる薬なども味蕾の再生に影響をあたえ、味覚に微妙な変化をもたらす。

犬はどんな味を感じるか

味蕾は、それぞれ特定の化学物質に反応するようにできている。人間の場合は、基本的に四つの味が識別できる。甘味、塩味、酸味、そして苦味だ。初期の調査で、犬の味蕾は人間とおなじ化学物質に反応することがわかっている。ただし一つだけちがうのが、犬が塩けにたいして敏感ではなく、塩をほしがりもしないことだ。人間もその他の哺乳類の多くも、塩には強い味覚反応をしめす。私たちは食べ物に塩けを求めるし、塩の味が好きだ。クラッカー、ポテトチップ、ポップコーンなどのスナック菓子には、たっぷり塩がきいている。塩は私たちの食事のバランスに欠かせないが、野菜や穀類にはあまり塩分がふくまれていない。だが犬はおもに肉食であり、野生の世界では食物の大半が肉だ。肉にはナトリウムが多くふくまれている。肉だけで十分塩分がとれたため、犬の祖先は人間のように塩をほしがることもなく、塩味に反応する味蕾を育ててこなかったのだ。

進化は、犬の味覚組織と味の好みにべつの面も作りあげた。それがどのようにして生じたかを考えるために、やはり家庭でおなじみのペット、猫とくらべてみよう。猫は犬より気むずかしく、味覚も繊細だと言われている。これはまったくのまちがいだ。猫の味蕾の数は犬の四分の一しかない。だが、猫の味蕾はとくに肉に適応している。猫は完全な肉食で、動物、鳥、魚などの肉以外を消化するのはむずかしい。そのため、味蕾は肉にふくまれる化学物質（ヌクレオチド）に反応するよう進化してきた。そこで猫には、この〝肉探知器〟が反応しないものを、ほとんどすべてしりぞける傾向がある。犬は雑食の場合が多く、肉以外の植物も食べる。だが、野生の世界では犬族の食事の八十パーセントは肉だ。そこで犬には、甘味、塩味、酸味、苦味のほかに脂肪や肉と関連する化学物質に反応する味蕾がそなわっている。犬たちが肉をふくんだものの味や、肉から抽出された味を好むのも当然である。

犬の味蕾が反応する化学物質の中には、肉を作りあげる蛋白質とかかわりのあるグルタミン酸もある。なかでももっとも一般的なのが、グルタミン酸ナトリウムで、味を調《ととの》える調味料として使われ、とくに中国料理では重宝がられる。こうした研究の中で、人間にも肉の味に反応する味蕾があるのではないかと考える学者もいる。人間も雑食であり、肉の味が好きだからだ。実際に日本では、そうした味蕾の存在が人間にも発見され、〝旨味《うまみ》〟と命名されている。この味蕾は肉の味に反応する犬の味蕾とおなじ化学物質に反応し、刺激を受けると味を感じるという。〝肉っぽい〟あるいは〝風味がある〟などと表現される味である。

甘党の犬は命がけ

甘味を感じる犬の味蕾は、〝フラネオール〟という、果物やトマトにふくまれる化学物質に反応する。猫はこの化学物質にたいしては〝味おんち〟だが、犬はこの味が好きだ。甘さを好むようになったのは、自然環境の中で小動物を食べるとき、近くにある果実も一緒に口にすることが多かったためだろう。たとえば、わが家のオーディンは梨が好きだ。私たちの農園にある梨の木のそばを通りかかると、かならず風で落ちた実にかぶりつく。フラネオールその他の糖分をふくんだ食物を好むので、〝甘党〟の犬は多いが、猫は甘いものにまったく興味をしめさない。

甘党のせいで、犬は命を危険にさらすこともある。犬の中毒でもっとも多いのが、自動車エンジンの冷却水の凍結を防ぐ不凍液にふくまれるエチレングリコールによるものだ。甘味を感じる犬の味蕾に強い刺激をあたえるこの物質は、五十五グラムほどで中型犬の命を奪いかねない。アメリカでの調査によると、毎年エチレングリコール中毒で一万頭から三万頭の犬が死んでいる。その数は年に二回、不凍液が入れられる秋と、それがはずされる春にピークを迎える。だが、不凍液は一年じゅういつでも使われる可能性があり、車のラジエーターや冷房装置から漏れだして、緑色の水たまりを外の道路や私道に作る。ガレージの中で飼われている犬は、とりわけ中毒の危険性が高くなる。甘い味に引きつけられて液を直接なめる場合がほとんどだが、足や被毛についた液体をきれいになめようとして間接的に中毒になる場合もある。

この中毒をふせぐには、かんたんな方法がある。不凍液を、害の少ないプロピレングリコール系のものに変えるのだ。プロピレングリコールは、完全に無害というわけではないが、エチレングリコールより毒性は弱い。しかも甘い味はしないので、犬が引きつけられることも少ない。不凍液としての性能にも差はないから、犬の安全のためにはいい代案だと思う。

基本的な味にたいする味蕾は、舌の上に均等に配分されているわけではない。その配置は、わずかにちがいはあるものの、犬も人間もほぼおなじだ。どの味でも、非常に強い場合は舌全体がその刺激に反応するが、舌の部分ごとにとくに感じやすい味がわかれている。甘味に反応しやすいのは、人間の場合は舌の先端で、犬の場合はやや両脇に寄っている。犬は酸味と塩味を舌の両脇の少し奥に入った部分で感じ、人間よりも塩味に反応する領域がずっとかぎられている。舌の奥の部分は、苦味をもっともよく感じとる。肉味に敏感な味蕾は、舌の表面全体に散らばっているが、おもに舌の先から三分の二あたりまでの部分に多い。

犬には水の味に適応した味蕾もある。これは猫族その他の肉食動物にも共通しているが、人間にはない。この味蕾は犬の舌先、水を飲むときにまるめて水をすくいあげる部分にある。この部分はつねに水に反応するが、塩辛《から》いものや甘いものを食べたときは、とくに感度が高くなる。水の味を感じる能力は、尿を大量に排出させるもの、あるいは消化に水が必要なものを食べたあと、体内の水分のバランスをとるために進化したのだろう。そんな食べ物の一つが、ナトリウムを大量にふくむ肉だ。肉食動物に水を感じる味蕾があるのも、納得できる。この水に反応する味蕾が活発に働いているとき、犬は水をとりわけうれしそうに、大量に飲む。

苦手は苦い味

人間とおなじように、犬には味の好みがあるが、どんなものが好きかを調べるのは、かんたんではない。人間の場合は、どんな食べ物が好きかを訊ねれば、それですむ。だが、犬の場合、問題は複雑だ。犬の前に二種類の食べ物を同時にならべて、どちらを先に、あるいはより多く食べるか、調べればいいと思うかもしれない。だが、犬はなんであれ、自分のもっとも近くにある食べ物に食らいつく傾向が強い。たまたま自分が口をつけた皿の中身を、とにかく最後まで食べる犬もいる。量におかまいなしに、皿の中身が完全になくなるまで食べる犬は多い。そしてたいていの犬は、だされた二種類の食べ物を、できれば両方、むさぼり食おうとする。

そこで二種類の食べ物のうち片方だけしか食べられず、一度選んだらもう片方は食べられないことを、訓練で犬にわからせる。この条件のもとで調べると、食べ物の好みが明らかになる。犬は柑橘類など酸味のあるものを敬遠しがちで、苦味のあるものを大いにいやがる。その嫌悪感は、甘いものへの嗜好以上に強い。たとえば、サッカリンは甘いが、量が多い場合は少しばかり苦い後味が残る。犬はその苦味を感じただけで、サッカリンがまじったものを口にしなくなる。

犬が苦い味を嫌う特徴を利用した、家具などをかじらせないためのスプレーやジェルも作られている。苦い味がする明礬《みょうばん》や、赤唐辛子のから み成分で口の中が燃えるようになるカプサイシンなどを使ったものだ。苦い味を家具の表面に吹きかけておけば、犬はやがてかじらなくなる。だが、〝即座に〟ではない。それは苦みを感じる味蕾が、舌の奥の三分の一ほどの領域にあるからだ。ちょっとなめたりかじったりするぶんには、苦さは感じられない。長いあいだかじっているうちに、口の奥まで味がとどいて苦さを感じるのだ。しかもこの方法では、犬が特定の対象物を苦い味と結びつけ、避けるべきことを学習しなくては意味がない。

望ましくない行動をやめさせるために、犬の嫌いな味を使った場合、どんな問題が起きるだろう。つまみ食いのくせがある、ブロンディーという名のコッカー・スパニエルの例をご紹介しよう。ブロンディーはいつも図々しく椅子に跳び乗って、子供たちが食べようとしているトーストやクッキーを横取りしては、逃げ出していく。犬の行動学の専門家が勧める一般的な〝治療法〟は、犬に〝罠をしかける〟ことだ。トーストに苦い味のするものを塗ってから、犬が自由にとれるように、わざとテーブルに置いておく。

そうすれば、犬はテーブルにある食べ物は苦くてまずいと学習し、横取りしなくなるというわけだ。

ブロンディーにたいして使われた苦いものは、明礬だった。明礬を塗ったトーストをテーブルにのせ、子供たちが置き忘れたかのように見せかけた。結果は思わしくなかった。子供たちがうしろを向いたとたん、ブロンディーはテーブルに跳び乗って苦いトーストにかぶりつき、数秒で食べ終えた。一瞬ぎょっとした顔をしたのは、トーストが苦みを感じる部分を通過した瞬間だろう。だがそれは、舌の先でパンの甘味を感じたずっとあとのことだった。何度かトーストの〝罠〟をしかけられても、ブロンディーは横取りをやめなかった。ときには、テーブルに跳び乗ってかぶりついたトーストが子供たち用で、苦くない場合もあった。舌の先のほうでなめているあいだは、それが苦いかそうでないか、判断がつかない。そこで食べたい気持ちが先に立つブロンディーは、運にまかせて口をつけるのだ。

明礬作戦が失敗に終わったので、もっと強力な刺激が必要になった。犬に不快感をあたえるタバスコソースとレモンジュースをまぜたものを用意して、トーストに塗りつけた。パンがぐっしょりするほど、たっぷりと。思い出していただきたい。ものの味は、物質が水に溶けたとき感じられる。だから今回は舌が苦さを感じないはずはなかった。私たちはいやな味のするパンをのせた皿に、レモンの皮もこすりつけた。ブロンディーはまたしてもトーストに食らいついたが、飲み込む前に苦い味を感じとり、柑橘類の匂いも嗅ぎとったようだった。苦い〝ごちそう〟がのったレモンの匂いがする皿で、何度かこのゲームをくり返した。数日後ブロンディーは、レモンの匂いのする皿にのったものはすべて苦い後味がするので、口をつけるべきでないと学びとった。そこでつまみ食いを永久にやめさせるために、レモンの香りのする洗剤を、テーブルの縁にぐるりと吹きつけた。これでテーブルがきれいになると同時に、ブロンディーに「この匂いの内側にあるものはなんでも苦い味がする」と、教えることができた。彼女が床にいるときは、レモンの匂いなどしない、安全で味のいいスナックがあたえられた。犬は苦い味がきらいで、苦いものには口をつけなくなるが、好ましくないくせを完全にやめさせるには、ほかの感覚（嗅覚や視覚）にも訴える必要がある。

〈ふだんの食事を犬においしく食べてもらう方法〉

味の好みで言えば、犬は野菜より肉が好きだ。羊、鶏、馬の肉よりも牛や豚の肉が好きだが、食べ物に匂いがない場合は、好みにあまり差がなくなる。乾いたものより水気のあるもののほうが好きなのは、味を構成する物質がすでに水に溶けていたほうが、すぐに味がわかるからだろう。

犬はまた、冷たいものより温かい食べ物を好む。それは、体温より少し温かい程度のほうが、味が濃くなり、匂いも強くなるためだろう。犬も人間の場合とおなじように、嗅覚と味覚がたがいに作用しあうのだ。ここでちょっと実験してみよう。

新鮮なリンゴ、固い梨、生のジャガイモを、おなじくらいの大きさに切る。目を閉じて鼻をつまんで鼻孔をふさぐ。そのうえで、切ったものを一つずつ誰かに食べさせてもらう。三つともおなじような味がして、どれがなんだかわからないだろう。食べ物は味よりも匂いで感じる部分が大きいのだ。風邪を引いて鼻がつまっていると、食事がまずくなり、高級ワインが安酒のように感じられるのも、そのためだ。

これらのことを頭に入れておくと、市販のドライフードを、よりおいしく食べてもらうかんたんな方法が見つかる。犬にあたえる前に、少量の湯にひたすのだ。温かさと水分の両方が味と匂いを強めてくれる。これは、味蕾の数が減って食べ物にあまり興味をしめさなくなった老犬にも、効果的だ。

犬の食事の味をよくする方法はほかにもある。食べ物に脂肪をくわえると犬がよろこぶ。だが、腐った脂（すっぱい匂いがする）は、避けねばならない。もっとも、食べ物に手をくわえることだけが、食事をおいしくするわけではない。イギリスのリーズにあるウォルサム・ペット栄養学センターは、犬たちはなんであろうと、飼い主の手から直接あたえられた食べ物をおいしく感じると報告している。人間とおなじように、愛情と微笑みがあれば、犬はなんでもおいしく食べられるのだ。

犬にもある〝おふくろの味〟

食べ物にたいする犬の好みは、学習によってもつちかわれ、その学習はきわめて幼いときからはじまる。味を覚えるのは、実際には生まれる前からなのだ。母犬が食べるものが子宮内の羊水の成分に影響をあたえ、胎児の味蕾（および鼻の嗅細胞）がその化学物質に刺激を受ける。これが、味の好みを育てるいちばん最初の段階だ。味の好みにかかわる化学物質の一部は母犬の乳にもふくまれ、それを吸う子犬は、その味を安全や安らぎと結びつけて記憶する――犬にとっての〝おふくろの味〟である。

一般的に、犬は慣れ親しんだ味より新しい味を好む。〝新しものずき《ネオフィリア》〟なのだ。それは進化論的に見ても筋がとおっている。新しい食物を試して、それが栄養になるものとわかったら、口にできる食物の種類が増え、生存の確率が高まる。ただし、新しい食物を試すにあたっては、すでに知っている食物と共通点がある、という条件がつく。味や触感や匂いが、自分がすでに食べたことのあるものと結びつかなくては、口をつけられない。

ネオフィリアの反対が、新しいものをいやがる〝ネオフォビア〟だ。食物にかんして、この傾向は犬に少ない。ただしストレスを感じた場合には起きやすく、突然の環境の変化と、それにともなう食事の変化が大きな引き金になるが、病気や怪我（と、それにともなう食事の変化）も一因になる。ネオフォビア状態の犬は、自分がもっとも慣れた食べ物にもどり、それ以外のものは受けつけなくなることが多い。

心理的に怯えた犬は、安全だった幼いころと結びつく味をほしがるようになる。それはストレスを感じた人間が、しあわせに守られていた子供時代と結びつく、マカロニ・

チーズやアイスクリームなどを食べて、心を落ちつかせたがるのとおなじだ。進化論で言えば、これは慣れない環境に置かれたとき、毒性のものを食べないようにする適応の行動である。

アラスカ湾のコディアック島に由来する、コディーという名のマラミュートの子犬は、食べ物に強いこだわりをしめした。彼は、アラスカのジュノー市郊外に住むブリーダーから、生後七週間たらずのときに買いとられ、貨物機でシアトルまで運ばれた。新しい飼い主エドは、到着したコディーを見て、きょうだいたちから引き離すのが早すぎたと感じた。大きな音のする飛行機（冬で空も荒れぎみだった）で知らない場所に連れてこられ、仲良しのきょうだいから切り離された、ということが重なって、子犬は心に傷を負い、怯え、不安に襲われていた。エドは子犬用のドライフードをあたえようとしたが、コディーは食べようとしなかった。缶詰のドッグフードにも口をつけず、焼いた牛肉さえもだめだった。ミルクも気がなさそうに、ほんの少しチャピチャピするだけで、エドは心配になった。翌日、コディーを獣医に診せたが、どこも異常はないという。「お腹がすいたら、食べるようになりますよ」と言われた。

エドはそれでも安心できず、ブリーダーに電話をして、コディーの母親がなにを食べていたかを尋ねた。母犬はおもに、女性ブリーダーの夫が釣ってきた魚（凍ったままのことが多かった）を食べていた。ブリーダーの助言で、エドが小さく切った生鮭をあたえると、子犬はほっとしたように、自分になじみのあるこの魚をむさぼるように食べた。

その後エドが魚にドライフードを少しずつまぜてやったおかげで、コディーはしだいに魚中心の食事から抜け出した。現在、コディーは食べ物と名のつくものならなんでも、よろこんで食べている――ときには、食べ物とは呼べそうもないものまで。

唐辛子を食べるメキシコの犬たち

文化圏によって犬の味の好みにちがいがあるのも、食べ慣れた物の影響だろう。飼い主の食べ物にたいする好みと、犬の好物にたいする人びとの思い込みが、犬の皿の中身を決定する。北米とイギリスでは、犬は肉を、猫は魚を好むと考えられている。エドがコディーは魚をほしがっていると考えなかったのも、そのためだ。北米の犬は、一般にあまり辛いものは食べたがらない。だが料理が激辛なことが多いメキシコや中央アメリカでは、犬も辛いものを食べる。私は、メキシコの犬が唐辛子をよろこんで一気に飲み下したのを見たことがある。かたや菜食主義の私の友人は、犬にも肉ぬきで、米、豆、温野菜、そして蛋白質の補給にミルク、チーズ、卵をあたえている。友人が病気になったとき、犬はべつの家に預けられたが、焼いてあろうと生であろうと、牛肉も鶏肉も食べようとしない犬を見て、その一家は大いに驚いた。

慣れた環境のもとでは、犬は食べ物の味など気にしないことが多い。食べ物を争う仲間がそばにいるときは、とくにそうなる。ふつうの犬はひと口ずつ味わって食べたりせず、口を休めることなくむさぼるように一気に食べる。彼らの野生の祖先もそうやって急いで食べていたのだ。べつの大きな獣や、べつの犬族の群れに横取りされる前に、腹に入れてしまうために。この食べ方は、ときには問題も引き起こす。シカゴのミラー一家で飼われていたボクサーが、その例だった。チョンパー（歯）という名前は、いかにも彼にぴったりだった。チョンパーはいつも自分の食事やスナックを、わずか三、四口で食べ終えた。ある日チョンパーはぐあいがわるくなり、腹がひどく痛そうだった。獣医師が切開手術をしてみると、チョンパーの胃袋から、男性用の汚れたソックス片方、女性用ブレスレット一個、長さ二十センチのバターナイフが見つかった。チョンパーがドライフードを味で選んでいなかったことは、一目瞭然だ。

6　犬は痛みをがまんする――犬の触覚の力

〝自分〟と〝自分以外〟とをわける境界線を、触覚をとおして明確に感じとる点は、人も犬もおなじだ。触覚はちょっと考えると単純そうだが、じつはこの感覚能力には、四種類ある。触圧感覚（体の接触を感じる感覚）、温度を感じる感覚、痛みを感じる感覚、そして自己受容感覚（自分の手足の動きや、体のどの部分がどれくらいの速度で動いているかを感じる感覚）である。犬の触覚能力は高度に発達していて、触覚を使ってほかの犬や人間と意思をつうじあわせることができる。触覚は、世の中について犬に情報をあたえると同時に、ほかの感覚とおなじように、感情の高まりや感情的なきずなづくりと、深く結びついている。

さわってわかる世界

犬の世界で触覚が感情と深く結びついているのは、子犬にとって最初の情報源の一つが、触覚であるせいかもしれない。生まれたばかりの子犬は、まだ目が見えず、耳もほとんど聞こえず、嗅覚は働いているが未成熟なので、おもに触覚に頼らざるをえない。生後二日目の子犬を母犬から離すと、クーンと啼《な》きながら首を振り子のように左右に振って、母親の体を探す。進化は、この時期の子犬を助けるために、特別な感覚情報源もあたえた。それは鼻で熱を感じる器官である。スウェーデン研究協議会のイングフ・ゾッターマンが発見したこの特別な受容体は、温かいものから発する赤外線エネルギー、すなわち熱に反応し、鼻の真ん中の割れ目と、鼻腔につながる開口部にそなわっている。子犬が首を振るのは、母親という熱源を見つけようとしているのだ。それが見つかると、子犬は〝熱の道筋〟をたどって母親のところまでいく。母犬にふれると啼くのをやめ、その体に寄りかかってまるくなり、安心するとすぐに眠りはじめる。成犬にはこの熱を感じる特別な受容体は見られない。おそらくその他の感覚の発達にともなってうしなわれるか、機能しなくなるのだろう。

子犬はまた、自分の欲求をつたえる最初の手段として触覚を使う。母親の乳首を最初は鼻で、少したつと前足で押すのだ。乳首を押すと、その刺激で出てきた乳が飲めると同時に、気持ちも安らぐ。この行為はまた、子犬の頭の発達もうながす。触覚から伝わるものが、子犬の脳に外の世界があることを教えるのだ。行動するとなにかが起こるので、子犬は自分がその世界とふれあえると同時に、ある程度自分の思いどおりに変えたり支配したりもできることを学んでいく。

触覚の四つの形は、それぞれ独自の感覚器官と結びついている。たとえば触圧感覚には、二種類の受容体がある。その一つは接触受容体で、皮膚の表面の近くに(毛でおおわれている部分では毛穴の近くに)ある。なにかに軽くふれたり、皮膚がねじれたりのびたりすると、この受容体が反応し、脳に情報が送られる。進化は、アルキメデスよりずっと早くから、梃子《てこ》の原理を使って、接触にたいする敏感さを作りあげた。髪の毛は一本一本が長い梃子のような働きをし、運動の力が毛根で増幅され、先端がよく動くようになっている。

触圧受容体の二つ目は、皮膚のもっと深い部分にあり、圧力に反応する圧迫受容体である。人間にも接触と圧力に反応する感覚受容体があり、どちらも犬とほぼおなじ働きをしている。椅子に腰かけて本を読んでいるとき、自分の尻にかかる体重を意識するのは、圧迫受容体の働きである。かたやこの本の紙の感触を指が感じとるのは、皮膚の表面近くにある接触受容体の働きなのだ。

触覚の感度は、犬の体の各部でちがっている。たとえば、鼻や口吻のまわりには感覚神経が数多く集まっていて、鼻や唇はきわめて触覚が鋭い。犬の足もゆたかな触覚情報を脳に伝える。足の肉球には振動に反応する特別な神経があり、自分が走っている地面がどれだけ安定しているか判断できるようになっている。これは犬が自分の走る速度を測定する、自己受容感覚の一種ではないかとする学者もいる。非常に敏感な神経終末が、足の肉球と肉球のあいだの、深い溝の表面近くにも集まっている。犬が足をさわられるのをいやがるのも、そのためだ。犬同士はそれがわかっていて、おたがいにふれあって意思をつうじあわせ、一緒に遊ぶことは多いものの、相手の足を嚙んだり、匂いを嗅いだりすることはかならず避けている。

ひげは犬の杖《つえ》がわり

犬は人間とはまったくちがう触覚受容体をもっている。顔についている震毛《しんもう》と呼ばれる特別な一対の毛である。一般には〝ひげ〟として知られるこの毛は、人間の男性がときどき口のまわりに生やす無用のものとは大ちがいだ。猫では、おなじものが〝触覚毛〟と呼ばれていて、このほうが名称としては適切だ。ひげは犬が外界を感じとるための、じつに高性能な手段なのだ。ひげは犬の体に生えているほかの毛とまったくちがい、ずっと固くて、皮膚に深く埋め込まれている。毛根には、ほかの被毛の場合よりもはるかに多くの触覚細胞が集まっている。そしてひげはほかの被毛より長くて固いので、梃子としてすぐれ、微妙なタッチも大きく増幅させることができる。

ひげが犬族のほか、猫、ネズミ、クマ、アザラシなど多くの動物にそなわっているのは、それが大いに役立つからにちがいない。神経心理学者によると、犬の場合、触覚情報を処理する脳の領域の四十パーセント近くが顔からの情報を担当し、しかもひげをふくむ上顎部分からの情報処理量が圧倒的に多い。ひげの一本一本について、情報処理を担当する脳の地図まで描けるほどであり、この部分からの情報がいかに重要かわかる。

だが愛犬家の多くが、犬のひげの重要性に気づいていない。犬の震毛を人間のひげとおなじように、飾りとしか考えていないトリマーも多い。さまざまな犬種の犬が、ショーにだされる前にひげを切られる。そのほうが、犬の顔が〝すっきり〟するというのだ。ひげが切られると、犬は不安になり、ストレスを感じる。そして自分の周囲を十分感じとれなくなる。

ひげの機能についての研究は、ネズミや猫にかんするものが多い。だが、いくつかの調査で、犬の震毛の形態と機能は、ひげをもつすべての動物と共通することが確認された。ひげは顔になにかが近づいたことをいち早く警告し、壁などとの衝突から守り、危険なものが顔や目に当たるのを防ぐ役目をはたす。試しにあなたの犬のひげをそっとつついてみると、その事実がわかる。つつくたびに、犬はつつかれた側の目を閉じ、反対側に顔をそらせるだろう。

ひげは、ものの位置や、ものそのものの認識にも役立っているようだ。動物の多くは、目の見えない人が使う杖のように、ひげを使う。犬がなにかに近づくと、まずひげをコントロールする小さな筋肉が、ひげをわずかに前へ動かす。つづいてひげを素早く動かしたり、こまかく震わせたりしながら、犬は首をまわしてそのひげで近づくものにふれる。素早く動くひげは、近づいたものの形や触感について情報を集める。研究調査によると、ネズミはひげだけを使って、ものの表面がざらついているか、なめらかかを識別できるという。犬の目は近くのものがよく見えず、自分の口の近くのものを見分けにくい。ひげをななめ下に向けて情報をえれば、うまくものの正体や位置を把握し、口で拾いあげることができる。

ひげを切られた犬は、薄暗い光の中ではなおさら自信をうしなう。衝突しかねないものの位置を教えてくれる頼りのひげがないため、歩き方が遅くなる。ひげがついていれば、犬は体でものにふれなくても、ものがそこにあることがわかる。この特別な毛は非常に繊細で、空気の流れの微妙な変化まで感じとる。犬が壁のようなものに近づいたとき、空気の一部が壁に跳ね返って流れが変わり、わずかにひげに当たる。それだけでなにかが目の前にあることがわかり、衝突が避けられるのだ。

ひげが犬にとってどれほど大切かを実感させられたのは、ウィルヘルミア、通称ウィリーに会ったときだった。ウィリーはブルーマールのシェットランド・シープドッグで、ブルースというコンピュータ・プログラマーに飼われていた。四歳になったころ、両目がよく見えないことが明らかになった。明るさは感じ分けているものの、視力はトレーシングペーパーを何枚も重ねてものを見ているくらいの感じだと思われた。ブルースから相談を受けた私は、ウィリーが家で安全にしあわせに暮らせるよう、いくつかヒントになることを書き出した。そのひとつは、家具を動かさないこと。家具がいつもおなじ場所にあれば、ウィリーが自分の環境について〝地図〟を作りあげ、匂いや、絨毯《じゅうたん》などの感触を頼りに、位置関係を把握できるようになるからだ。おかげでウィリーは環境によく慣れ、まるで目の見える犬のように家じゅうを動きまわった。たまたまつまずいたりぶつかったりするときに、家族は彼女の目が見えないことを思い出す程度だった。

ウィリーの視力について診断がくだされたのは、ブルースの娘スーザンが大学二年を終えた時期だった。彼女はウィリーを深く愛していたので、彼が盲目に近い状態になったことに心を痛めた。医学校への進学を考えながらも、まだ決めかねていたのだが、このとき彼女は、将来は眼科医を目指し、ウィリーとおなじように目の疾患で悩む人たちの力になりたいと家族に話した。

大学の卒業式が近づいたとき、スーザンは医学の道を選んだのはウィリーがいたからだと考え、卒業式用の帽子とガウンを着けた姿で、ウィリーと一緒に記念写真を撮りたいと言った。ブルースはそれをとてもすてきなことだと思い、写真撮影の前日、ウィリーを最高にきれいにしてやりたいと、トリマーのもとに連れていった。

そしてなにが起きたか、もうおわかりだろう。トリマーはショー・ドッグのお手本にしたがってブラッシングとトリミングをおこない、ウィリーのひげを切り落としたのだ。たしかに見た目はきれいになったが、ウィリーを家に連れ帰ったブルースは、犬のぐあいがひどくわるそうなのに気づいた。玄関の階段を駆け上がったウィリーは、ドアの脇柱に体をぶつけた。部屋を横切ろうとして、椅子やテーブルの脚に衝突した。いまや不安げに混乱したようすのウィリーは、動きがにぶくなり、おどおどと行動した。その少しあとで水を飲もうとしたときは、水の容器の位置がまったくわからず、鼻を床につけてしまった。

ブルースは慌てて私に電話をかけてきて、犬が急にもうろくしたようになってしまったと言った。なにがあったのか聞いた私は、ウィリーの問題は知能ではなく――彼女にはまだ情報処理ができている――、トリマーにひげを切られたとき、だいじな情報源がうしなわれたせいだと話した。さいわい根元は残っていたので、ひげはかなり早くのび、ブラッシングや物との衝突で折れていた毛先もきれいに整った。ひと月ほどで、ウィリーのひげはもとどおりになり、慣れ親しんだ家の中をふたたび自信をもって歩きまわれるようになった。

犬にとってのひげの重要性を考えると、ドッグ・ショーを開くケンネルクラブに望みたいことは、おのずと明らかだろう。こうしたショーでは、ひげが切られていない犬でも、失格にはならない。だがあいにく審査員は犬の安全や気持ちよりも、見た目を重視しがちなので、犬を思いやった判断もなかなか広まりそうにない。とはいえ、行動面を審査する競技会に犬をだすときは、犬のひげを切らないよう、飼い主にはお勧めしたい。

犬は熱を感じにくい

犬と人間は、接触と圧力にたいしておなじメカニズムを使っているが、温度の感じ方は大きくちがう。人間の皮膚には温度を感じる受容体が二種類あり、片方は温かさを、もう片方は冷たさを感じる。だが、子犬時代にみられる鼻孔周辺の熱受容体は例外として、犬には冷たさを感じる受容体しかない。といっても、犬が温かさを感じないわけではない。ただ、人間とはメカニズムがちがうのだ。犬は寒さを避けるために温かい場所を探して横になる。だが研究によると、犬の皮膚に温かいもの、少し熱いものを押しつけても、ほとんど反応しないという。ただし熱が強くなると、皮膚が火傷《やけど》をして、犬はその痛みにたいして反応する。

熱にたいして反応しないのは、進化上の欠陥のように思える。たしかに火傷をするまで熱を感じない、というのは好ましくない。そして体が暑い環境条件に適応できないと、危険にもさらされる。犬が熱によく対応できないのは、被毛におおわれているからで、そのため夏には体が非常に熱くなりがちだと思うかもしれない。だが、それは理由の一部にすぎない。被毛は実際には絶縁体として、外の環境と犬の体内のあいだのバリアーの役目をしている。冬には体の熱をたもって寒さから守り、夏には外の暑さの侵入をふせぐのだ。だが、暑い環境では熱が体内にこもりやすい。すると被毛は冷却のさまたげになる。被毛があると過剰な熱が外に逃げにくいのだ。犬は口を開けてハアハア息をするか、足の肉球から汗をだすことでしか体を冷やせないので、温度の上昇は熱中症を引き起こしがちだ。これは命とりになりかねない。毎年夏になると何百頭もの犬が、車に閉じ込められたのが原因で、熱中症で死亡している。暑い車の中では、わずか二十分で死にいたる危険性がある。

痛みは命にかかわるだいじな信号

オーディンは、悲しみで目をくもらせた私が頭をなでてやるあいだに息を引き取った。病気のあいだ、彼は一度も啼いたり悲鳴をあげたりしなかった。私の美しい黒い犬は、人間の場合は痛みをともなう癌をわずらったのだが、オーディンはうめくことも、苦しそうにすることもなかった。それは痛みを感じなかったからだろうか。犬は人間とちがって痛みをほとんど意識しないという人たちもいる。その意見を裏づけるような、長い哲学的歴史もある。だが、彼らはまちがっている。

痛みはたいてい、体の一部が傷つけられたときに感じるものだ。進化のうえで、痛みは動物の生存を助ける重要な役目をはたしてきた。生存のためには、実際に危害に遭う前に、有害な状況を回避したり、とりのぞいたりする能力が必要だ。痛みは、これは危険だ、避けるためになにか手を打たないといけないと教える。しかも痛みはいやな、不快なものなので、動物はその後おなじ痛み（体への被害）を受けないよう、その原因を回避する行動を学びとる。

痛みの、生存にかかわるもう一つの機能は、実際に傷を受けたとき、動物が適切に対応できるよう、信号を送ることだ。一般的に痛みは、回復するまで動かずにじっとしているようにうながす。回復に必要な静養のために、自然が〝休み〟をとらせるのだ。痛みがあるあいだは、人間も犬も〝うずくまる〟か、〝なにもしない〟のがふつうだ。

重傷を負った人が、しばらくたつまで痛みを感じなかったという例は多い。これは痛みの基本的な働きと矛盾することではない。たとえ傷を受けても、逃げている最中や命がけで闘っている最中には、痛みが邪魔になる場合がある。狼のような野生の犬族は、大型動物をしとめようとしたり、子供を守ろうとしたり、縄張りのために闘ったり、群れの中で順位を争ったりするとき、傷を負うことが多い。こうした場合は、安心して治療に専念できるようになるまで、痛みを感じるのを先にのばす。

痛みの感覚がなかったら、私たちは子孫を残せるほど長生きできないかもしれない。生まれつき痛みの感覚がない人は、悲惨な運命に見舞われることが多い。たとえば、モントリオールのマクギル大学の心理学者ロナルド・メルザックとパトリック・ウォールは、二十九歳の若さで死亡した女性のケースを報告している。死因は、無数の傷が直接の原因となった重度の感染症だった。皮膚には切り傷と擦過傷《さっかしょう》が、骨と関節には折れたままの部分が、内臓には衝突や転落による損傷があったのだ。ふつうの人は、このうちどのひとつの傷を受けても、痛みの信号を感じとり、治療を受けて静養しようとするだろう。だが、この女性は痛みにたいする感覚が欠けていたため、ほとんどの傷を意識せず、感染症の徴候にも気づかなかった。痛みはいやなものだが、命を救ってくれる。生きるために狩りをし、たえず傷を負う危険のある犬族のような動物が、このメカニズムから恩恵を受けないはずはない。

犬は痛みを感じないか

痛みに反応する神経組織は、犬も人間も非常によく似ている。皮膚の神経終末の先端から痛みの信号が発せられ、その信号が脳に送られる道筋もだいたいおなじだ。つまり、犬には痛みを感じるのに必要な神経組織がすべてそろっている。しかも、犬の痛みの症状は、人間の鎮痛剤とおなじ薬で抑えられることが多い。

犬に痛みを感じる器官があり、人間とおなじように痛みの信号がもたらす警告から恩恵を受けているとしたら、なぜ犬は痛みを感じないなどと考えられたのだろう。その答えは、人間とちがって犬には頭脳がなく、意識も自意識もないという憶測とかかわっている。

犬と人間をくらべる場合、二つの考え方がある。一つは犬と人間は共通した頭脳的・感覚的構造をわけあっており、両者のちがいは程度の差にすぎないという考え方。たとえば、視力、推理力、記憶力では人間は犬にまさっているが、嗅覚、聴覚の能力では犬のほうがまさっている。人間のほうがより高い推理力があるとしても、犬にまったく推理力がないとは言えない。それは犬の嗅覚のほうがすぐれているからといって、人間に嗅覚がまったくないわけではないのと、おなじだ。

もう一つは、フランスの哲学者ルネ・デカルトが提唱した、人間は犬その他の動物とまったくちがう存在であり、両者のあいだにあるのは程度の差ではなく、質の差だという考え方だ。デカルトは犬を人間とまったくちがう、命をもった機械のようなものだと考え、機械であるから知能も、そして感情も感覚もないとみなした。犬を打ったとき悲鳴をあげるのは、痛みのせいではなく、ゼンマイじかけの玩具を落としたときバネや鐘がガチャンと鳴るようなものだというのだ。この考え方を受け継いだのがフランスの哲学者ニコラ・マルブランシュで、彼は動物について「喜びを感じることなく食らい、痛みを感じることなく啼き、わけもわからず行動する」と主張した。こうした考え方のせいで、過去には犬たちが残酷な解剖実験に使われた例もある。

これらの議論を、無知な過去のものとして片づけられたらと思う。だが、人間以外の動物は痛みを感じず、意識もないというデカルトの説を、二十一世紀になっても高名な学者たちの一部は支持している。たとえば、メリーランド大学の哲学科主任教授のピーター・カラサーズは、動物が痛みを意識することをいまだに否定している。だから動物に傷を負わせても、罪の意識を感じる必要はないというのだ。『哲学ジャーナル』の中で、彼はこう言っている。「痛みをふくむ動物の経験は意識をともなわないので、その痛みが直接倫理的問題につながることはない。また、動物のあらゆる感情も意識をともなわないので、彼らを傷つけることが、間接的にも道徳上問題になることはない」

獣医学者のあいだでも、犬の痛みの体験と処置について、どの程度まで考えるべきか、意見がわかれている。だが、調査によると、手術後に痛みをやわらげる適切な処置をした場合は、回復が早いという結果がでている。とくに手術直後の、麻酔から覚める段階では、痛みを緩和させる処置がだいじなようだ。痛みが薬でやわらげられた犬は、食べ物や水を早めに摂取するようになり、家にも早くもどることができる。

長期にわたる慢性的な痛みは、犬の健康を肉体的にも精神的にもそこなう。痛みはストレス要因であり、ストレスに反応して、人間の場合も犬の場合も、体はストレスに関連したホルモンを分泌しはじめる。それがやがて体の組織全体に影響をおよぼすようになり、代謝率に影響をあたえ、神経反応を引き起こし、心臓、胸腺、副腎、免疫系を激しく活動させる。この状況が長くつづくと、これらの器官は機能不全におちいる。おまけに、痛みのストレスから生じる緊張によって、犬の食欲は落ち、筋肉疲労や組織衰弱などが起こり、回復に必要な睡眠もとれなくなる。

だが、獣医師の多くはこうした調査結果に関心がないようだ。最近の調べでは、手術後鎮痛剤を処方する獣医師は五十パーセントのみだった。なかには、犬は痛みにたいして鈍感であり、痛がるのは〝臆病な犬種〟だけだとする獣医師もいる。だが、流れは変わりつつある。獣医学校の最近の卒業生のあいだで鎮痛剤の処方率が高いところから見て、若い開業医は鎮痛剤を投与する傾向が強いようだ。心理学的な見方からすると、おもしろいことに、獣医師自身が病気や怪我などで深刻な痛みを経験した場合は、犬に鎮痛剤をあたえる割合が高くなっている。自分の経験が、犬の苦痛にたいする同情心を強めるのだろう。

犬は痛みをがまんする

人間とちがって、犬は目立つように痛みを表現しない。犬は痛みを感じないと思う人たちがいるのも、そのためだ。だが、環境と関連するさまざまな理由で、犬たちは痛みを意識しても表にあらわさないように、進化したのだろう。痛みをあらわすのは、人間の場合は環境に適応している。仲間たちが気づいて力を貸し、手当てをしてくれるからだ。だが犬は肉食動物であり、彼らの狩りの手法の一つが、群れのもっとも弱い個体を標的にすることだ。犬が痛みや傷を表にだすと、反射的にほかの犬たちは捕食本能をかきたてられる。これはハンターならではの反応だ。すでに弱っている動物、逃げる力があまりない動物を襲うほうが、こちらが傷を負う確率が低くなる。

痛みや傷につながる行動に犬が攻撃のチャンスを読みとるとすれば、犬の群れの中でも、仲間同士がそうした行動をおなじように読みとることは予想がつく。だから、犬が傷を負って苦痛を大っぴらにあらわせば、捕食本能をもつ群れの仲間から攻撃を受けかねない。傷を負った犬を襲うことは、群れの順位争いにも火をつける。怪我をした犬より地位が低い犬は、ライバルの不運を自分が上位につくための絶好の機会と受け取るだろう。

それらの理由から、犬は進化の過程でじっとがまんすることを選びとったのだろう。痛みや傷を表にださないようにして、自分自身と群れにおける自分の地位とを守ったのだ。犬は痛みを隠してふつうに動けるふりをする。そのため痛がっていることが人間にはわかりにくい。だが、いくつかそれを知る手がかりはある——自分の犬をよく知れば知るほど、犬の痛みがわかるようになるだろう。

〈犬が痛がっているのを見分ける方法〉

あなたの犬がクーンと啼いたり、悲鳴をあげたり、かん高くキャンと啼いたりするときは、痛みの激しさが、身を守るためにがまんする限界を超えたときだ。あまりに痛くて、もう誰に知られてもかまわないと思うのだ。だがたいていの場合、痛みの徴候はわかりにくい。痛いときの犬は、運動をしているわけでも、まわりの温度が高いわけでもないのに、いつもより激しく息をあえがせ、呼吸が早くなる。体を小刻みに、あるいは大きく震わせる。ひどく落ちつきがなくなり、何度も場所を変えて横になったり座ったりする。あるいはその逆に、体を動かすのが非常に大儀そうになる。さわられるといやそうにし、体のある部分を守ろうとするようすが見られ、いつになく攻撃的な態度までとる。さわろうとしたり、近づいたりすると、うなったり威嚇《いかく》的になったりする。痛いところをなめたり、こまかく嚙んだりすることも多い。食欲もなくなる。ほかに、心拍が速くなる、瞳孔が開く、体温が上がるなどの徴候もある。

断尾は痛くない？

愛犬家や獣医師のあいだで熱い議論が戦わされるのが、犬の尾を短く切断する断尾の問題だ。議論の焦点は、残酷かどうか、痛みをともなうか、切断によって不自由はないか、ということだ。断尾をおこなうブリーダーは、痛みはそれほどないはずだと考えている。オーストラリアでは、百人のブリーダーのうち八十七パーセントが、断尾が子犬に苦痛をあたえるというのは、マスコミと大衆が大げさに言っているだけだとしている。彼らの二十五パーセントが、断尾がおこなわれる時期の子犬はごく幼く、まだ痛みを感じないと考えている。そして五十七パーセントが、痛みはあっても軽いもので、すぐに消えると信じている。だが、この問題は政治問題にまで発展し、いくつかの国では世論の力で断尾が禁止された。

では、実際に断尾は痛みをともなうのだろうか。オーストラリアのクイーンズランド大学で五十頭の犬について調べた結果、調査対象となった子犬は、尾を切断される瞬間に、例外なく鋭い悲鳴をあげた。そのあと、ほとんどの子犬が落ちつきをとりもどし、あまり痛そうにしなかった。この回復の早さを見て、ブリーダーたちは子犬がそれほど痛みを感じていないと判断したのだろう。報告によると、十五分ほどで子犬の多くは母犬のもとにもどり、乳を吸ったり、鼻面を押しつけて眠ったりしはじめた。だが、苦痛な体験のすぐあとでなにかを食べるのは、進化の歴史が残した生存のメカニズムだ。食物はエネルギー源であり、その後の苦痛体験にそなえる力をあたえてくれる。しかも、乳を吸う行為はエンドルフィンの分泌をうながす。これは鎮痛作用があるホルモンで、モルヒネとおなじ働きをして、脳に苦痛信号が送られるのをふさぎとめる。というわけで、尾を切られた子犬が乳を吸うのは痛がっている証拠であり、その痛みをとりのぞくための行為かもしれない。

犬が、まわりの肉食動物に弱さをけどられないように、実際に感じた痛みより、ずっと抑えた形で苦痛をあらわすことを忘れてはならない。子犬もその傾向を受け継いでいるし、むしろ成犬よりもっと痛みを隠そうとするかもしれない。彼らは小さくて弱く、傷つきやすいのだから。キャンといったり、クーンと啼いたりすれば、好ましくない注意を引いてしまうだけだ。犬たちは、いかに痛い思いをしようとストイックに苦痛を隠すすべを、幼いうちからすでに身につけているのだ。

なでられると癒《いや》される

触覚でもっとも興味深いのは、それが犬の心理的幸福にはたす役割だ。ふれあうことは、犬同士、あるいは犬と人間のあいだに感情的・社会的きずなを作りあげるのに不可欠である。そして接触は犬の意思伝達にとっても、だいじなことなのだ。

接触が心理におよぼす重要な影響について、はじめて実験をおこなったのが、ウィスコンシン大学のハリー・ハーローだった。彼は母親との接触をもてなかったアカゲザルの子供を集めた。最初のうち猿の赤ん坊たちは、感情的に不安定な人間とおなじような行動をとった。自分自身を抱きしめるようにして何時間もじっとうずくまったり、ひたすら体をゆすりつづけたり、壁に頭を打ちつけたり、体の一部を血がでるまで噛んだり掻きむしったりしたのだ。こうした猿は、やがて行動的にも感情的にも深刻な障害をもつようになり、ほかの猿とまじわれなくなる。

だいじなのはやさしいふれあいであることを実証するために、ハーローは猿たちに〝母親がわり〟をあたえた。猿の顔をつけた哺乳瓶を用意したのだ。一つは針金を巻いたもの。これはさわってもほとんど慰めにならないようだった。だが、詰め物をしてパイル地の布でくるんだ哺乳瓶は、やさしい手ざわりが心地よいようだった。針金の母親（哺乳瓶）が乳をあたえ、布でくるまれた母親が乳をあたえない場合でも、子猿たちはやわらかい母親のそばにいたがった。布の母親にすがりつき、やわらかい触感を感じると、子猿は安心して気持ちが休まるように見えた。なにかに怯えたときは、守ってもらおうとして〝布の母親〟に駆け寄ったりもした。

この猿を使った古典的な実験のあと、おなじような実験が犬を使っておこなわれ、ほぼおなじ結果がでた。母親から引き離された子犬は大きな不安に襲われた。食べ物や固い玩具では心が癒されないようだったが、やわらかなもの、たとえばぬいぐるみや、ただのやわらかな布だけでも、不安症状が減った。

接触がもつ癒し効果は、人間からでもほかの犬からでもあたえられる。知らない場所に連れていかれた、ひとりきりになった、不愉快なできごとを経験させられたなどで、犬が感情的に不安定になったときは、人がやさしくなでてやると、落ちつかせることができる。接触の効果は、生理学的にも測定が可能だ。心拍がおだやかになり、呼吸が正常にもどる。

接触は、不安を生じさせる状況との折り合いのつけ方を犬に〝教える〟こともできる。不安と結びつくできごとの前後に犬をやさしくなで、それを何度もくり返すと、犬はしだいにその状況に不安を感じなくなり、不安からの立ち直りも早くなる。やさしくふれる手から、「いやなのはあっという間で、すぐになにも心配はなくなる」と、学びとるようだ。

〈犬の気持ちを鎮めるテリントン・タッチ〉

どんなふうになでられると、犬は気持ちよく感じるのだろう。マイケル・ヘネシーが率いるライト州立大学とニューアークのオハイオ州立大学の心理学者チームは、保護施設に引き取られた犬を使って接触効果について調べた。採血のあいだ、なでられたりさすられたりした犬は、なでられなかった犬よりも、ストレス・ホルモンの分泌が少なかった。いちばんいいのは、なでているあいだ犬と体を接触させる方法だ。犬を人間に寄りかからせる感じで座らせたり、横にならせたりするといい。なでるときは、ただ軽くさわるのではなく、マッサージのような感じで犬の肩、背中、首筋をとくに念入りにさする。時間をかけてしっかり頭をなでるのも効果的だ。頭のうしろからはじめて腰のほうまで移動していく。皮膚をさするだけでなく、その下の筋肉をマッサージするような気持ちで。つまり、犬に加える手の力に、中ぐらいからそれ以上まで変化をつけるのだ。そして犬をなでるあいだ、やさしく、犬の気持ちを落ちつかせるように話しかける。

犬のなで方のテクニックをいちばんよく知っているのは、たぶんリンダ・テリントン＝ジョーンズだろう。彼女は犬の緊張をやわらげ、おとなしくさせる、テリントン・タッチというマッサージ法を開発した。最初は馬にこの方法を使ったのだが、犬、猫その他の動物にも効果があることがわかった。具体的には、円を描くように手と指を動かして穏やかに筋肉と皮膚をさするというものだ。テリントン＝ジョーンズはまた、頭からはじめて腰まで降りていくと、非常に効果的だと言っている。

人間には気持ちいいが、犬はたいていいやがるのが、抱かれることだ。犬は抱かれると動きを制限され、拘束されたように感じる。犬族にとっては敵から逃げたり、自分の身を守ったりするために、自由に動けることが生存するうえで重要なのだ。人に抱かれると、犬は動きを封じられ、不安がかきたてられる。たいていの犬が、身をよじって人の腕から自由になろうとする。なかには不安のあまり、相手に嚙みつこうとしたり、威嚇したりする犬もいる。

母親から引き離される前に、子犬が幼いころから十分な接触を受けると、生命力、行動能力、病気への抵抗力がいずれも高くなり、成犬になったあとまでいい影響をおよぼす。心理面でも、これらの犬は自信にあふれ、社交的で、否定的な感情反応が少なくなる。幼いときに人間からたっぷりかわいがられ、さわってもらった子犬は、問題解決能力も訓練の学習能力も高いことが実証されている。このことについては、あとの章でもう一度ふれることにしよう。

こうして見てくると、触覚はこの世界に熱いもの、冷たいもの、とがったもの、まるいもの、気持ちのいいもの、害のあるものがあることを、犬に教えるだけではない。触覚からの情報は犬の心を形づくり、のちのちまで犬の行動に影響をあたえるのだ。

7　超能力、じつは聴能力？――犬に超能力はあるか

男の名はウィリアム・ベッカー。彼は私がトロントで講演したあと、話をしにやってきた。

「犬のいろんな能力や感覚の話をなさってましたけど」と彼は言った。「だいじな問題が一つ、抜けてましたね」

「なんの問題です？」私は訊ねた。

「超能力ですよ」彼は答えた。

私はすでにこのたぐいの発言を、さまざまな形で耳にしていた。数多くのすぐれた著者が、犬には第六感が働くことをほのめかす本を一般向けに書いている。発言者は、犬のトレーナー、獣医師、犬の行動にかんするコンサルタントなど、犬と長年つきあってきた人たちが多い。

犬の超能力すなわち〝超感覚知覚（ＥＳＰ）〟という話の中には、科学者が反射的に

疑いたくなるようなものもまじっている。私自身は犬に予知能力（なにかのできごとを、実際に起こる前に感じとる能力）、透視能力（視力がとどく範囲を超えて、遠く離れた場所で起こっていること、あるいは起こったことを察知する心霊的な能力）、テレパシー（言葉その他の感覚的手段によらずに、ほかの人の考えを読みとる能力）があるという主張に、強い疑いをもつ。

だが、超感覚知覚が、人間にはまだ理解できていない、感覚の働きでは捉えがたい知覚能力を指すのだとしたら、少しは認められる。結局のところ、コウモリがエコロケーション（超音波の反射を捉えて目的物の方向を知る方法）で虫のいる場所を探りだすという事実が科学の世界で受け入れられたのは、ようやく一九五〇年代後半に入ってからだった。おなじころ科学者たちは、電気受容体をもつ魚が、自分のまわりの電磁場の変化を読みとれることも発見した。これらの電気魚は、独自の電磁場をもち、その変化を読みとるのだが、ナマズやウナギなどはたんに生物が近寄ってきたことによる磁場の変化を読みとる。コウモリの場合とおなじように、この能力を使って獲物の位置を察知するのだ。こうした能力の存在が科学的に証明される以前には、これらの動物の狩猟能力は、超能力と考えられていた。

犬に超能力があるという説は、たいてい身近に起きた信じがたいできごとが証拠になっている。ウィリアム・ベッカーが聞かせてくれた話も例外ではなかった。彼の父親でドイツのザール・ルイという町に住んでいたヨーゼフ・ベッカーが、ふしぎな体験をしたのだ。ある日、ヨーゼフはジャーマン・シェパードのシュトルーリと散歩にでかけた途中、地元の居酒屋で一杯やることにした。いつもは行儀がよくて静かなシュトルーリが、なぜか落ちつかず、しきりにヨーゼフの注意を引こうとした。ご主人が座っている椅子と居酒屋の出入口のあいだをいったりきたりし、ぐるぐるまわって彼の服の端をくわえ、椅子から立ち上がらせようとするのだ。それでも彼が動かないと、シュトルーリは体をそり返らせて、大きな遠吠えをした。ヨーゼフはゆっくり静かに飲みたかったので、シュトルーリを外にだしてドアを閉め、席にもどった。だがシュトルーリはあきらめなかった。どこからか店の中に入ってきて、またヨーゼフの服を引っ張り、遠吠えをはじめた。ヨーゼフは降参し、ほかの客たちの迷惑を考えて、ビールを一気に飲み干すと、こいつはおれをあんまり居酒屋に入り浸らせないように、かみさんから言いつかっているんでしょうと冗談を言って、犬と一緒に店をでた。

ヨーゼフとシュトルーリは、外にでたあと道路を渡った。歩きはじめてすぐに、地響きとともに恐ろしい轟音《ごうおん》がした。ぎょっとして振り向くと、なんと居酒屋が瓦礫《がれき》の山と化していた。建物の崩壊はあっという間だったので、客たちのほとんどが逃げおくれた。数人が死亡し、怪我人も何人かでた。崩壊の原因は、新築工事でとなりの地面を掘り起こしていた最中に、作業員がうっかり居酒屋の土台を傷つけたためだった。誰も危険を予知しなかったが、シュトルーリにだけはそれがわかったと、ウィリアムは考えている。

「その予知能力が、父の命を救ったんです」と彼は言った。だが、こうした現象を科学的に証明することはきわめてむずかしい。科学では、検証されていない力や超能力にもとづく説明を受け入れる前に、魅力にはとぼしいが、理にかなった代案について考えなくてはいけない。

超能力、じつは聴能力？

たとえば、犬の敏感な聴覚が、予知を可能にしているのかもしれない。ヨーゼフとシュトルーリの話と非常によく似た、プリマスに住むヴァレリー・スミスとコリーのトミーの例をあげよう。難聴ぎみのヴァレリーが、トミーと道を歩いていたときのこと。「トミーが立ち止まって、近くの木をじっと見つめました。私が近づこうとすると、彼は私に吠えかかりました。そんなことをしたのは、はじめてでした。私がまた前に進もうとすると、彼は振り向いて牙をむきました。そして〝そこを動かないで〟と言いたげに、じっと立ちふさがったのです」数秒後、その大木が道に横倒しになった。ヴァレリーの右腕をかすめるほど、近くだった。「大ショックでした。高さ五メートルほどもある木だったのです。蔦《つた》におおわれていて、根元のほうが腐っていました。トミーにはそれが倒れるのがわかったのです」トミーの行動を予知能力に結びつけることも可能だろうが、この場合、犬に危険を知らせたのは、木が倒れはじめるときにたてた、パリパリ、カリカリという音だったと思われる。

おなじ説明がシュトルーリの例にもあてはまるだろうか。少なくとも、犬たちがある種の低周波の音を聞きとれることは、わかっている。特別な周波の音を聞きとる犬の能力は、犬の大きさ、とくにその頭の大きさに影響される。大きな頭をもつ大型犬は、耳も大きい。つまり音を耳の中に送る導管の幅が広く、耳のどの部分も大きくできている。小さい耳は高音に、大きな耳は低音に適している。オルガンの細いパイプが高音を、長くて太いパイプが低音を作りだすのとおなじだ。つまり、小型犬は高い音を聞くのは得意だが、低音はあまり得意ではない。かたやマスティフ・タイプの大きくて四角い頭をもった犬、セント・バーナード、ニューファンドランド、グレート・ピレニーズなどは、超低周波音も聞きとれる。人間にはとても聞きとれない音だ。セント・バーナードが雪に埋まった人がたてるかすかな低周波音を聞きとるのも、そのためだ。だが、頭の小さな犬たちには、その音はまったく聞こえない。大きな犬たちが雪崩《なだれ》の被害者の居場所をつきとめるのは、超能力ではなく、たんに雪の中で低周波の音が聞きとれるからなのだ。

犬は地震を予知する？

もう一つ科学者のあいだで熱い議論を呼んでいる問題も、やはり犬の聴力で説明がつくかもしれない。犬の中には、地震や雪崩の予知能力がありそうに思われる犬もいる。セント・バーナードが、アルプスで旅人や救援隊に雪崩が起きそうだと警告を発し、事前に安全な場所に避難させた話はいくつもある。調査によると、大地震の数時間前（ときには数日前）から、犬たちが落ちつきをなくし、そわそわと動きまわりはじめるという。人間には感じとれない異変を感じとって、不安げなようすを見せるのだ。なにもない空間に向かって吠えたり、家から逃げ出したりする場合もある。

二〇〇一年二月二十七日に、そのときはわけがわからなかったが、私自身もこの現象を目のあたりにした。ヴァンクーヴァー服従訓練クラブの熟練インストラクター、バーバラ・ベイカーが上級クラスを指導していたのだが、この晩はどうもうまくいかなかった。

「いったいどうしたの？」と、彼女は疲れた声をだした。高度な訓練を受けた八頭の犬たちの行動に、手こずっていたのだ。八頭はいずれもカナダ・ケンネルクラブの服従訓練資格をもっていて、服従訓練競技会で安定して点を稼ぐ犬ばかりだった。それが、かんたんな「待て」の命令にも満足に応えられないのだ。鼻声をだし、落ちつきがなく、主人を探して教室を駆けまわる。どの犬も不安げで、わけもなくいらついていた。

その三時間後、バーバラの疑問に答えがでた。マグニチュード六・八の地震が太平洋北西部を揺るがしたのだ。教室から二百四十キロ南のシアトル付近が震源地で、ワシントン州やカナダのブリティッシュコロンビア州でも揺れが感じられた。あとから考えると、犬たちは人間に、地震の接近を教えようとしていたのかもしれない。

動物が前もって地震を感じることを、はじめて記録したのは紀元前三七三年のギリシア人だった。記録によると、大地震の数日前に、犬が遠吠えをし、ネズミ、イタチ、ヘビ、ムカデが安全な場所を求めて逃げ出したという。最近では、カリフォルニア州サンタクラ郡の地質学者ジェームズ・バークランドが、新聞の迷い犬／迷い猫欄で、サンノゼ市周辺で行方不明になった犬猫の数を調べた。その結果、マグニチュード三・五以上の地震が起きるときは、数日前にサンノゼ市の中心部から半径百十二キロ以内の地域で、行方不明のペットの数が急増しはじめることがわかった。バークランドによると、こうした前ぶれが当たる確率は、十二年間で八十パーセントだという。

中国や日本では、犬（およびその他の動物）の地震予報能力が高く評価され、高性能の科学機器とならんで、動物たちが地震警報システムの重要な一部に採り入れられている。動物の地震予知能力がはじめて実証されたのは、一九七五年、中国の海城市で急に不安げな行動をはじめた犬その他の動物たちに、役所が注目したときだった。地震予報官は、犬が奇妙な行動をしたことは以前にもあり、たいていいつも大地震の前だったと報告した。その報告にもとづいて、役所は同市の住民九万人にたいし避難命令をだした。そのわずか二、三時間後、巨大地震が襲った。規模はマグニチュード七・三。サンフランシスコのベイブリッジに損傷をあたえた一九八九年の地震より規模が大きく、被害総額は三十億ドルにのぼり、海城市の一部は三日にわたって黒い雲でおおわれた。この地震で、市の建物の九十パーセントは崩壊した。犬たちの警告がなければ、さらに何万人もの命が奪われただろうと推測された。

このようなできごとのため、犬には人間が感じとれない空気中の静電気の電荷変化や、地面のかすかな振動を感じる特別な感覚があるという、大胆な説を唱える人たちもいる。

だが、もっと慎重な人びとは、大地震が地下で活動をはじめたとき、その超低周波音を犬が感じとるのだと考えている。

私はヴァンクーヴァー地震があったときに、少しばかり調査をした。地震の数時間後、私は地元の犬の飼い主や、犬の訓練クラブ、動物保護施設にeメールを送り、アンケート調査をおこなった。地震に先立つ二十四時間のあいだの犬たちの行動を思い出してもらい、ふだんとちがう点はなかったか書いてもらったのだ。一週間で合計百九十三通の回答がえられた。地震前の二十四時間に不安行動をしめした犬は四十一パーセント——驚くほど高い割合である。その行動に気づいたのは三時間ほど前という人がもっとも多かったが、犬のようすが地震のまる一日前から妙だったという回答もいくつかあった。

聴覚が地震予知と関係があるかどうかを知るために、このグループの中で聴覚障害がわかっている犬十七頭について、不安行動を調べてみた。すると、地震前の二十四時間にいつもとちがう行動をしたのは一頭だけだった。しかも、その犬は聴覚が正常な犬と一緒に暮らしており、その仲間の不安行動を見て、察知した可能性がある。

地震の信号が低周波音であるとすれば、聞きとる割合は大型犬のほうが高くなるはずだ。私は犬たちを大きく三つのグループにわけた。大型犬（体高五十五センチ以上）、中型犬（三十五〜五十五センチ）、小型犬（三十五センチ以下）である。結果は、低周波音説に有利ではなかった。異常行動をした犬は、大型犬では二十パーセント、中型犬では五十一パーセント、小型犬では六十四パーセントだったのだ。つまり、高周波音が重要だったことになる。高周波音を敏感に聞きとる犬、そして齧歯類やヘビなどの動物が、地面の揺れにもっとも敏感に反応するのだ。

というわけで、ご主人に警告を発したシュトルーリとトミーを驚かせたのは、木や石が砕ける、高周波の音だったのではなかろうか。

ご主人の死を感じとる犬たち

心霊現象を信じる人たちは、以上の例については犬の鋭い聴覚のなせるわざだと納得しても、そのほかの話になると予知能力、透視能力、テレパシーのせいだとゆずらないだろう。犬の予知能力でよく例にあがるのは、犬が家人の死を予知する話だ。その徴候としては、犬が落ちつかなくなり、悲しげな遠吠えをするという。ペットの犬が遠吠えすることはあまりないので、この行動は目立つ。

ヴァーナ・シモンズは、祖母の飼っていたエディーというラブラドール・レトリーバーの話をしてくれた。ヴァーナは、病院には入らずロサンゼルスの自宅で最期を迎えることを望んだ祖母のため、カリフォルニアまで飛んだ。祖父が亡くなって以来、祖母にはいつもエディーがつき添っていた。祖母のおともをしてどこにでも一緒にいき、行儀がよくておとなしいエディーは、友人たちや家族に好かれた。針仕事をしたり、本を読んだり、テレビを見る祖母の足元には、かならずエディーがいた。そして彼女は人間に話しかけるように、エディーに声をかけた。ヴァーナがいってみると、エディーはひどく不安げで落ちつきがなかった。祖母のベッドのまわりをうろうろし、ヴァーナが叔母のコニーと病人の世話をするあいだは、シッシッと追い払って閉め出さないといけないほどだった。心に深く残るできごとがあったのは、ヴァーナが祖母の家にいってから二、三日後だった。

「祖母はその日とてもぐあいがわるく、つらそうでした。看護師を呼ぶと、モルヒネを打ったあと、患者から目を離さないように、呼吸が弱っているので酸素吸入器をつけたほうがいいかもしれないと言われました。叔母のコニーは、その晩なにかあったときのために、病院から緊急用の酸素ボンベを入手しました。私はエディーを庭にだしてから、夜のあいだ祖母を見守り、朝になったらコニーと交代することにしたんです。そして夜中の二時ごろ、うとうとしかけたとき、ひどく悲しげな遠吠えに目を覚まされました。遠吠えの前に、かならず一、二回低い吠え声が入るんです。それでエディーだとわかりました。彼の遠吠えを聞いたのは、あれがはじめて。あんなに悲しげな犬の声は聞いたことがありません。私は胸騒ぎがし、彼の声で祖母が目を覚ましたのではないかと、ようすを見に飛んでいきました。祖母が息をしていないようなので、大声でコニーを呼びました。911に電話をし、数分で救急車がきましたが、祖母は亡くなったあとでした。エディーには祖母が死んだ瞬間がわかったんです。彼は裏庭にでていたので、寝室にいた祖母の呼吸の音とかを聞いたはずはありません。どうしてわかったのかは謎ですが、犬にはそういう特別な感覚があるって聞いたことがあります。彼が遠吠えをしたのは、自分と心をかよわせた親友の死が、わかったからなんです」

エディーの物語は涙を誘うが、透視能力とか予知能力をもちださなくても、説明がつけられる。遠吠えをするのは、ひとりきりになった犬であることが多い。たとえば一日じゅう庭に閉め出されて、人や犬仲間とふれあえないときなどだ。最初に一、二回吠え声が入る場合は、二つのメッセージを伝えているのだ。最初の吠え声は、問題が起きたので群れの仲間や家族を呼びもどそうとするもの。そして遠吠えは、誰も応えてくれないことにたいする不安をあらわしている。つまり、「ひとりぼっちで心配だ。どうして誰も助けにきてくれないんだろう」と言っているのだ。

エディーは庭にだされ、いつも一緒にいる人たちから引き離されて、さびしさのあまり遠吠えしたとも考えられる。家に重病人がいるとき、犬を外にだすことはよくある。そして重病人は死ぬ可能性があり、ひとりぼっちの犬は遠吠えをするものだ——そしてこれらの要素が重なると、人は犬の遠吠えと誰かの死とのあいだになにか関連があると思いたくなる。ヴァーナは、エディーが遠吠えをしたのははじめてだと言った。だが、エディーが外に閉め出され、家族と引き離されたのもはじめてだったのだ。このようにいくつかの偶然が重なると伝説が生まれ、心霊現象信仰がはぐくまれるのだろう。

考えらないほど遠く離れた場所で起こったできごとを、犬が察知したという話はいくつもある。私は知り合いの女性から、朝鮮戦争にまつわる話を聞いた。

「あるとき母から電話をもらい、仕事の帰りに買い物を頼まれたんです。あのころ朝鮮の前線で戦っている兄のことを、母が心配しているのがわかっていたので、私は買い物をとどけたあと、夕食も私が作ることにしました。

母の家にいってみると、いつもは犬のマックスが出迎えてくれるはずなのに、母の話ではマックスはその日一日じゅう元気がなかったらしく、翌日もぐあいがわるそうなら、病院に連れていくというのです。マックスは兄が子犬のときからかわいがっていた犬で、家ではいつも兄と一緒でした。その日、夕食のしたくを終えて、私たちはテレビの前に座りました。母は七時半からの、ジョン・キャメロン・スウェージのニュース・ショーがお気に入りでした。ところが、番組がはじまったとたん、マックスががばっと跳ね起きて、部屋をいったりきたりしながら、鼻声をあげたり、震えたり、吠えたりしだしたのです。騒ぎ方があまりひどいので、なにかの発作かと思いました。落ちつかせようとしても、逃げ出してテーブルの下にもぐってしまうし。マックスはいつもおとなしくておだやかだったので、本当に妙でした。翌朝母に電話してマックスのようすを訊ねると、だいぶ落ちついたけれど、まだ元気がないという話でした。

その日の午後、母は私の兄が迫撃砲による攻撃で前の日に戦死したという報《しら》せを受けました。死んだのは現地時間で朝の九時半。こちらはちょうど夜のニュースがはじまった時間で、マックスが騒ぎはじめた時間とぴったり一致していました。母も私も、マックスに兄の死がわかったにちがいないと思いました。ほかに納得のいく説明は考えられません」

ご主人の帰宅が前もってわかる犬

犬に遠くのできごとがわかる例で、もっとも多いのが、飼い主の帰宅時間を予知するということだろう。わが家の犬ダンサーが、私の妻の帰宅を実際より数分早く察知することは、すでにお話しした。それはいささか騒々しい妻の車の音を数ブロック先から聞きとるためだと、私は考えている。だが、イギリスのケンブリッジ大学で生化学の博士号を取得したルパート・シェルドレイクは、私の意見に賛同しないだろう。彼は、近づく車の音が聞こえるずっと前から飼い主の帰宅を感じとる犬について、多くのデータを集めた。そして彼は、これは犬が生まれもっている時間感覚のせいではないと主張している。その理由は、飼い主の帰る時間が一定ではなく、予測できないときも、そして飼い主が自分の車ではなくバス、電車、飛行機で帰るときも、犬はその帰宅を予知するからだという。

シェルドレイク博士があげている驚くべき一例が、ケント州チゼルハーストに住むキャロル・バーレットの話だ。彼女は夫にサム（ラブラドール・レトリーバーとグレーハウンドの雑種）をあずけて、芝居見物やロンドンの友人の家にでかけることが多かった。家にもどるには電車で二十五分、駅から徒歩で五分かかる。彼女の帰宅時間は夕方六時から夜の十一時にかけてで、キャロルの夫は彼女が何時の電車で帰るかわからない。そして彼女はこう博士に語っている。「夫の話では、私が外出すると、私が帰ってくる三十分前に、サムは自分が昼間寝ている私のベッドを離れ、一階まで下りて玄関ドアの前で待っていると言うのです」

なんとサムは三十分前、つまり彼女がちょうどわが家に向かって移動をはじめたころに、ドアのところで待ちはじめるというのだ。犬は女主人がいつの電車で帰るか、音や匂いからヒントをつかむことはできない。シェルドレイク博士はこう書いている。「人と動物のあいだのテレパシーについて、もっとも説得力ある証拠が、飼い主の帰宅を前もって感じとる犬の研究から入手できる。この予知行動はよく見られることで、飼い主の多くが、その意味を深く考えたりせずに、当たり前のこととして受けとめている」その著作『あなたの帰りがわかる犬』の中で、シェルドレイク博士は、飼い主の帰宅が前もってわかる犬の例を五百以上集めたと述べ、読者に自分の犬にもテレパシーや透視能力があるかどうか、試してみるよう勧めている。

超能力のせいかどうか、とりわけ念入りに調べられたのが、イギリスのラムズボトムに住むパメラ・スマートと、テリアの雑種犬ジェイティーだった。ジェイティーは、外出したパメラがわが家へもどろうとしはじめる時刻に、窓に駆け寄ったり、外のポーチに座ったりして待つようすを見せた。パメラの外出先がいつもとはちがい、何時に帰るのか家族も知らないときでさえ、犬は前もって察知するようだった。ジェイティーのテレパシー能力を実証するために、オーストリア国営テレビが二名の撮影スタッフを派遣した。一人は町にでかけたパメラを撮影し、もう一人は家に残ってジェイティーのようすを終始撮影した。数時間後、パメラと彼女に密着していたカメラマンが家へと向かいはじめた。そのとき、ジェイティーはポーチにでて、パメラがもどるまでそこにいつづけた。この映像はマスコミの注目を集め、テレビのコメンテーターはこの犬に〝超能力〟があり、いつもご主人の帰りを予知すると語った。

シェルドレイク博士は、ハートフォードシャー大学の心理学者リチャード・ワイズマンを中心とした研究チームを招いて、ジェイティーのテレパシーを試すことにした。その実験結果は、のちに『英国心理学ジャーナル』に掲載された。ワイズマンはまず、犬の行動を誘発しそうな、非テレパシー的要素を取り除いた。つまり、パメラが家族の予想できる時間にでかけたり帰ってきたりしないようにし、遠くからでも接近がわかるような、耳慣れた音をたてる車を使わないようにしたのだ。そして家にいるほかの人たちの行動から、犬がパメラの帰宅を感じとらないように工夫した。つまり、ワイズマンとそのチームはパメラが何時に帰路につくか、彼女自身もふくめ、前もって誰にもわからないようにしたのだ。そのために、彼らはパメラを遠い場所に連れていき、計算機が無作為に選んだ時間を帰宅時間として彼女に伝えた。パメラはどこかの時点で、だしぬけにいまから帰路につくよう指示され、それにしたがったのだ。いっぽう、チームのべつのメンバーがパメラの家でジェイティーの行動をすべてビデオに収めた。この実験は、日を変えて四回おこなわれた。

そしてワイズマンは実験に立ち会わなかった研究員に、ビデオを見てもらった。この研究員にはパメラの帰宅時間についてなにも情報をあたえず、飼い主が帰路についたことを、ジェイティーが察知したと思われる時間を、画面から判断して記録してもらったのだ。研究員にわかったのは、ジェイティーが非常に警戒心の強い犬だということだった。パメラの留守中、彼は何度となく窓に駆け寄ったり、ポーチにでたりした。人や車が家の前を通りかかると、すぐに調べにいくのだ。なんの理由もなく窓に駆け寄ることも何度かあった。残念ながら、そんなふうに〝わけもなく〟駆け寄った瞬間の大半は、パメラが帰路についた時間とまったく一致していなかった。その後のインタビューで、ワイズマンは結果についてこう語った。「飼い主が帰路についた時刻に、そう、たしかに犬は窓に駆け寄りました。でも、ビデオを巻き戻してほかの場面も見てみると、犬がたえず窓に駆け寄っていることがわかります。実際の話、飼い主が帰路についたとき、窓辺にいなかったほうがふしぎなくらいです」

ではなぜ、パメラとその家族はジェイティーが彼女の帰宅を正確に予告したと確信をもったのだろう。それは、人間によくありがちな、先入観《バイアス》と関係がありそうだ。心理学で〝確証バイアス〟と呼ばれている、偏《かたよ》った記憶のしかたである。つまり、人は自分の確信を裏づけるできごとばかりに目を向けがちで、自分の確信に反する事実には目をふさぎ、正当に評価しようとしない傾向があるのだ。古典的な例が、満月の夜には犯罪や事故やいさかいが起きるという説だ。そのため人は満月の夜のできごとに特別な関心を向ける。だが、ほかの時期におなじようなできごとがあっても無視されがちで、記憶に残らない。この傾向が長いあいだつづくと、やがては満月と犯罪や事故や喧嘩の割合とのあいだに、密接な関係があるという迷信が生まれるのだ。

確証バイアスと偏った記憶が、ジェイティーにテレパシー能力があるという確信につながったのかもしれない。ジェイティーは何度も窓辺にいったのだが、家族はパメラの帰宅時間と一致したときの姿しか記憶に残さなかった。ほかのときのことは、外の騒音などと結びつけて忘れてしまったのだろう。女主人の帰宅時間と一致したときほど、驚くべきことではなかったからだ。

透視で迷い犬を探す霊能者

人は犬を愛するがゆえに、犬に特別な能力や、人間との特別な結びつきを見たがる。飼い主はたいてい、自分の犬がなにか特別なできごとを感じとったという、〝ふしぎな〟話を一つや二つもっている。そして私たちは、犬が奇妙な行動をしてもなにも起こらなかったときのことや、犬がふつうに行動していても家族になにか異変が起きたときのことは、都合よく忘れている。

犬はたしかに、私たちにはふつうとは思えない感覚能力をもっている。その中には、いくつかすでにご説明したものも、のちにお話しするものもある。犬には私たちの気分や感情を読みとる力もある。これらの能力を高度な心霊現象やテレパシーと結びつけたくもなるが、科学的にはまだ実証されていない。

たとえば、リチャード・ワイズマン（ジェイティーを調べた心理学者）は、〝犬と心で交信できる〟ローラに注目し、人と犬のあいだにテレパシーがつうじるかどうか調べた。ローラは、あなたのペットがいなくなったら、電話をくれれば、心霊術で動物の心と波長をあわせて、ペットがいまどんな風景を見ているか教えられるとインターネットで宣伝していた。その風景から、飼い主はペットがいまいる場所をつきとめて、探しにいけるというのだ。ワイズマンはローラの力を試すにあたって、まず犬をイギリスのある場所に連れていって放し、自由に走りまわらせた。ローラに、犬がいまどんな場所でなにを見ているか訊ねると、彼女は風景を感じると言ったが、場所の説明は不正確だった。それで終りにせずに、ワイズマンは彼女の霊能力と犬のテレパシーをたしかめるべく、より単純で客観的な方法をとった。今回も犬を放し、その場所の写真を撮った。そしてローラにそこで撮った写真と、関係のない九枚の写真とを見せて、犬のいる場所が写っている一枚を選ばせたのだ。彼女は十枚の写真の中から、犬から交信を受けた風景と一致するのはどれかと訊ねられた。実験は二回おこなわれたが、ローラは二回とも正解しなかった。

こうした実験結果をもとに、ワイズマンは犬の超能力や、人と犬とのあいだのテレパシーによる交感に疑問をいだくようになった。ABC放送のインタビューで、彼はこう語っている。「ローラのサイトですごいのは、迷い犬の居所をつきとめられないとき、彼女が常識的な助言をするところです。アドバイスといっても、犬がいなくなった場所の近くにいって、犬の名前を大声で呼びなさいなどという程度なんです。そんなことを教えてもらうために、サイトを見る人の知性を疑いたくなります。サイトにはあなたのペットと直感をつうじて神秘のきずなを結ぶといった言葉があふれ返っているのに、いざという段になると、大声で名前を呼びなさい、ですからね！」

8　「犬らしさ」とはなにか——犬の先天的な能力

　私はいま、生後三か月から五か月の子犬たちが群れている部屋で、社会的な〝ドラマ〟がいくつか展開されるようすを眺めている。ヒューゴーという名の、ジャーマン・シェパードの子犬が、黄色いコッカー・スパニエルの子犬、アンバーに近づいていく。黄色い子犬のほうはたちまち姿勢を低くし、耳をピンと立て、アンバーの目をじっと見つめる。黄色い子犬のほうはたちまち姿勢を低くし、仰向けに転がる。部屋の奥ではシベリアン・ハスキーのティスカが、ソフトコーテッド・ウィートン・テリアのアイクに接近する。ティスカは不意に前脚を肘の部分まで床につけて体を低くし、腰と尾を高く上げる。アイクが応えるように一瞬おなじ姿勢をとったあと、二頭の子犬は陽気な追いかけっこに突入する。

　犬についていささかでも知っている人なら、この二組のパターンがなにを意味するかわかるだろう。ヒューゴーとアンバーが見せているのは支配と服従の行動で、それぞれに自分の地位と意志を表明している。ティスカとアイクは、おたがいに遊ぼうと誘いあっているだけだ。これらの行動は、ナッシュヴィル、北京、ローマ、モスクワ、ヨハネスブルクと、犬の生まれ育った場所がちがっても変わりはない。どんな犬の遺伝子にも、あらかじめ組み込まれている行動なのだ。つまり、学習によって身につけるのではなく、ある条件やできごとに反応して自然にでる行動である。

生まれか育ちか

情報は感覚組織をつうじて犬の脳に送り込まれる。だが、生まれたての犬の脳はまっさらな白紙ではない。あらゆる行動が、環境的影響と学習の結果ではないのだ。

生まれたての人間の子供の脳はなにも書かれていない本に近い状態で、行動の方法や世界との接し方を学ぶ必要がある。だが、犬の脳の〝本〟には生まれたときから役に立つ行動が、何章かにわたって書き込まれている。犬がコンパニオンや仕事仲間として人間の役に立っているのは、行動にかんする遺伝貯蔵庫のおかげであることが多い。私たちは牧畜羊犬には群れを集める能力、防衛犬には守る能力、狩猟犬には獲物を追う能力、ポインターには獲物の居場所をポイントする能力、レトリーバーには獲物を回収《レトリーブ》する能力が、あらかじめそなわっていることを期待する。犬は生まれながらに完全にこれらの行動を身につけているわけではないが、幼いときからその片鱗《へんりん》をのぞかせる。そして牧畜羊犬の場合は相手のあとをつけ、追いかけるという天性の素質を、人間の言いつけにしたがっておこなうよう訓練され、警護犬の場合は生来の攻撃的傾向を抑えるように教え込まれる。

これらの遺伝的にあらかじめ組み込まれた行動は本能と呼ばれ、知能を形づくるうえでそれがはたす役割の大きさについて、行動科学の世界では議論の的になる。〝生まれか育ちか〟、すなわち遺伝・本能か、学習・経験か、という問題である。生物学者や動物学者は、行動の多くに遺伝の影響を見たがり、心理学者は行動には幅があり、最終的な行動を形作るうえでは、個体独自の歴史や、環境との相互作用のほうが重要だと考えたがる。だがいかなる行動にかんしても、この問題に答えをだすのは不可能だろう。それは「長方形の面積を求めるのに、高さと幅のどちらが重要か」と問うようなものかもしれない。

そして遺伝子にあらかじめ組み込まれた行動や能力が、学習のさまたげになる場合もある。たとえばテリアは、よく吠えるように選択育種されてきた。キツネやアナグマを追って地下の穴にもぐり込むのが仕事であるテリアは、激しい吠え声で猟師に巣穴の場所を教える。その声を頼りに猟師たちは地面を掘って獲物をしとめたり、地下からでられなくなったテリアを助けたりするのだ。優秀なテリアは、ちょっとした刺激ですぐに吠える。だが、この遺伝的特徴があまりに強いため、テリアに吠えないことを教えるのが、逆にむずかしくなったのだ。もちろん、レトリーバーに吠えないことを教えるよりはるかにむずかしい。レトリーバーは猟師の獲物である鳥たちを驚かせないために、静かに座っているよう選択育種されてきたのだから。

ハンターが牧羊犬に変わるとき

生存にかかわる行動の中には、遺伝と考えられるものもある。たとえば子育て、交尾、狩り行動の一部、そして社会的なコミュニケーション行動などだ。人間が犬種特有の遺伝的特徴を意図的に変える場合、これらの〝先天的〟な行動の中から、自分たちの目的にあったものを選びだそうとする。役に立つ行動を意識して選択育種に成功した、最大の例が牧畜羊犬だろう。牧畜羊犬がいなかったら、肉、羊毛、皮革、その他もろもろの産物を生みだす組織的酪農が育たず、文明の進歩は遅れたはずだ。羊の群れを見張る仕事は、羊飼い一人と犬一頭でしたほうが、犬の手を借りずに十人でするよりもうまくいく。

群れを集める犬の能力のもとは、狼などが群れでおこなう狩猟行動をつかさどる遺伝子だ。大型動物を狩るには、獲物の群れから一頭だけを切り離すために、統制のとれた行動が必要になる。群れを集める牧羊犬の基本になった狼の狩猟行動は、遺伝的に受け継がれてきたものだ。その遺伝的な指令の第一は、獲物の群れのまわりを、狼たちがおたがいに等間隔で距離を置いてとりかこむこと。獲物の群れをほぼ完全な円を描いて包囲しながら、しだいにその輪を縮めていくのだ。

牧羊犬は、一頭で群れのメンバー全員になりかわって、すべての仕事をこなそうとする。まず犬は群れから適切な、〝基本となる距離〟を置いたあと、自分の狩り仲間が占めるべき場所をつぎつぎとまわって、群れのまわりを大きく一巡する。ほかの狼の〝持ち場〟となる場所でそのつど止まりながら、しだいに輪を狭めていき、羊の群れを中央に集める。

遺伝的に組み込まれたつぎの行動は、待ち伏せである。狼の群れが狩りをおこなうとき、一頭が仲間から離れて、獲物から見えないように地面に伏せて待機する。ほかの仲間は獲物の群れをその場所へと誘導していく。牧羊犬が走ったあと地面に伏せて、羊の群れをじっと見つめるのもそのためで、待ち伏せする狼の役をはたしているのだ。羊たちは凝視する犬の目を意識しており、群れから離れようとする羊も、その目を見ると催眠術にかかったように動きをとめてしまう。だが、群れ全体がかたまって動きはじめると、犬はまた包囲行動を再開する。

群れを特定の方向へ移動させるのも、やはり遺伝的にプログラムされた行動がもとになっている。狼は獲物の群れを、地形的に一頭だけ切り離しやすい場所へと誘導する。獲物の群れを勢いよく追いあげては退く、という行動をくり返し、自分たちの思いどおりの方向へと向かわせるのだ。その効果をあげるために、獲物のかかとや横腹に軽く嚙みついたり、肩をぶつけたりすることもある。

狼の群れにはきびしい社会的順位があり、〝第一位《アルファ》〟の狼と呼ばれるリーダーに支配されている。リーダーは、群れのさまざまな動きをコントロールする。ほかのメンバーは彼の動きにつねに注目し、その指図にしたがう。それでこそ群れは優秀な狩猟集団になれるのだ。牧羊犬にとって第一位の狼は、羊飼いである。犬のほうが羊飼いにつねに目を配るので、羊飼いとしては犬に指示を伝える方法を教え込みさえすればいいというわけだ。

遺伝子操作で変えられる行動、変えられない行動

わかりにくいかもしれないが、複雑で入り組んだ行動のほうが、選択育種によって変えるのがかんたんだ。基本的な運動や反射反応の多くは、固定的で不変なものだからだ。こうして複雑な要素がからむ犬の攻撃性には、選択育種がおこなわれ、犬種によってさまざまにちがいがでた。だが、意図的な交配によって攻撃性を高めたり抑えたりすることはできるものの、すべての犬に共通した攻撃のしかたまでは変えられない。攻撃の基本パターンや、嚙みついたり防御したりする行動は、犬族の遺伝コードの中でも基本的で不変の部分なのだ。こうした一定で予測可能な、学習に左右されない行動は、〝固定行動パターン〟と呼ばれている。犬の攻撃性を選択育種によって操作するとき、私たちはその傾向を質的にではなく量的に変化させているのだ。犬の基本的行動パターンそのものを変えるのではなく、その激しさや頻度を変えるわけだ。

母犬の子育て行動を例にとってみよう。この複雑な行動は固定的ではないが、その本質的な部分は固定的である。はじめて出産した雌犬は、なにをすべきかあらかじめわか

っている。その母性的行動は、出産の二十四時間ないし四十八時間前からはじまり、反射的に〝巣作り〟にとりかかって子供用の場所を整える。子犬が一頭ずつ生まれるたびに、母犬は胎盤をとりのぞき、へその緒を嚙み切る。この行動はきわめて固定的で不変なので、私たちは母犬が裂肉歯《れつにくし》（上の臼歯の手前にある歯）でへその緒を嚙み切ることを、かなりの確率で予測できる。つぎに母犬は子犬の体をなめて乾かし、必要な場合はへその緒をさらに短く嚙み切る。なめる行為はだいじな固定的行動パターンで、呼吸運動をふくむさまざまな筋肉の反応を刺激する。これは排泄行為もうながす。生後二週間のあいだ、子犬は自分では排泄できないので、母犬が子犬の肛門や生殖器をなめて排尿や排便をうながすのだ。そして母犬は排泄物を食べ、巣を清潔にたもつ。人間がこれらのことを犬に教えねばならないとしたら、種としての犬の存続は危うくなる。

一万四千年前から家畜化され、人間によって遺伝子の組み合わせを変えられてきたにもかかわらず、祖先から受け継いできた行動にほとんど変化がないというのは、固定行動パターンのみごとな証明と言うべきだろう。人間による遺伝子操作は、犬の行動そのものにはほとんど影響をあたえなかったが、行動のあらわれる頻度には強い影響をあたえた。つまり、選択育種によって人間の言葉をしゃべる犬は作りだせなかったが、テリアの例のように、よく吠える犬は作りだせた。そして刺激にたいする敏感さは確実に高められた。敏感さのレベルが高まると、固定行動パターンは遺伝子プログラムがもともと意図した以外の刺激にも反応するようになる。というわけでテリアは、刺激をあたえられるものにならなんにでも吠えかかる。

こうした〝あらかじめ組み込まれた〟行動で、犬は特定の刺激にたいして驚くほど反射的に反応する。たとえば、去勢されていない雄犬は、単純にしかるべき刺激がありさえすれば、放尿行動をとる。べつの犬が匂いづけをした垂直のものが目の前に現れると、自然と後ろ脚が上がるのだ。犬がその刺激の奴隷のように見えることすらある。わが家のビーグル犬ダービーは、幼いころ放尿のためにはじめて後ろ脚を上げたとき、自分の行動にびっくりしたようだった。首をまわして自分の体が妙にねじれているのを眺め、尿をしたたらせながら、三本脚でよろけそうになった。「いったい自分になにが起きたのか」とふしぎそうで、自分のしていることが理解できないようだった。片脚を上げる行為は犬たち自身が選んでおこなうものではなく、条件が整ったとき、いやおうなく犬に強制される行為のようだ。というわけで、片脚を上げる行為もやはり固定行動パターンであり、任意にコントロールすることは非常にむずかしい。雄犬は日に何度となく片脚を上げるが、この行動を命令に応じてさせようと訓練しても、なかなかうまくいかない。それについては映画やテレビのため、合図にしたがって放尿させようと犬を訓練した経験のあるトレーナーたちが証言している。このような行動パターンは、原始的、本能的レベルで制御されていて、後天的な学習でかんたんに修正することはできないのだ。

犬種による行動のちがい

犬種によってさまざまにちがう一連の行動特徴は、人間による遺伝子操作のあらわれだ。たとえば狩猟犬には、ポインターやセッターなど獲物を指し示す犬もいれば、獲物をとってくることが無性に好きなレトリーバーもいる。ジョニー・カーソンの『ザ・トゥナイト・ショー』に出演した作家のトルーマン・カポーティは、自分の友人がブラインド・デートをしたときの話を披露した。友人が女性をアパートまで迎えにいったとき、彼女のしたくがまだできていなかったので、リビングで待つように言われた。ソファーに座っていると、彼女の飼っている人なつこいラブラドール・レトリーバーが、ボールをくわえてきて、彼が投げてやると大喜びでとってきた。犬がしだいに興奮してきたので、友人は犬をよろこばせるために、ボールに勢いをつけた。そうこうするうちに、彼はうっかり開いている窓の外にボールを投げてしまった。完全に夢中になっていた犬は、ボールのあとを追いかけて十八階の窓から外へ飛び出し、視界から消えた。デートの相手がようやくリビングにもどってきたとき、彼は犬のことを話さずにでかけた。そのあとで彼はカポーティに、告白しないですむよう、二度目のデートがないことを祈るのみだと話した。

カポーティが話し終えたとき、喜劇女優のエレーン・メイはこう言った。「もし彼女とまたデートしたら、お友だちはきっと、〝あなたの犬がぼくに失恋したみたいで……〟

と言ったんじゃないかしら」

私はこの話を眉唾だと考えていたのだが、本当かもしれないと思いたくなる経験を一度したことがある。フラットコーテッド・レトリーバーのオーディンと、ブリティッシュコロンビアにあるわが家の農場からさほど遠くない、水かさの増したヴェッダー運河沿いの堤防を散歩していたときのこと。突然オーディンが、流れに浮かぶ大きな棒切れに目をとめた。そしてよく私が水の中になにかを投げて彼にとってこさせていたので、彼の回収本能に火がつき、私のためにあれをとってこなくてはと思ったらしい。私がはっとした瞬間、彼は高さ十二メートルの堤防から流れの中へと身を躍らせた。急流に押し流されて五百メートルほど下流までいったところで、ようやく岸辺の近くに打ち寄せられたので、私は疲れきった犬を岸へ引きずり上げることができた。心配のあまり心臓が早鐘のようになっていた私が、へたりこんで息をあえがせるかたわらで、オーディンは蛇行する流れの彼方に消えていく棒切れを名残《なごり》おしげに眺め、うらめしそうに何度か吠えた。

ボディーランゲージは遺伝する

犬のコミュニケーションには、遺伝によって決定づけられた興味深い行動の例が見られる。その他の複雑な行動とおなじく、コミュニケーションには一連の固定行動パターンがふくまれている。たとえば、生まれて間もない子犬は、守り手を探すための合図

——注意を引くために鼻声をだす、頭を低くして尾を振る、キュンキュンと啼く、母犬の顔、鼻、唇をなめる、跳び上がって顔をふれあわせる、前足で打つ、おとなのあとをつけるなど——を学ぶ必要はない。

少し大きくなると、その他の社会的信号や合図が自然に芽生える。これはかならずしも子犬がおとなたちのやり方を見て覚えるわけではない。支配の合図もその例だ。たとえば、頭を上げ、尾を高くして仲間の体の上にのしかかる、首を曲げ、相手の首や背中に頭をのせてTの字のような形を作る、相手の背中に前足をのせて立つ、目を見開いて相手を見つめる、肩や腰をぶつける、マウンティングする（腰を使って突く場合も、突かない場合もある）などだ。

支配が威嚇へ変わると、〝武器を見せる〟行動に移る。門歯や犬歯をむきだしてうなるのだ。軽い威嚇では上げた尾の先だけが振られるが、威嚇がエスカレートしてくると背筋の毛が逆立ち、尾がこわばった感じで突き出される。高く上げた尾を緊張させてピリピリと振りながら、四肢をこわばらせて相手のまわりを一周するのも威嚇の合図だ。

服従の信号もやはり本能によるものだ。尾を両脚のあいだにはさむ、両耳をぺたりと伏せる、頭を低く下げる、相手と視線をあわせないよう目をそらすなどである。空気や唇をなめる、そして口の両端を引く〝苦笑い〟も、遺伝に組み込まれた服従の合図だ。劣位の犬は、反射的に体を凍りつかせ、優位の犬が自分のまわりを一巡し、支配的な合図を送るあいだ、じっと動かない。地面に仰向けに転がる、横になって脚を開き、生殖器を見せる、あるいは尿をしたたらせるなども、本能的な行動である。

遊びの合図（両前脚を肘の部分まで床につけ、腰と尾を高く上げる遊びのおじぎなど）や、狩りのまねごと（頭と尾を下げ、腰を上げて耳をピンと立てながら、ほかの子犬のあとをつける）も本能によるもので、そのあとにやはり本能にもとづく追いかけっこや、取っ組み合いなどの遊びがつづく。遊びが激しくなりはじめると、攻撃的になりすぎた子犬は、ただちに遊びのおじぎを再開する。「ごめん！　いまのは、ただの遊びだったんだ！」と言いたげである。

これらのボディーランゲージは、すべて学習とは無関係であり、経験の恩恵を受けなくても相手につうじるようだ。信号は学習によってより複雑なものになり、使われる場所や受ける反応によってさまざまな状況が生まれ、高度な〝会話〟が可能になる。だが、基本的な〝言語〟は、本能にもとづくものであり、犬が生まれた場所が北米であろうと、中国であろうと、フランスであろうと、おなじように理解される。

低い声、高い声

犬の音にたいする反応も、やはり遺伝子に組み込まれている。人間の言語では言葉の響きは民族によってまちまちで、人類すべてに共通した意味をもつ音は存在しない。たとえば「カバロ」「シュヴァル」「ホース」「ウマ」は、みなおなじものを指しているが、これらの言葉の響きに共通したパターンはない。エスペラントなど、世界共通語を作りだす試みもなされたが、普及しなかった。だが、犬がおたがいのコミュニケーションのために使う声は、大半があらかじめ遺伝子に組み込まれたもので、犬種がちがっても共通する部分が多い。ボディーランゲージの場合とおなじく、それを解釈する能力も先天的なものだ。犬の世界のエスペラント語は、犬たちに犬種の壁を超えた理解を可能にすると同時に、種がちがう相手（人間もふくむ）にも、それらの信号から多くの意味を読みとる手がかりをあたえる。たとえば、低い声（うなり声など）はたいてい、威嚇、怒り、あるいは攻撃の可能性をしめしている。「あっちへいけ！」と言っているのだ。高い声はその逆を意味することが多い。「ぼくは敵じゃない」「近寄っても大丈夫」あるいは「近寄ってもいい？」などをあらわす。

進化を経た犬の言語には、三つの側面がある。音の高さ、長さ、頻度すなわちくり返しの割合である。国立動物公園の博物学者ユージン・モートンは、鳥類と哺乳類あわせて五十六種の声を分析し、どの動物にも共通した〝音程の原則〟があることを発見した。犬の低いうなり声とおなじような声を、象、ネズミ、オポッサム、ペリカン、そしてコガラまでもがだす。そのうなり声はすべて「近寄るな」「あんたは不愉快だ」「やめろ」を意味しているようだ。クーン、キュンキュンという犬の鼻声に似た声を、サイ、モルモット、マガモ、ウォンバットなどがだす。これらの高い声は基本的にすべて、「わたしは敵じゃない」「痛い」「ほしい」を意味している。心理学者によると、人間も無意識に話し言葉の中で、おなじように音の高さを使い分けているという。怒ったり威嚇したりするときの声は低く、親しみをあらわしたり誰かをそばに呼ぶときの声は高くなるのだ。

音程の原則の裏には物理的な要素もある。大きなものは声が低くなるのだ。大きなコップと小さなコップをスプーンで叩いてみると、それがわかる。大きいコップは低くよく響く音がする。同様に、ハープの長い弦、オルガンの長いパイプ、そして大型の動物（気管が長く口も大きい）も、すべて低い音をだす。進化の中で、動物は低い声をだすほかの動物（大型で危険なことが多い）から遠ざかったほうが、危ない目に遭わずにすんだ。こうして生き延びた動物たちは、おなじことをするようにプログラムされた遺伝子を、子孫に残した。また同時に動物は、クーン、キュンキュン、あるいはピーピーという高い声に反応するようにも進化した。おとなの保護や助けを必要とする合図として、子犬がたてることが多い声である。

進化の驚くべき点は、時の経過とともに、この大きなものにたいする音の合図が遺伝子に組み込まれ、現在では犬のコミュニケーションの一部に使われていることである。相手を遠ざけたり、引き下がらせたいとき、犬は反射的にうなり声などの低い声をだし、自分のほうが大きくて強いと伝える。鼻声のような高い声は、その声のぬしが小さくて近づいても安全であることをあらわしている。だが、大きな動物も自分に悪意がないことを伝えるために、高い鼻声をだす。もちろん音の高さを変えても、体の大きさは変わらないが、進化は動物に音の高さに反応することの重要性を教えた。低い声でうなる相手は、体の大きさを問わず、避けるべき相手なのだ。怒った口の小さな牙《きば》は、大きな牙とおなじほど危険かもしれない。こうした遺伝的に組み込まれた音程の信号に反応することによって、犬は対立を避けることができ、群れの調和がたもたれる。

声の長短とくり返し

普遍的な動物言語の中で、つぎに重要なのが〝長さの原則〟だ。音の長さと音の高さが組み合わさると、意味が変わってくる。一般的に、短くて高く鋭い声は、恐怖、苦痛、欲求をあらわす。短くて高いキャンという感じの鼻声は、犬が傷ついているか怯えていることを意味する。おなじ鼻声がクーンといった感じに長くなると、うれしい、遊びたいという気持ちや、誘いをあらわしている。基本的には、音が長くなるほど、合図にこめた犬の気持ちが強い。優位の犬の長くて低いうなり声は、なんとしても自分の立場はゆずらない、引く気はないという意志のあらわれだ。短く一瞬で終わるうなり声は、怯えた犬の、怪我をせずにうまく相手の攻撃をかわせるだろうかという不安をあらわしている。

遺伝に組み込まれたこの言語の第三の側面が、くり返しの割合だ。早い速度で何度もくり返される場合は、興奮や緊迫の度合いが高いというのが、〝反復の原則〟である。声のあいだに間があいたり、くり返しがないときは、声のぬしが興奮していないか、ぼんやりしている証拠だ。なにかを見て一、二度吠える子犬は、その対象にさほど興味をもっていない。だが子犬が何度もくり返し勢いよく吠えた場合は、感情が高まっている証拠で、状況の重要さや、自分や群れに危険が迫る可能性を感じている。

ウィスコンシン大学マディソン校動物学部のパトリシア・マコーネルは、人間のいくつかの声に犬がどのような反応をするか調べた。彼女は犬のトレーナーが、犬とのコミュニケーションを、言葉がうまくつうじたかつうじなかったかという経験にもとづいて磨きあげていることを発見した。つまり、おそらく無意識にだろうが、犬の言語の基本的性格を捉えていたのだ。トレーナーが一定の声の信号で意思を伝えているとしたら、私たちも犬とコミュニケーションをとる最良の方法について、ヒントがえられるだろう。マコーネルは、あらゆる偏りをなくすために、言葉も一か国語に限定せず、英語、スペイン語、ドイツ語、フィンランド語、アラビア語、ペルシャ語、中国語、韓国語から北米先住民の言語まで、十七種類の母国語を話す百四人のトレーナーに面接し、記録をとった。

マコーネルがとりわけ興味をもったのは、犬を興奮させる、あるいは逆におとなしくさせるなど、犬の活動レベルを変えさせるときに使われる合図だった。彼女は、トレーナーたちが言語や文化のちがいに関係なく、犬の吠え声に生来そなわっている長さとくり返しの原則を、一定の形で組み合わせた合図を使っていることを発見した。短い音がくり返されると犬の活動レベルは上がるが、長く引きのばされた一回きりの音だと、犬の活動レベルは下がり、おとなしくなる。両手を打ちあわせる、手で腰を叩く、指を鳴らす、唇を鳴らす、などの言葉以外の信号は、犬を移動させ、とくにトレーナーのほうに呼び寄せる効果がある。「フェッチ・イット・アップ（とってこい）！」「ビー・クイック（早く）！」などの言葉には、短い音がいくつかふくまれている。マコーネルが分析した二千十の合図の中で、こうした短い音がくり返される合図が、犬になにかをやめさせたり、犬を静かにさせたりするときに使われている例はなかった。犬の活動を抑えたりやめさせたりするときは、長く引きのばしたひとことの合図が使われた。英語の「ダウン」「ステイ」あるいは「ウーゥ（とまれ）」などである。犬に静かに、あるいはやめなさいと伝えるときは、ふだんしゃべるときよりも母音を引きのばして発音する。羊飼いは犬への合図に笛を使う。短く鋭い音を二回鳴らすと犬は羊の群れに駆け寄り、長い音を一回だけ鳴らすと犬は立ち止まるか、その場に伏せる。犬が群れのほうに移動をはじめたら、ふたたび短く鋭い笛の音で、犬の足を速めるのだ。

　では、音の高さの原則についてはどうだろう。犬のトレーナーもそれを応用しているが、マコーネルの調査によると、かなり微妙である。犬に合図をするとき、人間はさまざまな音程（技術的には帯域幅と呼ばれる）を使っている。手を叩く音、舌を鳴らす音、キスのような音は、低音でも高音でもかなり帯域幅が広い。「ク」や「ト」などの鋭い音や、「ツ」「シュ」「チュ」などの破裂音が、言葉の一部（とくに最後）につけられると、高音効果が高まる。「テイク・イット（とってこい）」「レッツ・ゴー（さあ、いこう）」「ゴー・バック（もどって）」などの言葉には、そうした鋭い音がふくまれている。いっぽう、「ダウン（伏せて）」などの言葉は帯域幅が狭く、高音効果は低い。というわけでトレーナーは、犬を活動させるためには高い音を使い、活動を抑えたりやめさせたりするときは低い音を使う。

〈犬と意思をつうじあわせる声のだし方〉

犬はある種の音に反応するように生まれついているから、人間もその音を使って、犬と意思をつうじあわせ、犬の行動をコントロールすることができる。といっても、学習された音、たとえばおなじみの命令である「座れ」や「伏せ」の話ではない。犬の側にあらかじめ遺伝的にプログラムされている、音の読みとり方のことだ。たとえば犬のトレーナーは、犬と接するときだいじなのは、あなたがなにを言うかではなく、どのように言うかだと強調する。犬の訓練マニュアルには、ある種の命令を口にするときは「明確に、ただし脅《おど》すような声は使わずに」とか、「元気に誘うような声で」などと書かれている。私は一九七〇年ごろ、有名な犬のトレーナーでライターのバーバラ・ウッドハウスに訓練のしかたを学んだ。そのころ彼女は六十代で、仕事に油がのっていた。レッスンのあいだに、彼女は私を脇に呼んで、とくに「来い！」の号令のとき、声のだし方を変えたほうがいいと言った。声の調子に少しでも威圧的なものがまじると、犬がこちらにきたくなくなるというのだ。そして彼女は言った。「ここへ犬を連れてくる飼い主の中には、犬への話しかけ方を知らないことがいちばんの問題、と思われる人もいます。そういうお客さんには、まず私と一緒にボイス・トレーニングをしてもらいます。犬はぬきで、私が合格点をだすまで」

あなたがバーバラ・ウッドハウスのボイス・トレーニングを受けたとしたら、彼女はふつうの言葉の抑揚を使って、手本をしめすだろう。犬をこちらにこさせるためには、「来い（カム）」という言葉を、二音節の言葉のように発音を変えて、最後にアクセントをつけて使う。犬を散歩のために立ち上がらせるときには、わざと「ウォーキー」という言葉を使い、二音節目にもアクセントをつける。「待て」や「伏せ」を命令するときは、低くて長く引きのばされた〝おじいさんのような声〟を使う。彼女は犬になにかをさせたいときは、犬の名前をあいだに入れると効果があるが、犬をその場にじっとさせておきたいときは、名前を入れないほうがいいと言う。たしかに、犬の名前をあいだに入れると、いくつか短い音がくわわる効果があり（たとえば「ラッシー、来い」など）、名前を入れなければ、音を長く引きのばした音の合図が可能になる（たとえば、「まーてー」など）。

9　犬こそ早期教育がだいじ——幼児期の学習

信じられないかもしれないが、犬の行動を探る大きな鍵が、雁《がん》や鴨《かも》の研究にある。だが、その話に入る前に、はっきりさせておかねばならないことがある。犬の行動の中には遺伝子に組み込まれたものも多いが、重要な行動の多くが超遺伝子《エピジェネティック》、つまり〝遺伝子を超えたもの〟に左右されている。子犬期の体験や環境が、成犬になってからの行動に大きな影響をあたえるのだ。ある行動にたいする報奨や罰も、その影響の一つだ。また、学習の方法が人間の世界にはない特殊な形をとることもある。そしてさらに、学習とは呼べないが、実際に犬の脳を形づくるうえで影響をあたえる経験もある。

生まれる前の脳に影響をあたえる要素

成長後の体重が三十キロになる犬の、生後一日目の脳は十立方センチほど、大人の中指の第一関節までくらいの大きさだ。この脳は、まだまだ成長が必要だ。生後八週目になると、脳の大きさは約六倍の六十立方センチ近くになる。さらに八週間たつと八十立方センチになり、九か月から一年のあいだにほぼ完全に育ち、百立方センチほどの大きさにたっする。つまり、生後一日目の子犬の脳は、成犬の十分の一しかないのだ！

生まれたての子犬の脳は、小さいだけでなく、構造も未完成だ。ニューロン同士をつなぐ繊維が脂肪質の白い鞘《さや》（ミエリンと呼ばれる）を発達させていないので、ゼリー状に見える。この鞘は脳の各部位のあいだの連絡を速め、神経細胞同士を絶縁して、メッセージがとなりの細胞の活動にさまたげられないようにする。

だが犬の脳は、母親の子宮からでてくる以前から、すでに環境の影響を受ける。研究によると、妊娠中の母犬がストレスを感じていると、子供はかなり臆病な犬に成長する。母犬が妊娠後半の三分の一の時期にストレスを感じると、子犬は学習能力が減少したり、極端な行動や大げさな行動をしめしたり、感情的にカッとしやすくなったりする。それは母犬の体内に、ストレス関連ホルモン（コルチコステロイド）が分泌された結果だと思われる。

もう一つ、生まれる前の子犬の脳に影響をあたえるのが、子宮の中に一緒にいたきょうだいたちの存在だ。調査によると、子宮の中に雄の胎児が多い場合は、男性ホルモン（アンドロゲン）が胚液《はいえき》に漏れだして、すべての胎児に影響をあたえる。ほとんどが雄ばかりの中で生まれた雌の子犬は、行動が雄に近くなり、胎内で兄弟のホルモンが彼女の脳の形成や機能に影響をあたえたことが推測できる。

犬も〝刷り込み〟されるのか

だが、子犬が子宮の外にでたあとは、経験が脳の成長に大きな変化をもたらす。それは、雁や鴨をふくむほかの動物たちもおなじだ。一九三五年に、オーストリアの行動生物学者コンラート・ローレンツは生まれて間もない雁の雛が、親鳥のあとをつけまわすのを観察した。だがふしぎなことに、雛が人間の手で孵化《ふか》され、まわりにおとなの雁がいない場合、雛は世話をしてくれる人間のあとをつけまわした。しかも、成長後もその雁は人間にたいして雁同士のようにふるまった。なんと雄の雁は人間に求愛のダンスまで踊ってみせ、雌の雁がいても無視したのだ。ローレンツはこの現象を〝刷り込み《インプリンティング》〟と呼び、一瞬のうちに起きる学習形態だと指摘した。基本となるのは、動物の感覚を最初に刺激した動く物体（ふつうは親）で、その経験は生涯にわたって動物の行動に影響をあたえる。ローレンツは、刷り込み現象でユニークな点は、それが自分の種の特徴を学びとる過程にも影響をあたえることだと考えた。彼の実験例で言うと、刷り込み現象が、雁の頭に、ほかの雁仲間とはどんなものかを決定づけたのだ。この幼いときの体験によって、動物は社会行動の多くを、自分の頭に刷り込まれた種のメンバーに向かっておこなうようになる。

ローレンツの重要な観察の一つは、動物がもっとも刷り込みをしやすい、〝臨界期〟と呼ばれる時期があるということだった。臨界期がいつであるかは、種によって異なる。

たとえば、マガモの場合は生後十四時間ごろが、もっとも刷り込み反応をしやすい。そのときにべつのマガモに出会うと、わずか十分で雛の頭に刷り込まれる。だが、そのとき鶏の雛、青い風船、あるいはローレンツ博士のような人間に出会うと、マガモの雛はそれらを自分の同類だと思い込む。「自分はあれと同類だ、あれを好きになってもいい、あれと交尾してもいい」と考えるわけだ。そして動物の多くは、刷り込まれた種以外のものとは、社会的きずなを結ぼうとしなくなる。

臨界期のもう一つの重要な特徴は、時期がかぎられていることだ。マガモの場合臨界期は生後二日までで終わる。それをすぎると刷り込みはほぼ不可能になる。この時期に同種のものと出会わなかった動物は、自分の種を適切に認識できず、ほかのマガモとうまく接触したり交尾したりできなくなる。

臨界期について研究をおこなった、ローレンツその他の行動生物学者や心理学者は、行動によって臨界期が異なることを発見した。たとえば、歌鳥は刷り込みに似た方法で歌を学ぶ。生後二、三日以降一年以内にある歌を聞いて育つと、実際に自分が歌いはじめるのはずっとあとだとしても、その歌が刷り込まれる。たとえば、ズグロヒタキとおなじ部屋に一週間入れられた生後十二日のナイチンゲールは、翌年の春鳴きはじめたとき、ズグロヒタキの声で鳴く。

生後間もないかぎられた時期に起きて、生涯の行動を決定づける刷り込み現象は、雁、鴨、羊、牛など〝早熟な〟動物に共通している。子供がかなり成長した状態で生まれ、生後数時間以内に群れのあいだを動きまわれる動物である。こうした動物には早くから種の識別力が求められる。新生児が群れをはずれて外敵に捕まらないよう、自分と同種の仲間に寄り添う必要があるからだ。〝晩成〟の動物、すなわち未熟な状態で生まれ、しばらく親からの世話を必要とする動物（犬や人間）は、このような早くからの学習は必要とされない。生まれたての子犬は視力も聴力も不完全で、二、三週間は満足に歩くことさえできない。

一九五〇年代に、メイン州にある犬専門のバーハーバー研究所の所長をしていたJ・ポール・スコットは、臨界期の考え方を犬にあてはめた。彼は臨界期を、少しの経験がのちの行動に大きな影響をあたえる、特別な時期と定義した。この時期の〝重要度〟は、べつの年齢でおなじ効果をえるのに必要な努力量との差で判断できる。たとえば、生後三週ごろには少しだけ経験すればかんたんに身につく行動が、あとになるとどんなに経験しても身につかない場合、ローレンツの言う臨界期と同様にみなしてもいいと考えたのだ。そして、決定的な時期をすぎたあとでも、ねばり強く時間をかけて学習すれば、なんとかおなじ行動を身につけられる場合。その時期はきわめて重要だが、ある程度の柔軟性があるため〝臨界期〟とは呼ばず、〝敏感期〟と命名されている。敏感期は、行動によって時期も異なる。バーハーバー研究所は、子犬の成長にいくつか重要な敏感期があることを発見した。

ないが、その他の感覚組織は働いている。味や匂いはわかり、さわるもの、動くもの、圧力、温度変化、痛みには敏感である。実際に、匂いが子犬に最初の刷り込み体験をあたえるようだ。

新生児期（誕生日から生後十二日まで）

最初の敏感期は、生後二週間以内である。生まれたての子犬は目も耳もまだ働いてい

すでに述べたとおり、生まれた直後の子犬を、母親がなめてきれいにする。そのやさしい舌ざわりが、子犬に刺激をあたえて排泄をうながす。そして同時に、母犬の唾液が子犬に最初の外界のメッセージをあたえる。「忘れないで、わたしがお母さんよ。これがわたしの唾液の匂いよ」と伝えるのだ。この匂いを学ぶことは、子犬の生存にとってきわめて重要だ。雁や鴨の子供が最初に目にした動くもののあとを追うように、子犬は母親の唾液の匂いのあとを追う。授乳期の母犬は自分の乳首をよくなめる。子犬にわかるように、匂いづけをしているのだ。母犬の乳首を石鹼水などで洗うと、子犬は乳首を見つけられなくなる。子犬に人工の乳首を吸わせようとしてもうまくいかないのは、そのためだ。匂いの刺激が欠けているのだ。だが、その乳首に母犬の唾液をぬりつけると、子犬はよろこんでしゃぶり、中身を吸いはじめる。

最初の一週間ほどは、子犬は外界の刺激にうながされて行動することが多い。やわらかで温かいもの（母親ときょうだい）に寄りかかっていさえすれば、何時間でも静かに

寝ている。子犬は排泄するときだけでなく、食べるときも刺激を必要とする。生まれたての子犬は母親に刺激を受けたときだけ、乳を吸おうとする。

この時期の子犬の脳はまだきわめて未熟で、脳の指令にもとづいて眠ったり目を覚ましたりしない。だが、脳に学習能力はあり、この時期の体験がのちのちまで知能に影響を残す。

生まれて間もない時期の子犬の行動の多くは、保護をうながすように設定されている。子犬は母親から少し離れた床の上に置かれると、ゆっくり這いまわりはじめ、左右に首を振り、母親の唾液の匂いと、〝温度〟を感じる鼻を使って、母親を見つけようとする。動きながら、保護をうながすクンクン、キュンキュンという悲しげな鼻声をだし、母親の注意を引く。

このような、見るからに未熟で無力な小さい生き物を目にすると、私たちはとっさにすべてのストレスや障害をとりのぞいてやろうとする。だが、それこそまさに避けるべきことなのだ。研究によると、軽いストレス――人にさわられる、なでられる、温度が変わるなど――は、この時期の子犬の成長に大いに役立つ。**この敏感期のあいだに人にさわられるなど、軽いストレスをあたえられた子犬は、自信があって、物おじしない、問題解決能力の高い犬に育つ**。そして探究心があり、予期せぬできごとや、大きな音や明るい光などにもあまり怯えない犬になる。手でふれる時間は長くなくていい。最初の三週間のあいだは、一日に三分ほどで十分効果がある。この効果はかなり信頼できるため、この時期の子犬にこうした刺激をかならずあたえているブリーダー（米国陸軍獣医部隊もふくむ）もあり、報告によると情緒の安定度、ストレスへの抵抗力、学習能力が、大幅に向上するという。

〈**新生児期の子犬の扱い方**〉

この新生児期に子犬を（犬の飼育法にかんする一部の本にあるように）仲間から離してひとりにしたり、母犬があたえる刺激だけにまかせたりせずに、人間が手でふれることは非常にいい結果をもたらす。具体的には――

・子犬を一頭ずつ両手にのせ、頭が高くなるようにして十秒ほどおく。
・つぎに子犬の頭が低くなるようにしてまた十秒おく。そしてさらに頭を高くして十秒、低くして十秒をくり返す。
・つぎに氷のかけらを十秒ほど握って手を冷たくする。その手のひらを子犬の腹の下にすべり込ませる。子犬は少しびくっとするだろうが、あなたの手はすぐに体温とおなじ温度にもどるので、わずかなあいだ、軽いストレスをあたえるにすぎない。子犬をなにか冷たいものの上に毎日数秒置いても、おなじ効果がえられる。
・つぎに子犬を仰向けにして、一分ほどやさしく腹、頭、耳を指でさすってやる。最後に綿棒を使い、足の肉球をそっと広げて、指のあいだをくすぐる。

・この一連のハンドリングを最大三分から五分のあいだに終える。ただし、それより長くなっても、子犬に害があるわけではない。

新生児期のこのかんたんなハンドリングは、心理的にも効果があると同時に、肉体面の発達にも効果がある。手でさわられ、軽い刺激をあたえられた子犬は、脳の成熟や、運動の協調性も早まることが多い。

移行期（生後十三日から二十日）

名称がしめすとおり、この時期は**急速な推移と変化の時期**である。子犬は動くことも食べることも前より活発になり、まわりからたくさんの情報をえるようになる。新生児期に見られた頼りない行動パターンが、もっと年上の子犬や成犬の特徴に近づく。新生児期の子犬は人の手で授乳するのがむずかしく、気がなさそうに哺乳瓶を吸うだけだ。だが、生後二週目ぐらいで、飲ませてもらうことに抵抗がなくなる。よろこんで哺乳瓶の乳を飲み、皿の離乳食やミルクもなめる。食べ方は上手ではなく、顔じゅうに食べ物をはねとばし、むせてしまうことも多い。だが、生後三週目にもなると、子犬は立った状態で皿からかなり上手に飲んだり食べたりできるようになる。そしてこの時期に子犬は腹で這うのをやめ、あぶなっかしい足どりで立ち上がり、歩きはじめる。

もっとも重要なのは、それまで眠っていた子犬の感覚が完全に働きだすことだ。移行期に入る生後十三日ごろに、子犬の目が開く。目が機能していることは、明るい光を浴びると顔をしかめるのでわかる。光を感じて、反応しているのだ。だが、目がものの形や距離をつねに正確に捉えられるようになるまでには、もう少し時間がかかる。移行期が終わる生後二十日ごろには、耳の導管が開く。耳が機能している証拠に、金属の鍋を金属のスプーンで叩いた音など、大きな音に反応するようになる。また、子犬の脳波を調べてみると、睡眠、歩行、興奮などで、前より明確なパターンがしめされ、脳が活動しはじめているのがわかる。

そしてこの時期に、子犬は最初の社会的反応をしめす。遊びの喧嘩をしはじめ、尾を振りながら、吠えたりうなったりする。社会的な意識も芽生え、きょうだいはただのやわらかな湯たんぽから、だいじな仲間に変わる。群れから離されて、知らない場所に連れていかれると、食べ物や寝床が用意されていても、いやがってクンクン啼く。

〈移行期の子犬の扱い方〉

移行期は二つの敏感期にはさまれた短い時期だ。子犬を〝スーパードッグ〟に育てたければ、新生児期とおなじハンドリングを、人間の声による刺激をたくさんあたえながらおこなうといい。

・子犬を両手にのせてなでるときに話しかけてやると、人間の声になじむ。

・ラジオやテレビの音を聞かせるのも、子犬の安定した成長に役立つ。
・この時期のあいだに、子犬に新しい刺激もあたえてやりたい。玩具その他の、動かしたり調べたりできるものを巣の近くにおいてやる。
・子犬をいつもとはべつの部屋に連れていく。床の感触や照明が異なりいつもとちがうものが見られる場所だ。

こうした刺激は子犬の情緒を安定させ、問題解決能力をのばす。子犬に自分のペースで探検旅行をさせ、さまざまな匂いを嗅がせてやろう。

社会化期（生後四週から十二週）

移行期のあとの、およそ九週間にわたる社会化の時期は、おそらく**子犬の一生に最大の影響をあたえる期間**だろう。重要度は臨界期にも匹敵し、この時期に起きたこと――あるいは起きなかったこと――が、犬の行動を生涯にわたって形づくる。この時期の体験がもとでネガティブな行動が身につくと、矯正するのは非常にむずかしく、不可能に近い。

社会化とは、個体が自分のいる社会について学びとることだ。個体は自分が〝社会〟から期待されていることを学び、その社会のよきメンバーとなるための規則や行動のしかたを学ぶ。狼の子供は、狼として狼の社会でどう行動すべきかを学ぶだけでいい。だが犬は、家畜化されて人間とともに生きているので、社会化の内容はもっと複雑になる。

犬は犬社会で犬としてどう行動すべきかを、ほかの犬と接して学ぶ必要があると同時に、人間と接して、人間社会の中でどう行動すべきかを学ぶ必要もある。そのあいだでバランスをとるのは、むずかしい。犬は、犬同士の性的欲求や、犬仲間から拒否されないための行動を変えることなく、人間を受け入れ、人間に反応しなければならないのだ。

犬は実際に、さまざまな異種と仲間同士になれる。たとえば私は、テリアの雑種の、フラッシュという子犬について、写真入りのeメールをもらったことがある。フラッシュは生後四週目ごろに拾われ、フィラデルフィアのある家庭で育てられた。まだとても幼かったので、飼い主は彼がさびしがらないように、子育て中の猫のミルドレッドのそばに置いた。フラッシュは子猫たちと大きさが似ており、ミルドレッドは彼をまるで実の子同然に受け入れた。彼女は子猫にするように、フラッシュの体を舌でなめてきれいにした。生後十六週目になったころのフラッシュの行動は、犬より猫に近かった。好きな遊び道具は、キューキュー音のするネズミの玩具や、中に鈴が入ったボールなど、猫の玩具だった。彼は猫の行動パターンも習得した。猫のきょうだいと一緒に遊ぶとき、猫特有の忍び寄って飛びかかる動作をしたのだ。驚くべきは、彼が前足をなめてその手で顔や耳を洗うという、典型的な猫の習慣まで学びとったことだ。どちらか一方を選ぶことになったら、彼は子犬より猫と一緒にいるほうを選んだだろう。フラッシュの例は珍しいものではない。実験ではウサギ、ラット、猫、猿と仲間になった子犬もいる。

子犬が生後四週から十二週までの社会化期のあいだに、ほかの犬と適切な接触をもつことは、きわめて重要だ。それを実証するために、バーハーバー研究所のJ・ポール・スコットは、いささか極端ながら科学的には役に立つ実験をおこなった。実験では生後三週の子犬をきょうだいから引き離し、ほかの犬といっさい接触させないようにしたのだ。そして人間との接触も最小限にとどめた。食べ物と水はきちんとあたえながらも、世話係に子犬と遊んだり子犬に話しかけたりすることを禁じた。子犬は生後三週以降、生後十六週まで、ほかの犬とまったくふれあわず、人間とも最低限の接触しかもてなかった。そして生後十六週になったところで、子犬はもう一度きょうだいのもとにもどされた。だが子犬は彼らをきょうだいとしても、自分と同種の動物としても認識しなかった。**だいじな社会化期にほかの犬からも人間からも完全に切り離されたことが、子犬の性格を極端にゆがめ、どちらの社会にも適応できなくなった**のだ。このあわれな子犬は、いかなる生き物にたいしても社会的に順応できる年齢を越えてしまっていた。一度パターンが脳に組み込まれると、もとにもどせるチャンスは二度とない。この犬は一生にわたって、社会面でも生殖面でも、同種を避けるようになるだろう。

社会化に別種の存在を取り込める犬の能力は、私たちが犬に求めるいくつかの機能にとって欠かせないものだ。牧羊犬は、社会化の重要性をしめす好例だ。牧羊犬には二つのタイプがあり、どちらもおなじ環境的刺激、つまり羊に反応することが求められる。片方はコリーのような、羊の群れをまとめる犬で、もう片方はマレンマ、グレート・ピレニーズ、クーバースなど羊の番をする犬だ。かつて行動科学者は、牧羊犬の群れを集める行動も、遺伝的に組み込まれたものだと考えていた。だが、そうではないことが、ハンプシャー大学の生物学教授レイモンド・コピンガーによって実証された。

牧羊犬は、代々その能力の優秀さで知られてきた犬種でも、実際には仕事がこなせないことが多い。群れから逃げ出したり、逆に羊を攻撃していやがらせをしたりするのだ。優秀な牧羊犬とだめな牧羊犬のちがいは、遺伝子にではなく、子犬のときの育ち方と社会化の度合いに関係があるようだ。

牧羊犬を生みだすために昔からとられてきたのは、将来その番をすることになる羊と一緒に育てる方法である。子犬は生後四、五週から十六週くらいまで、羊と一緒に暮らす。羊飼いから食べ物をもらうとき以外、社会的にふれあう相手はおもに羊たちだ。群れとともに成長し、その後も一生群れとともに生活するのだ。狼やコヨーテなど外敵が群れに接近すると、犬は向かっていく。仲間である羊の群れを守ろうとするためか、ただ見知らぬ動物がきたのでようすを見るためかは、わからない。どちらにしても、こっそり獲物に近づこうとする外敵の試みは中断される。敵は群れの番をする犬を攻撃的に威嚇するかもしれない（その場合犬は、おなじ種類の動物にふたたび遭遇したとき、即座に外敵と判断して猛々《たけだけ》しく反応するようになるだろう）。あるいは急いで逃げ出す可能性もある。いずれにしても群れは守られ、家畜の被害がふせげる。

これについて、犬は羊と一緒に育ち、羊にたいして社会化をおこなって自分を羊だと思い、仲間を守ろうとするのだという説もある。だが、そうではなさそうだ。群れを守る犬は、自分を犬だとわかっている。社会的に羊とふれあってはいるが、犬が羊にたいしてとる行動は、羊とはまったくちがう犬の行動だ。たとえば、羊は犬やほかの羊を脅すとき足を踏み鳴らす。犬が羊を脅すときは牙をむき、うなり声をあげる。うなり声は仲間にたいする犬のコミュニケーション手段だ。犬は狩りをするとき獲物にたいしてうなったりしない。獲物を警戒させ、取り逃がしかねないからだ。牧羊犬が羊にうなり声をあげるのは、犬が羊と社会的関係を作りあげた証拠だ。それは、あなたが自分の犬にたいして人間の言葉で話しかけ、人間を相手にするような動作で意思を伝えようとするのと似ている。もちろん、あなたは自分を犬だと考えているわけではない。自分と犬のあいだに社会的なきずながあり、意思がつうじると思うからこそ、話しかけるのだ。

牧羊犬は、三つの種と社会化をおこなう。一般的には、生後十六週までに、羊だけでなく、自分のきょうだい、何頭かの成犬（母親や牧羊犬として働くほかの犬）、そしてもちろん人間の羊飼いと一緒にすごす。つまり犬は、犬、羊、人間と社会的にふれあい、仲間として受け入れるのだ。ただし、生後三週から十二週という重要な時期におこなわれないと、社会化は成功しない。

人間とのふれあいが決定的に重要な時期

犬の社会化に決定的に重要な時期があることを科学的に実証したのは、バーハーバー研究所による〝野生犬の実験〟だった。子犬を広い大きな場所で母犬やきょうだいと一緒に、ただし人間との接触を制限して育てたのだ。どの子犬も人間とのふれあいは、一週間にかぎられた。その一週間のあいだに、子犬は毎日研究室で人間に手でさわられ、声をかけられ、しばらく一緒に遊んだ。人間とふれあう一週間がどの時期に設けられたかは、生後二週目、三週目、五週目、七週目、九週目と、子犬によってちがっていた。生後十四週目で、はじめて人間と接触したグループもあった。

はじめての人間との接触が生後二、三週目だった子犬は、黙ってそばにいる人間にわずかな興味をしめしただけだが、五週目と七週目の子犬は人間との接触をよろこんだ。九週目になると、人間にたいする興味はふたたび減少した。見知らぬ人間にたいする恐怖の徴候も出はじめた。

子犬と人間との接触時期とその影響にかんするこの実験で、もっとも重要だったのは、生後十四週目で子犬にリードをつけたときだった。実験ではリードをつけた子犬に、研究所の建物の中を歩かせ、階段（子犬にとっては、いちばん怖い場所）を上がらせた。はじめてリードをつけられたとき、警戒し不安になる子犬は多い。それは一つには知らない場所に連れていかれるためと、動きが制約されるためだ。リードをつけられても人のそばをうまく歩ける子犬は、人間の近くにいると気分が落ちつき、安心できるのだ。この〝お行儀のよさ〟は、子犬が人間をリーダーとみなして社会的な関係を結び、人間にしたがうことを受け入れている証拠だ。人間との社会的関係を受け入れない子犬は、したがおうとせず、吠えたり、逆らおうとしたりする。とくに戸口を通りぬけるときや、広い戸外にでたときに、抵抗が激しくなる。こうした子犬はリードをいやがり、リードを目一杯引っ張って、人間からできるだけ遠ざかろうとし、束縛に抵抗してクンクン、キャンキャンと啼いたり、遠吠えをしたり、うなったりする。

生後五週から九週のあいだに人間と接触する機会があった子犬は、リードをつけてもほとんど問題がなかった。少しなだめてやるだけで、かなりうれしそうに人間にしたがい、たとえ抵抗したり吠えたりしても、すぐにおとなしくなった。重要な社会化期の前、つまり生後二、三週目に人間と一週間接触した子犬は、リードをつけるとかなり抵抗したが、最悪なのは生後十四週目まで人間とふれあわなかった子犬だった。人間にたいする社会化が早すぎたり遅すぎたりした子犬は、恐怖や不安をしめす度合いも非常に高くなる。怯えたようにクンクン、キャンキャンと啼き、リード・テストが終わってほうびをあたえようとしても、不安のあまり食べようとしないことが多い。その後の研究では、**人間にたいする社会化は、生後三週目のはじめから十二週目の終わりまでの期間内でしか、十分な効果を発揮しない**という結果がでている。

社会化期のあいだに、人間とまったくふれあわなかった場合はどうなるだろう。バーハーバーの研究者は、生後十四週まで人間と接触しなかった犬を引き取ってペットとして飼い、人間と社会化させようとした。連れ帰った子犬はひどく怯えていた。そこで研究者は、野生動物を飼い馴らすときの方法を応用してみた。まず逃げられないように子犬を檻《おり》に入れた。つぎに食べ物を手にのせて犬に食べさせた。そうやって子犬は、ひと口食べるごとに人間とふれあった。やがて犬は落ちつくようになり、人間が近くにきてもいやがらなくなった。だが、懸命に世話をし、やさしく扱い、社会的接触をふんだんにあたえても、この犬はあまり人になじまなかった。生涯気むずかしく、臆病で、知らない人を怖がった。そして、ふれあう相手として人間と犬のどちらか一方を選ぶときは、かならず犬を選んだ。

犬が必要とする接触の量は、けっして多くない。生後四週から十二週の期間中、週にわずか二十分人間と接するだけで、適切な社会化ができるという報告もある。この時期に体験する社会的な接触は決定的に重要であり、密度の高い活発なふれあいが最良の結果をもたらす。接触の機会を週に何日かに広げることもだいじだ。**人間とすごす時間が増えると、子犬は人間との関係に自信をもち、知らない人を怖がらなくなる。**そして同時に、将来自分の家族となり、守り手となる人間とのきずなが強いものになる。

きょうだいとのコミュニケーションが社会勉強の第一歩

社会化には、犬が自分の社会のルールを学ぶこともふくまれる。犬はほかのメンバーが発する信号を理解し、自分のほうからも適切な信号で答える必要がある。その法則の一部はおとなの犬との接触をつうじて学びとるが、社会にかんする学習でそれ以上にだいじなのが、おなじときに生まれたきょうだいとの接触だ。きょうだいは小さな群れのようなもので、子犬はおたがいに遊びや攻撃や、性的な行動で反応しあう。相手をにらむ、相手の背中に足をのせる、マウンティング行為をするなど、遺伝的に組み込まれた行動できょうだいにたいして自分の優位性をしめそうとする。彼らは自分の行動が相手からどんな反応を引き出したかを学ぶことによって、社会的行動パターンを理解する。マウンティングはその重要な例だ。子犬はこんな幼い時期から〝嚙むときの禁止事項〟――相手を傷つけるほどきつく嚙んではいけないこと――を学ぶ。それを最初に教えるのは母犬で、乳を飲むときに乳首をきつく嚙んだ子犬は罰を受ける。そしてきょうだいをきつく嚙んだときに、マイナス反応を受けることがつぎのレッスンになる。その証拠に、乳離れが早すぎたり、**幼すぎる時期にきょうだいから引き離された子犬は**、生まれてから八週間ぐらいきょうだいと一緒だった子犬にくらべ、**ささいなことですぐに相手を強く嚙む傾向が強い**。

子犬はこの時期に基本的なコミュニケーションの方法も学ぶ。たとえば、ごく幼い子犬は尾を振らない。尾を振りはじめるのは、たいてい生後三週に入ってからだ。生後四週をすぎても、社会的信号として尾を振る子犬はおよそ半数しかいない。尾を振るコミュニケーション方法が完全に身につくまでには、生まれてから七週間くらいかかる。

なぜ尾を振りはじめるのに、それほど時間がかかるのだろう。答えは、子犬が社会的コミュニケーションのために、いつそれが必要になるかということにある。生後三週くらいまで、子犬はたいてい食べて寝るだけだ。きょうだいとの意味のあるふれあいは、体を温めあって眠るときか、一緒に乳房に群がるときにかぎられている。肉体的にはすでに尾を振る能力はあるのだが、振ろうとしない。だがやがて**子犬はおもに遊びをとおしてたがいにふれあう**ようになり、コミュニケーションが必要になってくる。嚙むときの禁止事項をまだ完全に学びとっていない子犬は、ときおりきつく嚙みすぎてしまう。そんなとき子犬は、自分が相手から嚙み返され、腹を立てたきょうだいによって遊びが中止されることを知る。そこで新たに覚えたコミュニケーション方法が役に立ってくれる。いったんきつく嚙んでしまったら、もうとり返しはつかない。そこで尾を振って姿勢を低くし、威嚇ではなく服従をしめせば、相手も気持ちを鎮めてくれるだろう。

食事の時間も衝突が起こりやすいため、社会学習の場になる。母親の乳を吸おうとする子犬は、乳首を求めて群がるきょうだいたちと、体をこすりあわせることになる。さきほどまでたがいに嚙みついたり、体をぶつけたり、追いかけたりしていた相手だ。そこでここは平和な場であることをしめして、母親の乳首を探すほかの子犬の攻撃的反応を鎮めるために、子犬は尾を振りはじめる。尾を振る行為が、きょうだいにたいする休戦の旗印になるのだ。やがて子犬は、おとなたちから食べ物をもらいたいときも尾を振るようになる。食べ物をせがむとき、子犬は成犬の顔をなめようとして顔を近づけ、尾を振って悪意がないことを伝える。というわけで、ごく幼い子犬が尾を振らないのは、ほかの犬の気持ちを鎮める必要がまだないためだ。だが、ほかの犬とのコミュニケーションが必要な段階になると、尻尾による信号を急速に学びとる。

生まれたときから人間の手で育てられ、ほかの犬との接触がなかった犬は、尾を振ることが少ない。しかもほかの犬の微妙な尾の振り方を、見誤ることが多い。尾を高く上げてこまかく震わせるように振る威嚇の合図と、尾を低くして大きく振るおだやかな気分の合図とを、区別できないのだ。尾で支配や威嚇をあらわし、近づくなと合図している犬に駆け寄ってしまったりする。そうかと思うと、尾を大きく振って親しみをこめた挨拶を送っている犬に、牙をむいたりうなったりする。このたぐいのコミュニケーション方法は、臨界期に学習する必要があり、その時期を逃がすと、犬はほかの犬が発する尾の信号を正しく読みとれなくなる。一生のあいだ信号を読みちがえ、ふだんは敵意を見せない犬たちとたえず小競《こぜ》り合《あ》いをくり返す。

乳離れの時期の体験が性格に影響する

子犬の社会的、性格的成長に大きな影響をおよぼすのが、生後四、五週目くらいに、母犬が乳を求める子犬たちから離れはじめるときだ。これは親に頼る時期が終わり、いよいよ自立して支配と服従の問題に立ち向かう、社会的生活がはじまるという合図だ。乳を吸わせまいとする母親の行動は、乳離れという直接的効果をもつと同時に、子犬の社会性や情緒にも長期的な影響をあたえる。

ストックホルム大学動物学部のエリック・ウィルソンは、六百頭のジャーマン・シェパードの子犬を対象に、乳離れの時期の母犬との関係について調査した。授乳期の長さ、母親が乳を吸わせまいとして子犬を本気で嚙んだり、うなったり、牙をむいたりして脅した回数、母犬が子犬をそっと噛んだり、なめたりした回数を調べたのだ。母犬の中には、威嚇《いかく》的にきびしく子犬を叱る犬もいた。叱られた子犬はなめられようとして仰向けになり、受け身の服従行動をとるが、母犬が威嚇的だった子犬のほうが、幼いころからこの服従行動をとるようになった。なかには非常に攻撃的で、子犬があとずさりしても、なお罰したり脅したりしつづける母犬もいた。いっぽう攻撃的な威嚇はせず、前足で子犬をつついてしたがわせる、やさしい母犬もいた。そうした母犬は子犬がやがて服従の合図を送ると、子犬をなめまわしてきれいにしてやることが多かった。

乳離れの時期に母親からきびしくされたかやさしくされたかは、その後子犬が人間にたいしてとる行動に大きな影響を残す。きびしく罰せられたり脅されたりした子犬は、人間と社会的なきずなを作りにくく、知らない相手に近づきたがらない。**やさしい母犬に育てられた子犬は、友好的で、臆病ではない**ことが多い。そうした子犬は、「物をとってくる」テストのときに、投げられたテニスボールをとってくる率が高い。これは成犬になったときの訓練の可能性を知る、大きな手がかりになる。ボールをとってこなかったり、少なくともボールに駆け寄る、くわえる、くわえて何歩か歩く、というそぶりを見せない犬は、おとなになったときに訓練がしにくい。実際に、盲導犬への適性テストを開発したクラレンス・ファッフェンバルガーは、子犬の〝物をとってくる〟能力が、成長後盲導犬訓練に成功するかどうかの、最良の目安になると指摘している。

子犬が母親に依存した生き方を抜け出して、支配と服従を学ぶことは、その後の社会生活に必要不可欠である。子犬が乳を吸おうとしたときに母犬から軽く噛まれたり、うなられたりしながら学ぶことの本質は、自分より大きくて強い個体にたいする恐怖ではなく、妥協なのだ。子犬は社会における自分の立場を学び、自分の能力と順位にふさわしい役割をはたすことを学ぶ。研究によると、子犬が**生後十週目までまったく罰を受けずに育った場合は、ほとんど訓練不可能な犬になる**という。バランスがかんじんなのだ。子犬は権威あるものをうやまうことを教わり、威嚇の意味を理解する必要がある。ただし虐待に近い罰し方をされると、感情的な反応が子犬の行動を萎縮《いしゅく》させ、その後人間やほかの犬ときずなを結べなくなる。

体験を広げる社会化後期

以前の調査では、社会化期はだいたい生後十二週で終わり、つづく生後六か月までが少年期とみなされた。子犬の社会的行動がおとなとおなじ形をとりはじめる時期だ。だが実際のところ、社会化期の終わりは、以前考えられていたほど明確に定義できない。期間は犬種によっても異なり、社会化期が長い犬種もあるのだ。幼形成熟《ネオテニー》の度合いによって、社会化のプロセスはある程度予測できる。細長い顔で立ち耳の、狼に近い外見をした犬は、社会化期の輪郭がはっきりしているが、つまった顔、大きくてまるい目、まるい頭、垂れた耳をもつ、見かけが子犬的な犬は、社会化期が長く、突然終わったりしない。そしてすべての犬種に共通して、社会化期の終焉《しゅうえん》は、知らない場所、知らない個体、知らないできごとにたいする恐怖心の高まりと結びついている。知らないものごとにたいする恐怖は、生後十二週から十四週のあいだにピークにたっする。この時期の子犬は接触を避けたがり、社会化期が終わったかのように見える。

ほかの犬や人間にたいする社会化は、生後四週から十二週でなし遂げられるが、それで完全に終わるわけではなく、修正もできる。十分社会化した子犬も、生後十二週以降人間や犬たちとの接触がとだえると、社会化の補習が受けられなくなる。そしてまるで社会化していない犬のような行動をとる。社会化のプロセスは臨界期からはじまるが、生後六か月から八か月になるまで社会的接触をたえずくり返して、はじめて確実に身につくのだ。

この〝社会化後期〟の時期に、犬は一生のあいだに出会う可能性のある、さまざまな生き物を体験するだろう。人間から見れば、子供、ひげを生やした男性、帽子をかぶった人、よれよれのレインコートを着た人、サングラスをした人、老人、杖をついた人、松葉杖の人、車椅子の人、そのすべてが人間だ。だが、犬から見れば、そのどれもがべつものだ。動き方がちがい、大きさがちがい、輪郭がちがい、表情が読みとれない場合もある。犬の目には、そのどれもが知らない生き物で、危険をはらんでいるように映り、逃げようとしたり、身を守ろうとしたりするかもしれない。犬はそのすべてが人間で、脅威ではないことを学ぶ必要がある。家畜、犬以外のペット、扇風機や芝生の散水機、自動車など動きはするが生きていないものなど、日常生活の一部になっているあらゆるものを体験する。そしていつもとはべつの社会的対応が要求される、さまざまな環境や状況に接する必要がある。たとえば、自分の家のリビングで親しい人たちにかこまれているときは、人に跳びついて挨拶してもいいが、通りを歩いているときはおなじ行動が許されない。

社会化は、いくつかの段階を経るものなのだ。第一段階は犬が自分の種の言葉で、自分は何者でどういう立場にいるか、そして自分が誰と社会的接触をもつべきかを学ぶ段階である。この第一段階は短期間で終わらないと、効果がない。第二段階は、犬が自分の属する社会について学び、社会の中でどのように行動すべきか、自分は社会からなにを期待されているかを学び、その社会のメンバーとなるためのルールや行動のしかたを身につける段階である。この第二段階は複雑で、適切な体験とともに、生涯をつうじて発達をつづけ、強められていくものだ——私たち人間の場合とおなじように。

10 聞き分けのいい犬、わるい犬――犬はどんなふうに学習するか

心理学者である私は、犬の知能について語るには、学習の問題を避けては通れないと考える。そして同時に犬のトレーナーである私は、犬がなぜ、どのように学ぶかを理解することは、訓練のテクニック以上にだいじだと実感している。

犬のしつけ方を段階的に教える、すぐれた本はたくさんある。だが、ざっと目をとおしただけでも、ラッシーに座ることを、ローヴァーに匂いのあとを追うことを教える方法が一つではないことに気づかされる。いまから五、六十年前の訓練法は、犬がまちがえたときはカラーをぐいと引き、命令どおりにしたときはほめる、というのが基本だった。その時代はすでに遠くなった。現在の訓練法は、〝合図と報奨〟〝やる気を引き出すトレーニング〟〝遊びを取り入れたトレーニング〟〝自発行動を捉えるトレーニング〟〝物理的な刺激をあたえるトレーニング〟〝ルアー・トレーニング〟〝自動トレーニング〟〝ショック・カラー・トレーニング〟などなど何種類もある。そのすべてが少なくとも

ある程度有効であり、その効果は、それが学習の基本原則をどれほどうまく取り込んでいるかでちがってくる。

犬がなぜ、どのように学ぶかを理解すれば、特定の訓練法にこだわる必要はない。目的に応じてさまざまなやり方を試し、あなたの犬と環境にもっともあった方法を選べばいいのだ。というわけで、ここでは犬の学習の基本についてご説明し、犬の学習のしかたが、これまで考えられていた以上に人間に近いことをしめすデータもご紹介しよう。

訓練しやすい犬、しにくい犬

人間がしつけようと試みるときの犬の反応を見ると、犬の学習能力は、犬種によってちがいがあることがわかる。犬の性格特性を測定したベンジャミンとリネットのハート夫妻は、九十六人の専門家（獣医師および犬の審査員）に、服従訓練をする場合、もっとも訓練しやすい犬からもっとも訓練しにくい犬まで、五十六の犬種についてランクづけをしてもらった。その結果、最高と最低のそれぞれ二十パーセントを占めた犬は、以下のとおりだった。

訓練しやすい犬：オーストラリアン・シェパード、ドーベルマン・ピンシャー、シェットランド・シープドッグ、スタンダード・プードル、ジャーマン・シェパード、ミニチュア・プードル、イングリッシュ・スプリンガー・スパニエル、ゴールデ

ン・レトリーバー、コリー、チェサピーク・ベイ・レトリーバー、ラブラドール・レトリーバー

訓練しにくい犬：ペキニーズ、ポメラニアン、パグ、チワワ、ウェスト・ハイランド・ホワイト・テリア、ビーグル、バセット・ハウンド、アフガン・ハウンド、フォックス・テリア、チャウ・チャウ

その十年ほどあとに、私は百十の犬種について大規模な調査をおこない、〝訓練のしやすさ〟とも言い換えられる、犬の作業・服従能力を調べた。私のアンケートにたいし、百九十九名の服従訓練審査員が回答を寄せてくれた。彼らが訓練のしやすい犬種としてあげた最高と最低の二十パーセントを占めたのは、つぎの表のような犬たちだった。

二つの調査の結果は重なる部分が多い。とくに後者では犬種の数が倍近く増えていることを考えると、驚くほどだ。一般的な傾向として、〝獲物をとってくる犬《レトリーバー》〟（プードルもレトリーバーである）、牧畜羊犬、使役犬がもっとも訓練しやすく、ハウンド系やテリア系は訓練しにくいようだ。

犬種べつの学習能力については、専門家によるランキング以外にはほとんどデータがない。だが、さまざまなケンネルクラブが開催する服従訓練競技会や審査会の結果からも、少しずつデータが集められる。入賞歴をもつ犬種は、専門家のランキングと一致するようだ。ただしデータを読み解くにあたっては、人気犬種のほうが犬の数が多いから、

訓練しやすい犬（上位20パーセント）	訓練しにくい犬（上位20パーセント）
1 ボーダー・コリー	1 アフガン・ハウンド
2 プードル	2 バセンジー
3 ジャーマン・シェパード	3 ブルドッグ
4 ゴールデン・レトリーバー	4 チャウ・チャウ
5 ドーベルマン・ピンシャー	5 ボルゾイ
6 シェットランド・シープドッグ	6 ブラッドハウンド
7 ラブラドール・レトリーバー	7 ペキニーズ
8 パピヨン	8 ビーグル マスティフ
9 ロットワイラー	9 バセット・ハウンド
10 オーストラリアン・キャトル・ドッグ	10 シー・ズー
11 ウェルシュ・コーギー・ペンブローク	11 ブル・マスティフ
12 ミニチュア・シュナウザー	12 ラサ・アプソ
13 イングリッシュ・スプリンガー・スパニエル	13 チワワ
14 ベルジアン・タービュレン	14 ブル・テリア
15 シッパーキー ベルジアン・シープドッグ	15 セント・バーナード スコティッシュ・テリア
16 コリー キースホンド	16 グレート・ピレニーズ
17 ジャーマン・ショートヘアード・ポインター	17 オールド・イングリッシュ・シープドッグ
18 フラットコーテッド・レトリーバー イングリッシュ・コッカー・スパニエル スタンダード・シュナウザー	18 ダンディ・ディンモント・テリア プチ・バセット・グリフォン・バンデーン チベタン・テリア 狆(ちん) レークランド・テリア

それほど人気のない犬種の犬より入賞する確率も高いという点を忘れてはならない。たんなる試みとして、私は自分の調査とハート夫妻の調査で、高い得点をとった犬種と低い得点をとった犬種の中から、アメリカン・ケンネルクラブに登録されている頭数がほぼおなじ犬を選びだした。ゴールデン・レトリーバーとビーグルが、その条件に合致した。近年の二か月を任意に選んで、この二犬種が服従訓練審査で入賞した数を調べた。くらべてみると、ゴールデン・レトリーバーは二十九頭が入賞しているのにたいし、ビーグルは三頭だった。つまりゴールデン・レトリーバーは、ビーグルより十倍近く入賞していることになる。さらに、近年、全米で最高得点を獲得した二十五頭の犬のうち、十一頭はゴールデン・レトリーバーだった。そして私が入手できた記録（十五年以上前までさかのぼったもの）によると、全米のトップ二十五位までに入ったビーグルは一頭もいなかった。

といっても私はけっしてビーグルをけなしているわけではないし、この犬種が嫌いなわけでもない。現在わが家にはすばらしい、愛すべきビーグルのダービーがいて、私はなにがあろうとも彼を手放す気はない。だが、彼を訓練するのはむずかしい。彼の問題、そしてたぶん学習能力で順位が低くなった犬たちに共通する問題は、知能より性格にあるのではなかろうか。訓練のしにくい犬の多くは気が散りやすく、ある種の行動を優先させるよう遺伝子に組み込まれているため、それが学習のさまたげになるのだ。わが家のダービーは、ビーグルとして匂いに反応し、そのあとをつけるように選択育種されてきたおかげで、地面から匂いが漂ってくると、意識がそちらにそれてトレーナーの姿や声に集中できなくなってしまう。

学習能力に犬種によって差があるのは事実だが、どんな犬でも訓練はできる。認識力や性格のせいで時間がかかる場合はあっても、努力を傾けて適切な訓練をおこなえば、たいていの犬が自分の環境に適応し、人間と犬の世界に上手に溶け込めるようになる。ただし、遺伝的なものが犬の学習能力に影響し、得意不得意の分野があることも事実だ。ビーグルの肩をもって言えば、彼らは人間のだす信号に素早く反応することは苦手でも、追跡についてはゴールデン・レトリーバーより早く学びとるだろう。犬種によって素質や能力にちがいはあっても、学習の基礎となる基本原則は、どんな犬でもおなじなのだ。

学習の二つのタイプ

ここでいう学習とは、犬が社会の中でなにかを体験した結果、その行動が大きく変化することを意味している。この変化は意図的な訓練の結果生まれる場合も、犬が社会とふれあった結果生じる場合もある。三百年以上前に、哲学者ジョン・ロックは「人間は関係性によって学ぶ」と結論した——いくつかのできごとのあいだに、私たちが頭の中で作りあげる関係性である。たとえば、あなたがチョコレートを見てその匂いを嗅いだあと、食べておいしいと感じたら、つぎにチョコレートを見て匂いを嗅いだとき、あなたはこれを食べたらおいしいだろうと思う、というようなことだ。

関係性には二つのタイプがある。一つは、二種類の刺激を結びつける関係。もう一つは、行動とその結果との関係だ。これらの関係性には、それぞれの学習方法がある。二種類の刺激を結びつける関係性を学習する例は、稲妻が光ったあとに、大きな雷鳴が聞こえるのを体験したようなときだ。何度かこれを体験すると、稲妻が光ったら、それにつづいて聞こえる音を予想するようになる。このたぐいの学習は、〝古典的条件づけ〟と呼ばれている。〝条件づけ〟というのは、平たく言えば学習のことで、〝古典的〟と形容されているのは、これがはじめて科学的に研究された学習方法だったためだ。

〝道具的《オペラント》条件づけ〟は、行動と結果の関連性を知る学習方法だ。自動販売機のボタンを押せば、チョコバーがでてくることを学ぶなどがその例だ。これがオペラント条件づけと呼ばれているのは、私たちが自分でなにかを操作したりある行為をしたときに、なにが起きるかを学びとるからだ。二つの学習方法はべつべつのものだが、一つの仕事の中に両方がからみあうことが多い。

パヴロフの実験

古典的条件づけについて、はじめて体系的な研究をおこなったのは、ロシアの生理学者イワン・パヴロフだった。彼は唾液が消化にはたす役割を研究し、その重要性を認められて一九〇四年にノーベル賞を受賞した。だが、これほど名誉ある賞を受けたにもかかわらず、彼を有名にしたのは消化腺の研究ではなく、ノーベル賞受賞から三十年後におこなった学習についての実験だった。

パヴロフが学習にかんする研究をはじめたのは、なにげない観察がきっかけだった。彼は犬の唾液分泌について調べていたとき、食べ物を前にすると犬がかならずよだれを流すのに気づいた。そしておなじ犬を観察するうちに、犬が食べ物の皿や、いつも自分に食べ物を運んでくる人間の姿、あるいはその人間の足音など、食事と結びつくものを認めると、よだれを流すことを知った。このときパヴロフは、「犬が食べ物を期待して、よだれを流しているだけだ」などと、ひとことで片づけたりしなかった。彼は犬の反応に特殊な学習形態を認め、そこにみずから制御できない反応があることを理解した。たとえば、「よだれを流してください」と誰かに言われても、そうかんたんにあなたの口からよだれはでないだろう。パヴロフはなにか特別なことが起きたのだと考えた。ふつうはある刺激（食べ物）によって誘発される無意識の反応（よだれを流す）が、べつの刺激（実験者の姿）によっても引き起こされるようになったのだ。言い換えると、実験者の姿と食べ物のあいだに関連性ができあがり、実験者の姿が、犬の行動に食べ物そのものとおなじ効果をあたえるようになったのだ。

パヴロフはかんたんな方法を使って、この反応を調べた。実験の中で彼は、中間的な刺激（犬によだれをもよおさせない刺激）である鈴の音などを聞かせたあと、すぐに犬の口に肉粉を吹きかけ、よだれを流させた。何度か「チリン—肉粉を吹きかける—よだれを流す」の連続をくり返してから、鈴の音だけを聞かせてみた。するとそれまでなんの反応もしめさなかった鈴の音を聞いて、犬がよだれを流したのだ。どんな中間的な刺激でも、結果はおなじだった。指を鳴らす、ライトで照らす、丸を描いて見せる、犬の尻にさわる、なんでもよかった。重要なのは、いまや肉粉がそこにあるかのように犬が反応し、よだれを流したことだった。犬はよだれを流したかったわけではなく、学習に積極的に参加したわけでもなかった。ただひとりでにそうなったのだ。

この古典的条件づけを、あなたも友人と実験してみることができる。友人に座ってもらい、あなたは友人に顔を近づけて、その目にフッと息を吹きかける。友人はまばたきをするはずだ。つぎにスプーンでコップを叩く。カチンという音は中間的な刺激だから、友人はまばたきをしない。つづいてあなたは、コップを叩いたあとすぐに友人の目に息を吹きかける。この「カチン—フッ—まばたき」の連続を何度かくり返す。そのあとで、相手の目に息を吹きかけずに、コップだけ叩いてみる。すると友人はカチンという音を聞いただけで、無意識にまばたきするようになっているだろう。まばたきという形で古典的条件づけがおこなわれた証拠だ。

反射行動とともに植えつけられる情動反応

ただでさえ犬のよだれに困っている人が多いのに、なぜわざわざ合図に応じてよだれを流させるよう犬を訓練する話などするのだろう。じつは、ここで問題なのはよだれやまばたきではない。だいじなのは、古典的条件づけが情動反応に結びつく点なのだ。

古典的条件づけによっていかに情動反応が植えつけられるかについて、もっとも有名な実証をおこなったのが、行動主義心理学の提唱者、ジョン・ワトソンだった。彼はジョンズ・ホプキンズ大学で、現在ならいかなる研究施設でも倫理的に容認されそうもない実験をおこなった。彼はまず生後十一か月のアルバートという名の赤ん坊を連れてきて、白いラットを見せた。アルバートはなんの恐怖心もしめさなかった。つぎにワトソンはアルバートにラットを見せながら、そのうしろで金属板を金槌で叩いて大きな音をたてた。赤ん坊はびっくりして泣きだした。「ラット—ガチャン—怯えた泣き声」が何度かくり返されたあと、赤ん坊は白いラットを見ただけで泣きだし、腹這いで逃げ出そうとした。アルバートはラットだけでなく、白いウサギ、ぬいぐるみの玩具、毛皮のコート、そしてサンタクロースのひげまで、毛のついたものをすべて怖がるようになった。ワトソンは古典的条件づけによって、アルバートの心に毛のついたものにたいする恐怖心が植えつけられたと結論した。アルバートは、もちろんこの恐怖をみずから進んで学習したわけではなかった。恐怖心は、刺激と情動反応を誘発したものとが結びついて、自動的に植えつけられたのだ。この物語に悲しい補足をつけくわえておくと、アルバートの母親はわが子が数々の恐怖心を植えつけられたのを見て激怒し、ワトソンが実験の全行程を終える前に息子を連れ去った。行程の中には学習した恐怖をとりのぞく作業もふくまれていたのだが。

古典的条件づけで学習した反射行動は、くり返し体験するほど強く根づくが、引き出された感情や受けた刺激が強烈であれば、たった一回の経験で身についてしまう。たとえば、なにも知らない犬がヤマアラシを見かけても、なんの反応もしめさない。だが、近づいた犬が、顔じゅうに針を刺されたら、悪夢のような痛みと恐怖に襲われる。ただ一度の、〝ヤマアラシ―針―痛みと恐怖〟の体験で、犬はヤマアラシを見ただけで緊張するようになり、二度と近づかなくなる。

おもしろい応用例として、古典的条件づけは羊を狼から守る方法にも使われている。殺されたばかりの羊に、吐き気と胃の痙攣《けいれん》を引き起こす化学薬品を塗って、狼がきそうな場所に置いておく。狼はその薬品まじりの肉を食べ、吐き気に襲われる。〝羊の姿、匂い、味―食べる―むかついて吐き気〟の関係性が、激しい肉体症状とともに頭に刻まれた狼は、その後は羊の姿を見、匂いを嗅いでも、食べることを考えると胃がむかつきはじめ、二度と近寄らなくなる。おなじ手法を使って、飼っている犬に家畜を襲わせないようにしている例もある。

犬に問題行動をやめさせる方法

古典的条件づけが情動に結びつくことを考えると、報奨を基本とする訓練のほうが、罰を基本とする訓練よりも犬とトレーナーとのあいだに強いきずなを築きやすいことがわかる。訓練のたびにあなたが犬にビスケットなどの報奨をあたえるようにすると、〝あなたの姿―ごちそう―楽しい気分〟の関係性ができあがる。報奨をあたえるタイミングがうまくいかなくても、あなたがすぐれたトレーナーでなくても、害はいっさいない。報奨があたえられるたびに、犬はあなたに好感をもつ。〝あなたの姿—楽しい気分〟の情動反応が植えつけられるからだ。

逆に、矯正のためにきびしい罰をくわえた場合。苦痛や不快につながるあなたの姿や手、あるいは訓練用のリードやカラーは、マイナス感情と結びつき、犬にとっては避けたいものになる。私は警護犬の訓練施設で、実際にそんな場面を目にした。トレーナーはかなりきびしくて、あまり気持ちのよくない訓練をおこなっていた。訓練の最終目標は、犬に知らない人間を信用せずに、敵意をもたせることだった。そのため犬に知らない人間との出会いで、いやな思いをくり返し味わわせた。知らない相手には攻撃的感情をもつように、古典的条件づけをおこなったのだ。私が見ていると、トレーナーが訓練用のカラーをもって犬小屋に近づいただけで犬たちは小屋の奥に引っ込み、カラーをつけられるのを拒もうとした。トレーナーも訓練そのものも、犬の中では不快感と結びついていたのだ。その光景を見て、私はわが家の犬たちを思い出さずにいられなかった。報奨（かなり多めの）で訓練されている犬たちは、私のまわりを楽しげに跳びまわり、玄関で尾を振りながら目をキラキラさせて、私が訓練用の道具が入ったバッグや、リードに手をのばすのを見守っている。わが家の犬は最高によく訓練されているわけでも、服従訓練競技会で完璧な演技ができるわけでもないが、彼らはなんでもよろこんでする。それは彼らがたくさんの報奨を受け、古典的条件づけによって、訓練と関係のあるすべてがプラスの感情と結びついているからだ。

犬に罪の意識があると考える人たちもいるが、それもまた古典的条件づけで説明がつく。こんな場面を思い浮かべてほしい。ある飼い主が帰宅したとき、犬は彼を見てどこかに隠れようとする。飼い主は犬がなにかわるいことをしたのだと考え、家の中を見てまわる。するとたしかに、犬がゴミバケツをひっくり返したらしく、キッチンの床にゴミが散らばっていた。こんな場合、たいていの人は犬をつかまえてきてその現場を見せ、罰をあたえる。〝飼い主の姿と床に散らばったゴミ—痛い罰—恐怖〟の古典的条件づけが成立する。そこで飼い主がつぎに帰宅したとき、二つの要素（飼い主の姿と床のゴミ）がそろっていた場合、犬は条件づけられた恐怖を感じる。犬をすくみあがらせるのは恐怖であり、罪の意識ではない。あなたの犬がおなじ問題をもっている場合は、反応が罪の意識ではなく恐怖であることを実験できる。あなた自身がゴミバケツをひっくり返して、犬にそれを見せるのだ。ゴミをあさって叱られたことのある犬なら、すくみあがって逃げ出そうとするだろう。犬はあなたの行動になんの罪の意識も感じないが、あなたの姿と床のゴミの状態が、強いマイナス感情を引き起こすよう条件づけられているのだ。

古典的条件づけを応用して、多くの飼い主が頭をかかえる問題、すなわちだいじなものを犬が嚙んでだめにしてしまう問題を解決することもできる。むずかしいのは、この問題行動がたいてい飼い主の留守中に起きて、誰もその場で矯正することができない点だ。時間がたってから犬を叱ってもほとんど効果はない。いけないことをしたのはずっと以前のことであり、犬が罰と自分の行動とを結びつけられないからだ。罰をあたえても、自分を罰した人間と結びつくマイナス感情を犬に植えつけるだけだ（〃トレーナー―罰―苦痛と恐怖〃の条件づけ）。だが、マイナス感情の学習を利用して、そのマイナス感情を嚙んではいけないものと結びつけられれば、問題を解決できる。

たとえばあなたの留守中、犬があなたの靴を嚙んだ場合。必要なのは、靴の外見と匂いが、犬の中でマイナス感情と結びつくようにさせることだ。ただし、あなたが家にいないときでも、それが働くような方法を見つけないといけない。ここで、情動への古典的条件づけが効果を発揮する。犬が最初に問題を起こしたときから、しつけをはじめる。犬を呼び寄せて、あなたのそばに座らせる。驚きやすい犬の場合は、リードをつけるほうがいいだろう。そして彼が嚙んだ物、あるいは嚙んでほしくない物を見せる。つぎに（妙な話に聞こえるだろうが）、犬の見ている前で、物のほうを激しく叱りとばす。靴を床に叩きつけ、「だめ！」と叫ぶなど、怒った演技をする。犬は私たちのすることを眺めるあいだに、私たちの感情的な声や動作その他の行動にも反応する。大きな音のする怒りの表現は、犬の中にマイナスな感情反応を引き起こす。だが、彼の目はあなたが叱っている物体を見ているため、その感情はあなたとではなく、あなたが犬に嚙んでほしくない物と結びつく。というわけで、〃靴―怒りの行動―恐怖〃の関係ができあがる。この作業を何日かくり返す必要があるが、やがて〃靴―怖いから避ける〃があなたの犬の頭に刻まれる。これは効き目がある。ただし、なにも知らない人がそばにいるときは、しないほうがいいだろう。あなたがなぜ、犬の見ている前で靴を叱りとばしているのか、わかってくれる人はあまりいないだろうから。

〈犬ときずなを深める方法〉

犬とのあいだに前向きな感情的きずなを築きあげたいとき、古典的条件づけはきわめて有力な手段になる。それもとくに、きずなを深めたいと思っている犬とのあいだで効果を発揮する。

そこにはきまった〝訓練法〟はない。少なくとも一日一回、犬にあなたの手で食べさせるだけでいい。ビスケットを一つずつ食べさせたとしても、一回につき五分ほどしかかからないだろう。やり方はかんたんだ。犬の皿を床から取りあげる。やさしく犬に話しかけながらビスケットを見せ、手をのばして犬の体にふれたり、カラーを軽く引いたりしたあと、ビスケットを食べさせる。犬がすでに「来い」「座れ」「伏せ」などの基本的命令を学習していたら、それらをまぜ込みながら、一回できたごとにビスケットを一つあたえる。こうして、〝あなたの声、あなたの姿、あなたの手―食べ物―うれしい〟の関係から、おたがいのあいだに感情的なきずながができあがる。ビスケット一個一個が、犬の中にプラスの感情を生む刺激になり、そのプラスの感情があなたの存在と結びつく。しばらくすると、あなたが犬にふれたり、声をかけたり、姿を見せたりするだけで、犬の中にプラスの感情がわくようになる。古典的条件づけで、犬があなたを愛するようになるとまでは言えないが、あなたといると気持ちがいいので、犬がそばにいたがるようになることはたしかだろう。

11 ごほうびと休憩室——犬に仕事を学ばせる方法

学習というと、たいていの人は技術の習得を思い浮かべるだろう。自転車に乗る方法、数学問題を解く方法、行儀作法などを学ぶことだ。こうした技術は個人の行動とその結果との関係を学ぶ学習形態で、〝オペラント条件づけ〟と呼ばれている。だが、行動や反応の多くは、私たちの知覚するものごとが引き金になるから、実際には〝刺激—反応—結果〟の関係を学ぶことになる。行動には単純なものも複雑なものもあり、結果の中には望ましいことも、避けるべきこともある。自転車の乗り方を覚えれば、自分の望む場所に行けるようになるし、数学問題が解けるようになれば成績があがる。だがローソクの炎に指を突っ込めば、火傷をするからそうしないほうがいいとわかる。

オペラント条件づけの原則はいたって単純だが、犬の訓練に応用するのはかならずしもかんたんではない。ピアノを弾く基本は単純でも——望みの音をだすキーを押すだけでいい——、うまく弾くには何年も練習が必要なのとおなじだ。オペラント条件づけの基本では、報奨があたえられる行動は強化され、最初にとった行動の輪郭がしだいに明確になっていくが、報奨をあたえられない行動は弱くなり、その輪郭はしだいにぼやけていく。そう！　犬を訓練するとき、あなたは脳神経についても、化学物質についても、脳のどの部分が関係するかについても、知る必要はないが、むずかしいのは、報奨があたえられるような行動をまず犬にさせることだ。そして犬に報奨をあたえるタイミングもだいじだ。望ましい行動が強められるように。この方法には、かなりの時間と努力を要する場合もある。オペラント条件づけでは、おもに使われる手法が四種類あり、どれもみな犬の訓練に効き目がある。その四つとは、「自発行動を捉える方法」「おとり《ルアー》を使う方法」「物理的な刺激をあたえる方法」「シェーピング」で、それぞれに長所と短所がある。

自主性を伸ばしてしつける

まず、もっともかんたんな「自発行動を捉える方法」についてご説明しよう。これは〝自動トレーニング〟（犬がみずから訓練しているように見えるため）、あるいは〝行動捕捉〟と呼ばれている。理論上では、この方法は信じられないほど単純だ。たんに、犬の自発的な行動の中にあなたにとって望ましい行為を見つけたら、そのときに報奨をあたえるという方法である。たとえばこんなぐあいだ。あなたがラッシーという名の子犬を飼ったとする。

あなたは子犬とふれあうあいだ、その動きを注意深く見守る。子犬があなたのほうに近寄ってきたら、「ラッシー、来い」と言って、すぐにほうびをあたえる（ビスケットをあたえるか、頭をなでてやる）。同様に、子犬が座ろうとしたら、「ラッシー、座れ」と言って、報奨をあたえる。だいじなのは、行動の最後に犬がかならず報奨がもらえるようにすることだ——犬があなたの命令にしたがって行動を起こしたかのように。報奨は、命令の言葉と犬の行動とのあいだの関係を確実なものにする。何度かくり返すうちに、命令の言葉が犬に行動を起こさせる合図になる。

この訓練法の難点は、なにが望ましい行動かを犬が理解するまでに、いささか時間がかかることだ。だが、ある行動をすれば報奨がもらえると犬がいったん理解すれば、その経験は犬にとって楽しいゲームになるだろう。どの行動が報奨につながり、どの行動がつながらないか、犬はいくつか〝候補〟を考えるだろう。そして何度も不正解をだすだろうが、あきらめてはいけない。私たちは、自分の望む反応を捉えて報奨をあたえ、それを強化することにばかり気をとられがちだが、報奨をもらえない行動は弱まる、というオペラント条件づけのもう一つの原則も忘れてはならない。つまり、あなたの犬はまちがいをくり返すことによって、なにをすればもらえる報奨が少なくなるのか学習するのだ。最終的に犬は得にならない行動をとりのぞいていき、報奨がもらえる行動に集中するようになる。犬はこのゲームを楽しむようだし、かんたんなので、訓練は子供でもできる。この方法は臆病で、気が弱く、あまり社会化されていない攻撃的な犬にとりわけ効き目がある。注意を集中させるため、犬の気持ちが落ちつくのだ。

報奨をあたえるタイミングはむずかしい。犬が近づいてきたとき、あなたは「ラッシー、来い」と声をかけ、急いでビスケットを取り出すわけだが、その動作を見て犬は立ち止まってしまうかもしれない。あるいは立ち止まって、その場所までビスケットが運ばれてくるのを待つかもしれない。つまり、私たちが犬に望む行動が、報奨によってさまたげられたり、中断されたりしかねない。〝犬が近づく—報奨—近づく行動をプラスに強化する〟であるべきなのが、〝報奨を見て犬が立ち止まる—報奨—立ち止まる行動を強化する〟になってしまうのだ。これはオペラント条件づけでは基本的に、報奨をもらう直前の行動が強化されるためだ。必要なのは行動を中断させずに、こちらが強化したい行動とぴったり一致したタイミングであたえられる報奨だ。そこで、瞬時にあたえられる報奨を、情動の古典的条件づけを利用して作りあげる。つまり、犬をうれしい気分にさせる合図を報奨にするのだ。結局のところ、行動を強化するのは報奨そのものではなく、報奨に結びつくプラスの感情なのだから。

そのためには、どんな合図を使うかあらかじめ決めておく。最近では手にもったクリッカーを鳴らすことが多くなったが、合図はなんでもかまわない。笛、ライト、音、言葉、あるいは特定の動作など。私がよく使うのは自分の声だ。そのほうが両手を空けておける。「いい子だ！」とか、「よし！」などの言葉を、大きな声でかけてやるととても効果がある。つぎにその合図にプラスの感情を〝満たし〟て、条件づけをおこなう。もっともかんたんなのは、食べ物を使う方法だ。たとえば、「いい子」をうれしい気持ちと結びつけるために、「いい子」と言ったあとすぐにビスケットをあたえる。これを何度もくり返すと、古典的条件づけの〝いい子—食べ物—温かでしあわせな気分〟の関係ができあがる。やがて犬は、〝いい子〟という言葉を聞いただけで耳をピンと立て、うれしそうに尾を振るようになるだろう。あなたはこの言葉で犬の中にプラスの感情を生みだすよう、条件づけをおこなったことになる。これを新しく覚えさせたい行動の報奨として使うのだ。

こうして作りあげられたのは〝二次的報奨〟で、食べ物などの、学ぶ必要のない一次的報奨とは区別される。人間の行動を促進させるために使われる報奨の多くは、二次的報奨だ。一次的報奨は食べ物、飲み物、セックスなど本能に結びついている。二次的報奨は、お金、成績、称賛、昇進、メダル、賞、肩書などだ。これらの報奨に、なぜ学習の必要があるのだろう。じつはその根底には、情動の古典的条件づけが隠れているのだ。いい成績や賞のために努力をするのがその例だ。母親は赤ん坊に食べ物をあたえるとき、口に食べ物を運びながら、たいてい「いい子ね」などと話しかける。すると〝ほめる（いい子）—食べ物—プラスの感情〟の関係ができあがる。子供は「いい子」と言われることが、プラスの感情を生む報奨だと学びとる。大きくなって、テストでいい成績をとったときに「いい子」と言われると、〝いい成績—いい子—プラスの感情〟の条件づけがなされる。やがていい成績そのものが、プラスの感情反応を生むようになる。ここでは二次的報奨が、新たな二次的報奨を生みだすために使われたわけだ。〝連鎖化〟とも呼ばれるこのプロセスは、賞、肩書、称賛などが、なぜ人をいい気分にさせ、なぜ人がそのために努力するかを説明している。最初の古典的条件づけを発端に、つぎからつぎへと鎖がつながっていくのだ。

同様に、犬たちも条件づけによって「いい子」という言葉やクリッカーの音を聞くと、うれしい気分になり、その二次的報奨のために仕事や学習をするようになる。初期の段階では、二次的報奨につづいて一次的報奨があたえられ、学習が強化される。犬が近づいてきたら、「ラッシー、来い」と言ってから、素早く二次的報奨「いい子だ」という言葉をつづけ、実際にそばにやってきたところでビスケットをあたえる。この「いい子」などの言葉による二次的報奨は、犬が正しい行動をした瞬間から、実際にビスケットをあたえるときまでに空いたギャップを、埋める役割をはたす。言い換えれば、犬に「ここまできたらビスケットが待っているよ」と伝えるメッセージなのだ。この二次的報奨である音の合図は、食べ物と結びつく〝実のある〟ものにしておいたほうがいいが、「いい子」と言うたびに、食べ物をあたえつづける必要もない。

犬の反応が着実になってきたら、要求を増やし、複数の正解行動をしたら、一次的な報奨をあたえるようにする。二次的な報奨がだいじなのは、それがタイミングよく使えることだ。たとえば「いい子だ」という言葉は、犬が指示どおりに動いた瞬間に発することができる。報奨が言葉なので、ビスケットをあたえるときのようにあなたは犬のそばにいなくてもいいし、犬のほうも食べるために立ち止まる必要がない。

自動トレーニングは、むずかしい行動や、強制できない行動を犬に教えるときにとりわけ役に立つ。たとえば、犬に用足しのしつけをおこなうとき、私はなじみの道を歩かせる。そして犬が排泄をはじめたらすぐに「早く」と声をかけ、排泄のあいだにそれを一、二度くり返し、合間に二次的報奨の「いい子だ」の言葉をはさむ。数週間のあいだに、犬は「早く」の言葉を聞くと、くんくんあたりの匂いを嗅いで、排泄場所を探すようになる。

ルアーを使ってしつける

ルアー、すなわちおとりを使うトレーニングも、やはり犬の自発性を利用する訓練方法だ。自発行動を捉える方法にくらべて一ついいことは、トレーナーが実際に犬を誘導して望ましい行動をさせることができるため、行動が起きる偶然を待つ必要がない点だ。ルアーとして使われるのは食べ物が多いが、玩具その他、犬がほしがるものならなんでもいい。犬はルアーに注目し、首をまわしてその動きを目で追う。犬が首をまわしたら、つぎは体全体を動かすようにしむけ、あなたが望む体の姿勢をとること（座る、伏せる、立ち上がるなど）や、どんなふうに動くべきか（こちらにくる、転がる、まわる、右へいく、左へいくなど）を教える。あるいは、犬の注意を特定の物や人間に集中させることもできる。

たとえば、ルアー・トレーニングで、犬に「座れ」を教える場合。ルアーを使って犬の鼻の向きを変えさせたら、体の向きも一緒に変えられるのがポイントだ。

まず、犬に食べ物のかけらを見せ、それをゆっくり上にあげ、犬の鼻の真上から両目のあいだを通過させるようにしながら、犬の頭のうしろまでもっていく。

犬が食べ物の動きを目で追うと、自然に腰が下がって座る姿勢になる。

このとき、自動トレーニングの場合とおなじように、「ラッシー、座れ」と声をかけ、すぐにつづけて「いい子だ」と言って、報奨をあたえる。

そして明るい声で「よし」とか「おしまい」と言って、犬を解放し、軽く叩いてやる（この一連の動作が、どんな行動の場合も解放の合図になる）。

犬が立ち上がる前に、食べ物と二次的報奨をあたえることが大切だ。つまり、初期段階では訓練を素早くおこなう必要がある。これを何度かくり返す。犬があなたの横にいる場合、前にいる場合と位置を変えて、犬が「座れ」の命令に確実に応えられるようにする。

犬がしっかり命令を覚えたら、ルアーを使うのをやめる。

まず、ルアーをもっているときとおなじ手つきで誘導をおこない、命令の言葉を口にする。犬が言うとおりにしたら、二次的報奨の「いい子だ」という声をかけ、つづいて食べ物をあたえる。

つぎに手の動きをしだいに小さくしていくと、犬は言葉による命令だけに反応するようになる。

犬がうまくできるようになったら、食べ物の報奨を減らしていく——言葉の報酬だけをあたえたり、「いい子だ」の言葉と食べ物の両方をあたえたりしながら。

しだいに食べ物をあたえる回数を減らし、ときどきあたえるだけにするが、二次的報奨である言葉がけは減らさない。

ほめ言葉は、犬があなたの言うとおりに行動したときはいつでもあたえるようにする。ほめられた犬は、食べ物の報奨をもらったときとおなじくらい、うれしい気持ちになるのだ。

私は、自動トレーニングとルアー・トレーニングの、どちらも気に入っている。リードを使わずに犬を訓練できるからだ。それによって犬は、物理的にリードで飼い主とつながっていなくても、飼い主が離れた場所にいても、命令にしたがおうと考えるようになる。そうなったら、犬を確実にコントロールできるようになる。

力ずくでしつける

犬の訓練でもっとも古くからおこなわれているのが、リードとカラーを使って物理的な刺激をあたえる方法だ。犬の訓練というと、たいていの人がまず思い浮かべるのは、誰かがリードをぐいと前に引いて犬を脇につかせたり、リードをうしろに引いて犬の腰を上から押し、犬を座らせている光景だろう。こうして物理的刺激をあたえる方法は、犬を思いどおりに動かすには手っとり早いやり方に思える。しかも、理にかなっているようにも思える。犬が望ましい行動をしたら、報奨をあたえて強化するのが学習の原則だからだ。そして物理的にうながすことで、犬に望ましい行動を強制することができる。だがじつは、物理的な刺激をあたえる方法はきわめて複雑で、熟練の人でなければうまくできない。絶妙のタイミング、たくみなリードさばき、徹底した一貫性が必要で、長い経験を積まないとその技術は習得できない。

適切に——正確なタイミングで、やさしく粘り強く、威嚇的な態度をとらずに——おこなわれたときは、この方法は有効だ。そのうえ、うまくいった場合は、訓練中トレーナーの手が犬の体じゅうにふれるので、犬とのきずなが強まる。あいにくこの訓練法は、初心者がおこなうとめったにうまくいかない。

はっきり言って、リードでぐいと引かれるのは不愉快なものだ。だから刺激をあたえるためにリードを使うと、リードやカラー、そしておそらく連鎖的に訓練と結びつく状況全体が、不快反応を引き起こすように条件づけられるだろう。リードをぐいと引いたうえ、犬の腰を手荒く押したりすれば、あなたの手にたいしてもマイナスな感情が犬の中に植えつけられる。そして、犬が実際に座る姿勢をとったときビスケットをあたえても、座った行為にたいする報奨ではなく、なんとか座らせようとするトレーナーに脚を踏ん張って抵抗したことにたいする報奨になってしまう。言い換えれば、あなたは犬に抵抗を奨励していることになる。しかも、犬は終始リードにつながれているため、自由になったときにも言うことをきくようには教えられていない。あなたは犬にたいして、物理的にあなたとつながっているときだけ、命令に応えればいいと教えることになる。あなたが自分の意志を強制できるのはそのときだけであり、犬がほうびをもらえるのはそのときだけなのだから。

〈ごほうびに食べ物をあたえるのはわるいことか〉

訓練に食べ物を使う問題について考えてみよう。食べ物を使うことにたいして、こんな疑問を抱く人たちもいる。「犬の訓練に食べ物を使ったら、こちらが食べ物をもっているときしか言うことをきかなくなるし、お腹がいっぱいのときは、食べ物につられないでしょう」

実際には、犬がちゃんと命令にしたがうたびに食べ物をあたえるのは、訓練の初期段階のときだけだ。すでに述べたとおり、食べ物のおとりは、しだいに手の合図や声の合図と入れ換えていく。そして徐々に食べ物による報奨を減らして、「いい子だ」という声がけなどの二次的報奨に変えていき、そのあとで軽く叩いてやり、ボールを投げて遊びに入るなど、べつの報奨をくわえるようにする。

反論はほかにもある。「食べ物をあたえるのは、犬を買収するようなものではありませんか？」そしてこんな言葉がつづく。「犬は飼い主にたいする敬意からのみ、命令にしたがうのが本当だと思いますが」

私が食べ物の利用を勧めるのは、たくさんの要素がそなわっているからだ――効果的なルアー、報奨、そして反射的に生まれるプラスの感情。〝買収〟という言葉がもちだされると、その不道徳なニュアンスに、いつも私は困惑する。金儲けがしたいために、倫理や法律にもとる行為に目をつぶってほしいと政治家に金を渡すのはたしかに買収だが、あなたの犬を座らせようとするのが、倫理や道徳にもとる行為だろうか。私は食べ物をあたえるのは、犬の仕事にたいする報酬だと考えている。週末に給料を受け取るとき、あなたは上司から買収されていると思うだろうか。あなたが上司から、もう給料は払えない、今後は私にたいする敬意からのみ働いてほしいと言われたとしたら。あなたはその仕事をつづけられるだろうか。訓練における食べ物は、犬の場合の給料とおなじなのだ。

そして、こんな奇妙な反対意見もあった。「訓練で食べ物をあたえると、犬を卑《いや》しめることになりませんか？」

〝卑しめている〟としたら、犬は自分の行動にたいして食べ物をもらうのを恥じたり、いやがったりするはずだ。だが、訓練の報奨として食べ物をもらって、いやがったり卑屈になったりした犬を、私は一度も見たことがない。わが家の犬たちは、私が訓練キットを取り出すと、ほうびの食べ物を期待して、尾を振りながらうれしげに跳ねまわり、少しばかりよだれまでたらす。私が食べ物をけちったり、小さすぎるものやあまりおいしくないものをあたえると、いささか不満げな顔をするが、侮辱を受けたようすは見せたことがない。

食べ物で犬の行動をコントロールすることは、太古の時代にまでさかのぼる行為かもしれない。そもそも犬の家畜化がおこなわれたのは、犬の祖先たちが、私たちの祖先の野営地の近くをうろついたことが発端だった。彼らが野営地に近づいたのは、人間の祖先がカリスマ的で、敬意を払えと要求したからではなく、人間が犬に残飯を投げて近くにくるよう誘ったからだ。人間が犬と契約を結び、彼らの忠誠心と協力を自分たちのものにできたのは、食べ物をあたえたからだった。私たちの命令にしたがい、仕事をする犬たちに食べ物の報奨をあえるのは、私たちが太古の契約を尊重しているからにすぎない。

行動を分割して覚えさせる

犬に学習させる行動の中には自然には起こらないので自動トレーニングでは教えられず、あまりに複雑だったり段階が多かったりして、ルアーを使う方法でも、物理的刺激をあたえる方法でもうまくいかないものがある。そんな場合には、〝シェーピング〟と呼ばれる訓練方法がある。シェーピングの原則をしめすために、ハーヴァード大学の著名な心理学者B・F・スキナーは、犬に遠くの壁にあるベルを鳴らさせる訓練をおこなった。

まず、目標とする行動をあらかじめ正確に設定する必要がある。ここでは、壁にとりつけられたベルを押して鳴らすことを目標としてみよう。つぎに実践にあわせて、その行動をできるだけ単純な形をとるように分割する。この単純な形をとる行動の一つ一つが、自動トレーニングと食べ物および二次的報奨（「いい子だ」という声がけ）で訓練される。訓練されるべき行動は、以下のようなものになる。

1　犬はこちらに背中を向ける。
2　犬はこちらに背中を向けて、ベルのある方角に目をやる。
3　体全体をベルのある方角に向ける。
4　ベルのある方角に一歩踏み出す。
5　ベルのある方角に数歩踏み出す。
6　ベルまでの道のりの四分の一までいく。
7　ベルまでの道のりの半分までいく。
8　ベルまでの道のりの四分の三までいく。
9　ベルのそばまでいって立ち止まる。
10　ベルに近寄って眺める。
11　ベルに鼻を近づける。
12　鼻でベルにふれる。

13　鼻でベルを強く押す。
14　鼻でベルを強く押して音を鳴らす。

これらの行動を、ひとつ習得したらつぎに移るというぐあいに訓練を進める。

犬が全過程をやりとおすには、いくつかの条件が必要だ。まず、行動の一つ一つの変化がほんの少しで、犬が報奨にありつける可能性が高いこと。犬が的確な反応をしたら、べつの行動に移る前にすぐさま二次的報奨をあたえること。ふつうのトレーナーと優秀なトレーナーのちがいは、二次的報奨をあたえるタイミングにある。トレーナーはすぐれた観察者でなければいけない。さもないと、報奨をあたえるべき行動を見逃してしまう。訓練はたえず動いている。犬があるステップで苦労していたら、一、二段階もどって、学習にはずみをつける。犬がそれでもおなじステップに苦労するようなら、学習しやすいようにそのステップをもっと簡単な部分に分割できないか考えてみる。どのステップも十分訓練して、安定した行動ができるようにし、その土台の上につぎのステップを重ねていく。だが、犬が一つのステップを完全に習得したら、つぎのステップの訓練を開始し、前段階での報奨をしだいに減らして、犬の注意がつぎの行動に移るよう誘導する。

このたぐいの学習は最初のあいだ早い速度で進んでいくが、要求が複雑になるにしたがって速度は落ちる。トレーナーの柔軟さが鍵だ。犬がいやがったりやめたがったりしないように、報奨を十分にあたえないといけない。不安の徴候が見えたら、犬がすでに完全に習得しているステップにもどって、そこから出直す。トレーニングの最後をつねに前向きに終わらせることもだいじで、その日の進行ぐあいがどうであっても、犬にはかならず報奨をあたえるようにする。

犬がしめす行動に、いつ命令の声をかけるかも議論がわかれるところだ。「座れ」「伏せ」などの単純な行動はシェーピングの必要がないから、犬が正しい動作をしはじめたらすぐに命令の言葉を発する。一連の行動をシェーピングする場合は、犬が確実に行動できるようになった段階で、命令の言葉をくわえはじめる。犬がベルに向かって走りだし、ベルを鳴らすとわかったら、「ベルを鳴らせ」という命令を添える。私は最初から、腕の動作などで犬に行動をうながすようにしている。そして犬が実際に私の望む行動をとったときに、言葉による命令をつけくわえる。学習の最終段階では、犬が言葉による命令にしたがって行動したときだけ報奨をあたえ、自発的におこなったときはあたえない。

罰をあたえるのは効果があるか

私は、犬に罰をあたえてしつけるのは好きではない。理由は効き目がないからではない。適切な懲罰は、たしかに効果がある。だが、罰を正しくあたえることは、非常にむずかしい。不適切な懲罰は、犬に非常にマイナスな心理的影響をあたえ、飼い主と犬とのきずなを完全に壊してしまう。十九世紀には、犬に懲罰をくわえて訓練することが多かった。じつのところ、犬の訓練は〝調教〟と呼ばれていたものだ。一八九四年に、この問題に異議を唱えるために書かれた古典的著作『犬の実践的訓練法』の中で、T・S・ハモンドは、つぎのように指摘している。

犬の問題について書いている作家のほぼ全員が、道はただひとつということで意見が一致している。すなわち、犬を叩かずに服従させることなど、実際には無理な話で、鞭《むち》と綱と鋲《びょう》つきの首輪、そしてときには銃を発砲し、革靴で激しくたっぷり蹴りを入れることが、完全な教育には絶対不可欠だというのだ。

懲罰は報奨の正反対で、犬がある行動をしたとき、いやな目に遭わせることだ。その昔は罰をくわえれば行動が弱められ、再発がふせげると信じられていた。望ましくない行動が、懲罰でやむだろうというわけである。現在では心理学者も行動学者もトレーナーも、望ましくない行動をやめさせるには、もっと効果的な方法を使っている。その一つは、やめさせたい行動をしたらほうびをあたえず、実際上その行動を排除する、すなわち無効にする方法。もう一つは、やめさせたい行動と両立しない行動を、犬にさせる方法。つまり、やめさせたい行動とは同時にできない行動をさせて、ほうびをあたえるのだ。

たとえば、犬が誰かに挨拶しようと跳びついたとき、犬はたんに相手の注目を引こうとしていることが多い。そんなとき、犬になにか話しかけたり、眺めたりさわったりして、うっかり二次的報奨をあたえると、その行動が強化され、その後も跳びつくのをやめないだろう。犬の訓練法の本の中には、この行動をやめさせる方法として、跳びかかってきた犬の胸を蹴るとか、犬の前足をつかんで立たせ、後ろ足を踏んづけるなど、痛い懲罰をあたえることを勧めているものもある。この方法を試しても、自分の手に犬の嚙み跡が残るだけで、犬は相変わらず跳びつくのをやめないことが多いだろう。

犬に跳びつくのをやめさせるには、報奨をあたえず、両立しない行動を教えるほうがいい。つまり犬が跳びついてきたら、すぐに背中を向け、黙って、あるいは目をあわせないようにして、遠ざかる。社会的な報奨をあたえないようにするのだ。犬は面食らって、あなたの目の前に駆けてくるかもしれない。そうしたら、あなたは犬に向かって「座れ」とだけ言う（これはすでに「座れ」の命令を教えてある場合だ）。犬があなたの前で座ったら、あなたはしゃがんで犬を軽くなで、やさしく声をかける。座る行動は跳びつく行動とは両立しない（同時にできない）。そしてこの場合、あなたは跳びつく行為にたいしてではなく、座った行為にたいして犬に報奨をあたえる（やさしく言葉をかける）ことになる。しばらくのあいだ、家に入るときは、跳びついてきそうな犬の先手を打って、「座れ」と声をかける。座ると報奨がもらえるが、跳びつくと報奨がもらえないため、〝挨拶がわりに座る〟行動がしだいに強化され、犬は座ってあなたを迎えるようになる。犬の胸を蹴ったり、足を踏んだりする必要はないのだ。

懲罰の最大の効果は瞬間的に行動をやめさせることにある、という点では多くの研究結果が一致している。そして一瞬行動をやめたときに、望ましい行動をさせて報奨をあたえることもできる。だいじなのは、あたえる懲罰のきびしさだ。たいていの人がはじめはおだやかに罰して、効き目がないとしだいに罰のあたえ方をきびしくする。だが、問題は犬が罰にたいして抵抗力を強めていくことだ。罰を抑えめにすると、あなたの犬が特別温和でないかぎり、かならずといっていいほど失敗する。罰するときは、犬がしている行動をかならずやめるほどきびしく罰しないといけない。おだやかな罰し方からはじめると、犬はしだいに罰をあたえる人にたいする抵抗力を強め、結局はさらにきびしく罰しないと効果がなくなる。だが、懲罰にかんたんなことは一つもない。非常にきびしい懲罰がひんぱんに加えられると、やめさせたい行動が抑えられないと同時に、犬のあらゆる行動がこわばって停止してしまう。罰ばかり受ける犬はちぢこまり、身をすくめ、凍りつく。罰をあたえる人を避けたがり、逃げ出そうとする。犬が恐怖に凍りついてなにもしなくなった場合は、犬がふたたび活発に動きだすまで、自発的におこなったいい行動を捉えて報奨をあたえることもできない。つまり懲罰は、犬の行動を修正する可能性を減らしてしまうのだ。しかも、犬がマイナスの感情に沈み込んで抜け出せないため、どの行動が罰につながるのか理解できなくなり、訓練の手段としての懲罰が意味をなさなくなる。

懲罰のあたえ方のむずかしさ

懲罰で効果をあげるには、的確なきびしさが必要であると同時に、望ましくない行動の直後にあたえる必要がある。犬のトレーナーで著作もあるトロントのパメラ・リードは、罰をあたえるのがほんの少しでも遅れるとどうなるか、実験したときのようすを書いている。部屋の床に、ドッグフードを入れた二つの皿を置き、実験者はその真ん中に座った。片方の皿にはありふれたドライフードが入っており、もう片方の皿には非常においしそうな缶詰のドッグフードが入っている。三つのグループに分けた犬たちを順番に部屋に入れる。それぞれドライフードは食べていいが、缶詰のフードを食べようとすると丸めた新聞紙で床が叩かれ、いけないと合図される。一番目のグループは、禁止された食べ物の皿に顔を入れた瞬間に床を叩く音で罰を受け、二番目のグループは食べはじめて五秒後に罰を受け、三つ目のグループは十五秒後に罰を受けた。犬たちは全員すぐに缶詰のフードを食べてはいけないことを覚えた。つぎにテストのため、実験者はその部屋からでて、向こうからは見えないミラー越しに犬たちを観察した。テストの期間中、犬たちは毎日おなじ二種類のフードが入った皿の置いてある（実験者の姿は見えない）部屋に入れられ、十分間放置された。食べはじめた瞬間に罰を受けていた犬たちが、誘惑に負けておいしい缶詰のフードに口をつけたのは、およそ二週間後だった。食べはじめて五秒後に罰を受けていた犬たちが誘惑に負けたのは、その約半分の八日後だった。

だが、食べはじめて十五秒後に罰を受けていた犬たちは、なんとわずか三分しか待たずに、おいしいものが入っている皿に口をつけたのだ。

この結果をつぎの状況とくらべてみよう。ある人が帰宅してみると、買いたての真っ白な絨毯に黄色と茶色のしみがついていた。犬のラッシーがトイレに使ったのだ。ラッシーが引きずってこられ、不始末の証拠を見せられてしたたかに罰を受けた。実際の行為が起きたのはいつだろう。おそらく数時間前だ。心理学者はこれを〝非随伴的懲罰〟と呼んでいる。犬が受けた懲罰と、懲罰を引き起こした行動とのあいだに、実際にはなんのつながりもないからだ。おそらくラッシーの飼い主が犬の中に刻みこんだのは、彼の帰宅にたいするマイナス感情だけだったろう。

だが、非随伴的懲罰に効き目があるとする人たちもいる。その一人が一九五〇年代から六〇年代にかけて活躍した犬のトレーナー、ウィリアム・コーラーで、彼の記事を読むと私はいまでもぞっとしてしまう。コーラーはウォルト・ディズニー・スタジオで動物のチーフ・トレーナーを務め、アメリカ陸軍の軍用犬部隊で指導もおこなっていた。一九六二年に、彼はつぎのように書いている。

家に帰ったときあなたの犬が庭に穴を掘ったのを見つけたら、まずその穴の縁まで水を入れる。犬に訓練用のカラーとリードをつけさせ、穴まで引っ張ってきて、犬の鼻を水の中に突っ込む。犬が溺れそうになるまでじっと押さえつける。あなたの犬がちょっとばかり大きい場合は、牛と格闘するカウボーイも真っ青の大立ち回りになるだろう。踏ん張ること。荒らされた花壇で、どでかい犬を水漬けにした、お年寄りのご婦人たちもいるのだ。この恐怖体験を、自分たちが掘り返した穴と結びつけて記憶する犬はたくさんいる。

コーラーは、土を掘った犬の行為とその結果が、実際には関連づけられていないことなど気にしていないようだ。その証拠に、彼はこうつづけている。

このような矯正をおこなうとき、「犬をその場で叱る」必要はない。手をゆるめることなく矯正をおこなえば、あなたの犬は掘り起こされたばかりの土の匂いを、いやがるようになる。

この最後の文章で、実際になにがあったかがわかる。鼻を泥水の中に突っ込まれても、それは犬の頭の中で土を掘り返したことと結びつかない。だが、コーラー自身が指摘しているように、溺れかけた体験による古典的条件づけで、犬はつぎに掘り返されたばかりの土の匂いを嗅いだとき、恐怖反応を起こすのだ。これほど残酷な方法が使われた場合は、条件づけられたマイナス感情があまりに強烈なため、たしかに犬は、そのできごとと結びついた場所や物を避けるようになるだろう。もちろん、そのできごとの中には飼い主も入っているから、学習したマイナス感情が飼い主と犬とのきずなを弱めることになる。こんなに無慈悲な扱いをされたら、感じやすい犬は逃げ出そうとし、飼い主(少なくとも飼い主の手)とふれあうのを避けるようになるはずだ。もう一つのマイナス効果は、こうした行動によって、犬の目から見ると、自分と自分の身近な存在とのあいだで攻撃行動が可能であるばかりか、許されるという事実が確立されてしまうことだ。その結果それまで正常だった犬が、恐ろしい嚙み犬に変わってしまう。

私から見ると、訓練のテクニックとしての懲罰は、控えめに言っても効果がない。報奨は犬に明確な情報をもたらす。「きみがいましたことは、正しい」と伝えるのだ。懲罰は犬に、いましようとした行動はまちがっているとしか伝えず、なにが望ましい行動なのかというヒントはあたえない。これは、教え方としては非常にまずい。発明家のトマス・エディソンは、「見つけた方法の一万通りがまちがっていたとしても、私は失敗したとは思わないし、へこたれもしない。なぜなら、いかなるまちがいも、前進のための一歩なのだから」と言った。だが、あなたの犬は罰を受ければまちがいなくへこたれるし、やる気をなくすだろう。なにをすべきかヒントもあたえずにあやまちを何十回も罰するよりも、一回正しい反応を捉えて、それを報奨で強化するほうが、はるかに効果的で時間がかからず、あなたにとっても犬にとっても気分がいいだろう。

体罰のかわりに犬を〝休憩室〟へ入れる

懲罰は好ましくないと言ったが、懲罰につきものの問題を避けながら、犬の行動をコントロールできる罰のあたえ方もあるのだ。これまで話してきたのは、「正《ポジティブ》の罰」と呼ばれるもので、犬がまちがったことや、わるいことをしたら、いやな目に遭うという形をとる。懲罰にはもう一つの形式があり、「負《ネガティブ》の罰」と呼ばれている。これは不適切な行動をすると、ほしいものが取りあげられるという形をとる。そして私たちが犬から取りあげるのは、ほうびをもらうチャンスだ。

実際のやり方は、子供をしつけたことのある人にはおなじみのものだ。〝休憩時間《タイムアウト》〟と呼ばれている。犬をその場から連れ出して、しばらく安全で静かな場所に隔離するのだ。犬は社会性の強い動物なので、相手が犬でも人でも、誰かと一緒にいることをうれしがる。隔離されるのは、犬にとってはつらいことなので、それを矯正手段に使う。ひとりにされた犬は、遊び、愛情、社会的接触を取りあげられてしまう。しかも、訓練の場から隔離されると、ごちそうやほめ言葉などの報奨がもらえなくなる。

効果を高めるには、二次的懲罰とも言える合図を作っておくほうがいい。私は「やめなさい！」という言葉を使うが、「タイムアウト」と言う人たちもいる。二次的報奨とおなじように、言葉そのものは重要ではない。どんな言葉を使っても、隔離と結びつく懲罰の効果があればいいのだ。犬が望ましくない行動をしたら、あなたはすぐに二次的懲罰の、「やめなさい」などの言葉を言って、リードやカラーをしっかりつかみ、犬を休憩室《タイムアウト》まで連れていく。スピードがだいじだ。望ましくない行動と二次的懲罰、そして隔離とのあいだに連続した流れが必要だからだ。

隔離する部屋は安全で静かであれば、ベッドルームや大きなクローゼットなど、どこでもいい。だが、犬小屋やケージは絶対に避けること。これらの場所が懲罰と結びついてはいけないからだ。これが特別な処置であるのを犬にわからせるために、私はリードをドアノブに引っかけたり、ドアと脇柱のあいだの隙間にはさんだりする。犬が十分横になれるようリードの長さにゆとりをもたせながらも、部屋の中を歩きまわれないようにするのだ。

私はこの休憩時間を一、二分にしている。

犬が不満げな声をたてたら、「やめなさい」と大声で言い、ドアを鋭くコツンと叩く。犬が十五秒間ほど静かにできたら、外にだす。

解放したあとは、もとの場所に連れ戻してなにかをさせる（「座れ」や「伏せ」などの演技をさせて、報奨をあたえるなど）。そしてふだんどおりの行動に移らせる。

もし犬がまたいけないことをくり返したら、もう一度隔離する。

この〝タイムアウト〟は、乱暴な遊び方をする、跳びつく、嚙む、うるさく吠える、食べ物をねだる、などの社会的違反行為にとりわけ効き目がある。手荒なことをせずに、これらの行動を抑えられるのだ。

心理学や行動学の専門知識があっても、すぐれた犬のトレーナーになれるとはかぎらない。犬の名トレーナーは、鋭い観察力、タイミングにたいする勘のよさ、そして強い忍耐力をそなえた人であることが多い。犬の訓練では犬が望ましい行動をするまでよく観察し、その瞬間をほうびという名の網ですくいあげるだけで、多くのことが達成できるのを忘れてはならない。それがうまくできれば、犬は学習するだけでなく、学習を楽しむようになる。正直な話、犬を訓練するのはたやすい——むずかしいのはトレーナーを訓練することだ。

12　人の会話に聞き耳を立てる犬――犬が仲間たちから学ぶこと

私たちは生きていくために欠かせない知識を、どうやって学びとるだろう。教師、両親、友人など、ほかの人たちを観察して学ぶことも多い。語学を学ぶときは、誰かが話す言葉を真似る。靴紐《ひも》の結び方やブラウスのボタンのかけ方も、母親のやり方を見て学びとる。目玉焼きの作り方も、誰かがやっているのを観察して学ぶ。こうした学習は、自動トレーニングや、ルアーを使う方法や、シェーピングや古典的条件づけとは関係がない。ほかの人たちの行動からえた情報をヒントに、自分の行動を形づくっていくのだ。これは心理学では、〝社会的学習〟と呼ばれている。この名称は、社会的な作法や習慣やコミュニケーションを学ぶという意味ではなく、社会的に伝達されたり、促進されたりする学習という意味だ。このたぐいの学習をおこなうのは、複雑な社会環境で暮らす、もっとも高度に進化した動物だけだろうか。

先輩たちを見習う

わずか数年前まで、科学者は、犬には模倣、行動模写、観察学習などの社会的学習はできないと考えていた。一九九六年に、心理学の博士号をもつパメラ・リードは、犬の訓練にかんする著書『最高に効率のいい学習』の中で、最後にこう述べている。

……人間と類人猿（ゴリラ、オランウータン、チンパンジー）以外に、純粋な模倣ができる動物がいるという証拠はほとんどない。研究者の中には模倣の証拠を見つけることに生涯をかけた人たちもいたが、成功しなかった。夢をこわすようで申し訳ないが、犬は模倣による学習はできない。

だが、科学は進歩する。この主張は一九九六年には有効だったかもしれないが、以来数々の新データがもたらされ、犬にも観察学習と模倣が十分可能であることがしめされた。じつのところ、犬は犬仲間だけでなく、人間の行動をも観察して学習する独自の能力をもっているようだ。

だが、これらの研究がおこなわれるずっと以前から、犬が観察によって学習することは、犬とともに仕事をしている人びとのあいだでよく知られていた。たとえば、牧羊犬の訓練では、すでに仕事を知っている犬と一緒に働かせるのが一般的なやり方だ。若い犬は、羊の群れを集める複雑な作業のしかたや羊飼いの合図の意味を、先輩の犬の動作を観察するだけで学びとる。そのほうが、人間が犬に教えるよりもうまくいくと、羊飼いたちは言っている。

橇犬《そりいぬ》の場合も、訓練するときは、まず仕事を知っている犬たちのチームに初心者の犬をつなぐ。ブリティッシュコロンビアの奥地で、私は生後五か月のシベリアン・ハスキーの一群が、はじめて橇犬の仕事につかされた場面を見たことがある。いずれもそれまで橇を引いたことのない、十頭ばかりの子犬だった。トレーナーはハーネスの入った箱を取り出して、若い犬たちにそれを着けると、引き綱につないで縦列にならばせた。列の先頭には何年も橇犬レースで経験を積んできた、数頭のリーダーがいた。このとき彼らがつながれたのは橇ではなく、全地形型バギー車（ATV）だった。トレーナーはこう説明した。「四輪を使うのは、重量があってスピードを抑えられるからです」

ごくゆっくりと車を進ませながら、運転者は先頭の犬たちに前進の合図を送った。彼らは人間が歩くよりも遅いスピードで進んだ。子犬たちの反応は興味深かった。なにが起きるのだろうという顔で、まわりを見まわす犬が多かった。前のほうにいる子犬は、ハーネスをぴんと張って体を前に乗り出すベテラン・リーダーたちを熱心に眺めた。しばらくすると、その子犬たちも体を前に乗り出して、おなじ方向へ綱を引っ張りはじめた。列のうしろのほうの子犬は、まだきょとんとしていた。いちばんうしろの子犬は腰を落として座ったままで、ほかの犬たちが苦労しながら引っ張るのに応じて、少しずつ前に移動するだけだった。中ほどにいる子犬は観察しているようだった。仕事を心得ている先頭のおとなたちの姿が、彼らにどれくらい見えたかは不明だが、すぐ前で綱を引っ張っている子犬たちのようすは見えていたにちがいない。ベテラン犬たちの間近にいる子犬から列の最後尾の子犬まで、一頭また一頭と波のようにうねりながら、犬たちはハーネスに体をあずけ、自分の前の犬が進む方向へと綱を引っ張りはじめた。キャンキャン、クンクン高啼きしたり、吠えたり、うなったりする子犬たちの騒がしい行進になった。群れの子犬が全員前へ向かって綱を引くようになるまでに、三十分以上はかからなかった。チームが動きを止めると、子犬たちはブルッと体を振ったが、チーム・リーダーから目を離さなかった。リーダーがふたたび立ち上がると、子犬たちもすぐにハーネスに体重をあずけ、全身の力をこめて先頭の犬が進む方向へ綱を引っ張った。彼らがリーダーの犬たちが発する合図を受け取っていることは明白で、一時間ほどのあいだに、子犬たちは橇犬として最初のレッスンを受けたのだ。そのレッスンは、先輩の犬や、自分のまわりの犬を眺めるというかんたんなものだった。

真似をして学ぶ

この学習方法の基本は、専門的には〝相互模倣的行動〟と呼ばれている——言い換えると、ほかの犬と一緒にいたい、彼らのあとについて、おなじことをしたいという本能に支配される、集団協調行動である。犬は幼いときからほかの存在の行動を真似たがる傾向があり、それは一生にわたってつづく。重要な行動の多くは、こうした組織的社会行動に参加して学習されたものだ。経験を積んだトレーナーは、子犬の訓練にこの素質を利用する。呼んだらそばにくるよう子犬を訓練するときは、走る自分のあとを追わせたあと立ち止まり、近づいてきた子犬に（このときに「来い」という言葉をかける）報奨をあたえるのだ。「つけ《ヒール》」の命令も、子犬は覚えやすい。相互模倣的傾向によって自然にトレーナーの脇を歩こうとするから、散歩に連れていったとき脇についたら報奨をあたえ、「ヒール」という言葉を添えて、子犬にその動作をしっかり認識させる。

犬を飼っている人なら、すでにしつけられた成犬のいる家で新たに子犬を飼うと、ずっとしつけやすいのを知っているだろう。子犬は先輩の犬のあとについていって、呼ばれたらあなたのそばにいくことを覚える。合図に応じて車に乗り込むことも、ほかの犬が命令に応えるようすを見て、かんたんにできるようになる。家の中で粗相《そそう》をしない要領も、子犬が先輩のあとについていき、先輩とおなじ時間に外のおなじ場所で排泄すれば、すぐに覚えられる。

犬は観察をとおしてもっと複雑なことも学ぶようだ。仕事の中にはかなりこみいっていて、有効な訓練のための計画が立てにくいものもある。セント・バーナードの人命救助の仕事がその例だ。この犬種の名前は、スイス・アルプスのスイスとイタリアを結ぶ道の途中にあるサンベルナール修道院にちなんでいる。修道院は、冬のあいだ風や寒さや吹雪や雪崩から旅人を守る避難場所になっており、ここの修道僧と犬たちが何千人もの人を救った。この救助犬は、三頭一組で仕事をする。行き倒れの旅人が見つかると、二頭がその脇に寄り添って体を温め、一頭が修道院に帰って緊急事態を知らせ、修道僧と一緒に現場にもどってくる。この犬たちはとくに訓練を受けるわけではない。実際の話、このような仕事を犬に教えられる人は、誰もいないだろう。若い犬は、ひたすら先輩の犬たちと連れ立って巡回するあいだに、すべきことを学びとるのだ。自分の専門は行き倒れの人のかたわらに寄り添うことか、それとも助けを呼びにいくことかという仕事の分担にいたるまで。

観察だけから学ぶ

犬はほかの犬を見て、一緒に行動しながら学ぶが、自分はなにもせず、ほかの犬の行動をひたすら観察することによっても学ぶ。その事実をわかりやすく優雅に証明してみせたのが、スタテンアイランドにあるニューヨーク市立大学のレノアとヘルムートのアドラー夫妻だった。二人はダックスフントの子犬たちを二頭一組で実験した。まず食べ物の入ったカートを線路の上に置く。つぎに〝デモンストレーター〟と呼ばれる片方の子犬に、そのカートに結んだリボンの端をくわえさせる。子犬はそのリボンを引っ張ってカートをケージに入れられたら、食べ物がもらえる。それを自分で考えだすのが問題である。そして〝観察者〟と呼ばれるもう片方の子犬は、金網で仕切られたとなりの囲いからこの学習プロセスを眺めている。五回これがくり返されたあとで、観察者の子犬にリボンが渡された。デモンストレーター役だった生後六十日の子犬たちは、平均五百九十五秒で問題を解いたが、観察者の子犬たちは平均四十秒しかかからなかった。デモンストレーターの十五分の一の時間で問題を解決したというのは、たしかに観察をとおして学習していたせいだろう。

使役犬の訓練に、観察学習がいかに有効かを実証したのが、プレトリアの南アフリカ警察犬学校で麻薬探知犬として育てられたジャーマン・シェパードだ。ここではある犬のグループに特殊な実験がおこなわれた。その犬たちは生後六週から十二週までのあいだ週に数回、母犬が麻薬の入った袋を探し、見つけて取ってくるようすを眺めた。子犬が幼いときは、袋は彼らの犬小屋の近くに隠された。少したつと彼らが毎日運動に歩く道の脇に隠された。母犬はそのたびに麻薬を見つけだし、子犬たちは母親がほめられ報奨をもらうのを見た。こうして子犬たちは、母親が学習した行動を六週間のあいだに十四回眺めた。

生後十二週のとき、子犬たちはみな母親から引き離され、ハンドラーのもとで警察犬の標準服従訓練を受けた。どの子犬もそれまで麻薬に直接ふれたことはなく、このプログラムでは回収訓練《レトリーブ》を受けなかった。彼らが生後六か月になったとき、隠された麻薬の袋を見つけて回収してくる能力が、レトリーブ訓練を修了した犬たちが受けるのとおなじテストで試された。テストは五種類あり、それぞれ二点ずつで最高は十点になる。テストで調べられたのはつぎの五つの項目だった。（1）麻薬の袋にたいする注意力と、回収への興味、（2）隠された袋への近づき方、（3）袋の見つけ方、（4）袋の拾い上げ方と運び方、（5）まっすぐハンドラーのもとに袋を持ち帰るかどうか。犬がこの仕事になんの興味も能力もしめさなければ、結果は零点。麻薬をすぐに探しだしてもってくれれば、十点になる。

テストの結果は驚くべきものだった。ふつう九点から十点をとるのは、麻薬犬として完全な訓練を受けた犬だ。子犬が十点をとれなくてもふしぎはない。だが、母犬の仕事ぶりを見ていただけで、実際には麻薬探知の訓練を受けていない二十頭の子犬のうち四頭が九点をとったのだ！　訓練を受けていない子犬としては、南アフリカ警察犬学校はじまって以来の最高得点だった。五点以上が麻薬犬としての適性基準だが、この子犬たちの八十五パーセントが五点以上を獲得した。母犬の仕事を見せたりせず、ふつうに育てられた場合だと、適性ありとされる子犬はわずか十九パーセントだ。ほかの犬の行動を観察するだけで犬が学習することをしめす、強い証拠と言えるだろう。

犬は人間の動作も読みとる

犬はほかの犬を観察して学習するが、犬は人間と間近に接して生きているから、犬の社会学習では人間もまた手本になりえる。犬が人間を手本や情報源とするためには、人間が使う合図にたいして敏感であることが条件になる。最近の研究では、たしかにそれが言えそうだ。犬を飼っている人なら、リードが下がっている方向にちらっと目をやっただけで、ラッシーやフィドが散歩を期待してドアに向かうという経験をしたことがあるだろう。これは犬の飼い主にはおなじみの光景でも、科学者にとっては重要な意味がある。犬がどんなふうにものを考えているかが、よくわかるからだ。第一に、犬は人間のボディーランゲージを読みとっている。第二に、犬は人間の行動やしぐさが世の中やつぎに起きることについて、情報を伝えると考えている。だとすれば、犬は人間の行動からえた情報で、ほかの犬からの情報を使うときとおなじように、問題を解決することもできるはずだ。

一九九〇年代のなかばから、犬の〝社会認知力〟、つまり犬にどれほど社会的信号が読みとれるかについて研究が進んでいる。人間はその信号が反射的に読みとれる。たとえば、自分と話している相手がしきりに腕時計に目をやりはじめたら、そろそろ話を切り上げるべきだとわかる。研究によると、犬は驚くほど社会的信号をよく読みとる。長いあいだ私たちは、犬が社会的信号から引き出す情報は、気分にかかわることだけだと考えてきた。たとえば、犬仲間や人間が不快感をもち、攻撃にでようとしているときは、犬にもそれが伝わる。そして犬は、人間が犬の信号を真似てもそれを社会的信号として読みとる。たとえば、サウサンプトン大学の人類動物学研究所の研究者は、人間が犬の遊びのおじぎを真似て床に両膝をつき、両手の肘までを床につけ、姿勢を低くすると、犬のほうもおなじおじぎで応え、遊びはじめることを実証した。同様に、人間が突進の真似をしても、犬は遊びの合図として反応する。

〈犬にとって読みとりやすい動作は？〉

犬は犬の〝デモンストレーター〟の動作を見て仕事を学べるように、人間の動作を見て、自分の行動にたいするヒントを引き出せるだろうか。それを調べる方法はかんたんだ。まずバケツのような入れ物を二つ床に伏せておく。つぎに、犬に見せないようにしながら、その片方の中に食べ物を入れる（両方のバケツに食べ物の匂いをこすりつけておき、匂いのちがいはないようにする）。あなたは二つのバケツのあいだに立つ。犬が入ってきたら、どちらのバケツに食べ物が入っているか、合図を使って伝える。もっともわかりやすい合図は、食べ物の入っているバケツを叩くことだ。ややわかりにくいのは、腕でそちらを指し示すこと。それ以上にわかりにくいのが、首や体を食べ物があるバケツのほうに向けること。もっともわかりにくいのが、首は動かさずに目だけ正解のバケツのほうに動かすことだ。犬が正しいバケツを選んだら、報奨として中の食べ物をあたえる。

特定の場所に食べ物があることを、人間の動作から読みとるのは、かんたんなことに思えるが、じつはそうではない。サウスウェスタン・ルイジアナ大学の心理学者、ダニエル・J・ポヴィネリの研究によると、人間にもっとも近い動物であるチンパンジーは、意外にもこの仕事が非常に苦手なのだ。人間の三歳児もあまりうまくないが、チンパンパンジーよりは上手だ（ただし、どちらもこの仕事を素早く学びとる）。ハーヴァード大学の心理学者ブライアン・ヘアがおなじテストをおこなったところ、食べ物のある場所をしめす合図を、犬はチンパンジーの四倍早く読み解いた。そして人間の子供とくらべると、犬の正解率は二倍だった。

では、この犬の才能はどこからくるのだろう。まず考えられるのは、群れで狩りをする狼の子孫である犬が、狩りで協力しあうよう進化する中で、社会的信号を読みとる能力を身につけたのではないかということだ。だが、ヘア教授がマサチューセッツで実験した結果では狼はチンパンジーより成績がわるく、犬よりはるかに点が低かった。では、犬に人間の信号が読みとれるのは、人間の家族と一緒にすごし、人間を眺める機会が多いからだろうか。だとすれば、人間の里親に引き取られる前の、まだきょうだいたちと一緒にいる幼い子犬は、社会的信号を読みとるのが下手なはずだ。だが、これもまた正解ではない。まだ母犬やきょうだいと暮らしている生後九週の子犬でさえ、信号の読みとりにかんしては、狼やチンパンジーよりもずっと優秀である。結論として、この能力は狼の祖先から受け継いだものではないと同時に、身につけるために人間との接触がそれほど必要とされるわけでもなさそうだ。

というわけで相変わらず、「人間の信号を読みとる先天的な能力を、犬はどこで手に入れたのか」という疑問が残る。そしてもう二つ仮説が立てられる。どちらも家畜化の過程の中で、犬に起きた変化と関係がある。たしかに、飼い主の意思や希望を読みとれる犬のほうが、人間社会では生き延びられる可能性が高かった。つまり、社会的信号を読みとる能力が生存をうながし、子孫を残す可能性につながった。ここで疑問が生じる。家畜化のために選ばれた犬は、人間の信号を理解できるから選択されたのだろうか。それともこの能力は家畜化のプロセスの中で、たんに副産物として生まれたものなのだろうか。

どちらの説をとっても説明はつく。人間が自分たちのボディーランゲージを理解する犬を好きになり、そういう犬とのほうがきずなを結びやすかったのは当然だろう。そして家畜化ではたいていよく言うことをきく、扱いやすい犬が選ばれた――少なくともそのほうが安全であり、攻撃性のある犬はしだいに排除されていった。そして人間の信号を読みとり、その行動から情報をえる能力は、家畜化の副産物でもあった。おだやかで注意深い犬のほうが、微妙な社会的信号をたくみにキャッチできたのだ。

犬は人間にヒントを求める

犬が人間の行動から引き出す情報は、じつに多種多彩で重要である。ハンガリーのエトヴェシュ・ロランド大学のペーテル・ポングラーチとその研究チームは、報奨を手に入れる道を探しだす問題で、犬が人間の行動を見て、解決法を学びとるかどうか実験した。実験に使われたのは大きなV字型のフェンスで、Vの先端が犬の目の前にくるように置かれ、その先端の内側にごちそうが入れられた。心理学ではこのような状況は、

〝迂回《うかい》の問題〟と呼ばれている。目標を達成するために、動物に迂回が要求される問題である。この実験の場合、犬が目標のごちそうに到達するためには、いったんV字のフェンス沿いにかなり遠くまでいってから、フェンスの内側に入り、もとの場所に近いところまでもどらねばならなかった。たいていの場合、最初は遠回りという問題を解くのに苦労するが、試行錯誤を重ねてやがては目標を達成する。だが試行錯誤の学習には時間がかかり、犬は少なくとも五、六回フェンスのまわりをうろうろして、ようやく「あ、そうか！」と気づく。いったん理解すれば、その後は食べ物まで素早く到達できるようになる。V字の先端近くに小さな扉が開いていれば、犬は遠回りするときよりも、ずっと早く問題を解決できる。

ここで犬にただうろうろさせて問題を解決させるかわりに、人間が正しい道順をとるようすを眺めさせてみると。犬は人間の行動から学習し、五、六回の試行錯誤のかわりに、たった一回で問題を解決する。しかも、フェンスの扉が開いていて問題解決に近道があっても、人間のすることを見ていた犬は、その近道をとらずにフェンスをぐるりとまわり、人間がとったとおなじ道順で目標まで到達する。もっと早くごちそうにありつける方法（開いた扉）を自分で探そうとせず、人間の手本にしたがうのだ。

このハンガリーの研究チームは、犬が飼い主の動作を見て、さまざまなものの使い方を学ぶことも実証している。実験に使われたのは、把手《とって》のついた箱だった。水平に突き出た把手を左か右に押せば、ボールが箱から転がりでてくる。だが、箱を強く叩いたり、ひっくり返したりして、ボールをだすことも可能だ。

デモンストレーションのときに、飼い主はカラーを押さえて犬に箱を見させた。つぎに飼い主は「わたしの手を見て！」と言いながら、犬の注意を把手に向けさせた。犬の目の前で飼い主は把手を押し、犬はボールが転がりでるのを眺めた。報奨として、飼い主は犬とそのボールでしばらく遊んだ。このデモンストレーションは、十回くり返された。実験の目的は、犬が箱からボールをだすために、自分で観察した飼い主の行動を真似るかどうか調べることだ。

ここで注意しないといけないのは、デモンストレーターの動作が観察者（犬）の注意を、特定の部分にのみ引きつけてしまう〝局所的強調〟という現象である。犬の注意が把手に集中した場合は、いざ犬にやらせてみても、その突き出た部分をたんに嗅ぎまわることによって押してしまう可能性が高くなる。実験ではこの現象が結果に入り込まないように、もう一つのグループを設け、そこでは飼い主が「わたしの手を見て」と言いながら、把手に指でふれるだけで、実際には押さなかった。当然ながらこの場合は、ボールはでてこず、飼い主とのボール遊びもなかった。

デモンストレーションが終わったあと、犬に三回テストがおこなわれた。六十秒のあいだに箱からボールをだす（そして遊んでもらう）という内容だった。そしてたしかに、犬が飼い主の動作を見て、箱の操作のしかたを学習したことが実証された。

「把手を押す—ボールがでる—報奨がもらえる」がおこなわれた第一のグループでは、

大多数の犬（七十七パーセント）が、テストで三回とも箱に近づいて把手にふれ、その他の犬も、最低一回は把手にふれた。かたや飼い主が把手を押すのを見なかった第二のグループでは、三回のテストで把手にふれた犬はわずか十六パーセントで、五十三パーセントは一度もふれなかった。第一のグループでは、六十五パーセントの犬が実際に把手を押してボールをだした。かたや第二のグループでは、三回のテストのあいだにボールをだした犬はわずか六パーセントだった。飼い主が把手を操作してボールをだすのを見ていた犬は、報奨にありつく確率が十倍以上あったのだ！

べつの研究では、犬と狼のちがいもしめされた。道具の操作のしかたで、自分では解けない問題に直面すると、犬は人間の顔を見上げ、人間の行動からヒントをえようとする。かたや狼は、人間に馴れて一緒に暮らしている場合でも、ヒントを求めて人間の顔を見たりはしない。犬は、みずからそれを求めているために、人間から多くの情報を引き出せるのだ。

犬は人間の会話にも聞き耳を立てている

最近、動物の認識力の研究では、〝社会脳仮説〟と呼ばれるものに関心が高まっている。知能が進化し複雑になった大きな原因の一つは、脳が社会的問題を解決するよう設計されているからだという説である。動物が生きる社会構造が複雑であればあるほど、高い知能が要求され、脳が社会的問題を指向するようになる。人間はもちろん社会的動物であり、多くの時間を個人や社会にかんする情報交換についやす。

人びとの考えやコミュニケーションの中心が社会的問題であるとすれば、私たちがほかの人の話を聞いたり、動作を見たりして学習することが多いのも当然だろう。それとほぼおなじことが、犬にも言える。私たちは社会的ことがらにたいする犬の興味と、私たち自身の言葉や視覚的信号を使って、犬に学ばせることができるのだ。イギリスのデモントフォート大学動物学部のスー・マッキンリーとロバート・ヤングは、物や行動と結びつく〝レッテル（名称）〟を犬に学習させる試みをおこなった。ある人間とトレーナーとが協力しあうようすを犬に眺めさせて、レッテルを学習させたのだ。犬にとってその人間は、望ましい行動をする手本であると同時に、トレーナーの注目を集めるライバルでもある。犬の社会的興味は、ライバルの存在で刺激され、より強くなりがちだ。犬はライバルが知っていることを知りたがり、自分もトレーナーから報奨をもらいたいと考える。

研究者たちは、無作為に集めた犬とその飼い主のグループで実験をおこなった。犬に要求されたのは、名称で特定の玩具を識別し、命令に応じてとってくることだった。二組のゴム製の玩具が使われた。一組は三つの赤いゴムの玩具（長靴、消火器、イチゴ）で、もう一組は三つの黄色いゴムの玩具（サクソフォン、歯ブラシ、ハンマー）だった。三つの玩具の大きさはいずれも十五センチから二十センチ。この二組の中から、無作為に玩具が一個選びだされる。玩具の名前をあげて命令されたら、犬がそれをとってくるのだ。実際の実験では玩具にそれぞれ特別な名前がつけられたが、ここでは読者の混乱を避けるため、物そのものの名称を使うことにする。

どの犬にも、この作業は二種類の方法を使って教えられた。一つは標準的な訓練法だった。たとえば犬に黄色いゴムのハンマーをとってこさせる場合、その行動をシェーピング、すなわち行動内容をこまかくわける方法で教えたのだ。まずゴムのハンマーだけを床に置き、犬が鼻でハンマーにふれたら、報奨をあたえた。つぎに犬がハンマーを口にくわえたら、報奨をあたえ、最終的には「ハンマーをとってこい」と実験者が命令して、その玩具をもってきたときにだけ報奨をあたえるようにした。命令に応じて三つの玩具をそれぞれ正しくもってこられるようになったら、犬がこの作業を「覚えた」とみなされ、テストがおこなわれた。黄色いゴムの玩具を三つとも床にならべて、「ハンマーをとってこい」と命令したのだ。作業を覚えるまでにかかった時間で、訓練の有効性が測られた。

もう一つの「手本《モデル》＝ライバル」の訓練法では、犬にトレーナーとモデルになる人物との〝会話〟を見させた。犬はリードにつながれ、座っているトレーナーとその相手から五十センチほど離れた場所に待機させられた。犬の目の前には玩具が一つと、それについて脚本どおりの会話を交わす二人の人物がいるだけだ。人間の場合の研究で、会話では最後に言われた言葉がもっともよく記憶されることがわかっているので、玩具の名前がかならず最後にくり返された。たとえば犬に識別することが要求される玩具が赤い長靴だった場合、会話はこんなふうになった。

トレーナー：見えるかい？　この長靴（と言って、モデルに長靴を渡す）
モデル：うん、見えるよ。ありがとう、長靴を（と、トレーナーに長靴を返す）
トレーナー：あとでまた返してくれるかい、この長靴（もう一度長靴をモデルに渡す）
モデル：ありがとう、すばらしい長靴だね（もう一度トレーナーに長靴を返す）

といった会話が元気よくはずんだ感じで交わされ、二人とも視線は玩具にそそぎながらも体は犬のほうに向けて、やりとりされる玩具に犬の注意を引きつけた。会話がつづくあいだ、犬は玩具にふれさせてもらえなかった。二分ほど会話を眺めたあと、犬は「長靴をとってこい」という言葉とともに、三メートルほど離れたところに置かれた長靴をとってくるよう命令された。犬が失敗したら、訓練がもう一度くり返され、訓練にかかった時間にそのぶんが加算された。犬が成功したら、テストとして赤い玩具を三種類ともならべたうえで、「長靴をとってこい」と命令した。

この実験から、犬には二人の人間の会話を眺め、言葉を聞くだけで学習できることがわかった。そして訓練にかかった時間も、この作業を実行するスピードや正確さも、標準的な訓練で学習した場合と会話を聞いて学習した場合とでは、ほとんど差がないことが証明された。

このことは、犬と人間とのかかわりを考えるうえで重要な意味がある。あなたの犬はいつもあなたの行動を見ているのだ。あなたが犬のビスケットを取り出すために床とおなじ高さにある戸棚を開けたとしたら、あなたは犬にビスケットがどこにあるか、そして戸棚の扉はどうすれば開けられるか、教えているのだ。いまこの瞬間にも、犬はあなたを眺め、声を聞き、学習しているかもしれない。

13　アートする犬たち——犬に芸術や科学はわかるか

心理学によると、人間には二つの思考形態があるという。一つは左脳がつかさどる分析的、論理的、数学的な思考、もう一つは右脳がつかさどる芸術的、創造的、音楽的、感情的思考だ。人はみなどちらかの思考形態が支配的であり、分析的で合理的な左脳型の人と、情緒的で美の方向に傾きがちな右脳型の人がいるのはたしかなようだ。では、犬にも芸術的な思考があるのだろうか、それともたんに実際的な問題を合理的に解くだけなのだろうか。

犬とダンス、犬と歌

私は「犬のフリースタイル競技会」で、音楽にあわせて優雅に踊る犬を見たことがある。そして、犬の訓練でバックに音楽を流して楽しげな雰囲気を作り、犬のやる気を高めている例もある。私自身が音楽を取り入れたフリースタイル競技会に参加したのは、ヴァンクーヴァーで、一九九二年と九三年のことだった。最初の年はわが家のケアーン・テリア、フリントと、ほかの参加者の犬であるスタッフォードシャー・テリア、シェットランド・シープドッグ、イングリッシュ・コッカーの四頭が音楽にあわせて演技をし、翌年は六頭が一緒にリンクの上で演技をした。そのときは犬にダンスをさせるつもりではなく、ただ趣向を凝《こ》らして犬の能力を披露しようとしただけだった。そして実感したのは、犬たちの動作がまったく音楽のリズムにあっていないことだ。しかも最初の年に選んだのはバグパイプの音楽で、明確なリズムがなかった。だが現在の競技会では、動きがみごとにリズムにあっていて、まるで踊っているように見える犬もいる。犬にはリズムにあわせて踊れるような、音楽性があるのだろうか。フリースタイル競技協会でさえ、そこまでは考えていない。協会の会報にははっきりとこう書かれている。「フリースタイルの演技では、犬のリズムにふさわしい音楽が選ばれている」つまり、犬の動きに犬本来のリズムがあることを認めているのだ。犬のなかにはアップテンポのダンスのように高々と飛び跳ねるものもいるし、クラシック・バレエのようにしなやかで優雅な動きを見せるものもいる。訓練によってある程度犬本来の動きを調整することはできるが、犬は人間のようにリズムにのって動くことはできない。犬が音楽にあわせて踊っているように見えるのは、犬本来の動きにあった音楽が選ばれているからにすぎない。音楽を変えてみれば、犬が音楽のリズムにではなく、ハンドラーの動きに反応しているのがわかるだろう。

犬がダンスをしないとすれば、ではほかの音楽的能力はどうだろう。犬は歌えるだろうか。音楽を聞いて楽しむことはできるだろうか。

犬の遠吠えを、犬の音楽的能力のあらわれと受け取る人がいる。人が演奏したり歌ったりしていると、犬が一緒に遠吠えをすることがあるからだ。狼にくらべると犬は吠えるほうが多く、遠吠えはあまりしない。だが犬にとっても遠吠えはコミュニケーション手段で、ほかの犬の遠吠えを聞くと自分も返事を返す。犬は音楽にあわせて遠吠えする場合、管楽器、それもクラリネットやサクソフォンなどの木管楽器に反応することが多いようだ。また、長くのばしたヴァイオリンの音や人間の歌声も、遠吠えを誘う。これらの音の響きが遠吠えに似ていて、自分も返事をしなくてはと思うからだろう。

調子はずれの歌は犬にも嫌われる

犬と人間のデュエットでもっとも有名な例は、一九六七年の、アメリカ大統領の逸話だろう。リンドン・ベインズ・ジョンソン大統領は、ユキというつつましい名前の白い雑種のテリアをとてもかわいがっていた。私は全米ネットワークのニュース番組が放映した映像を覚えている。ジョンソンはホワイトハウスの執務室で大統領の印章を背景に座っており、膝にはユキがいた。そしてジョンソンはウェスタンを一曲と、オペラのアリアを歌った。どちらも恐ろしく調子がはずれていたが、その歌声にあわせてユキが楽しげに元気いっぱいの遠吠えをしたのだ。このデュエットを、新聞はこきおろした。音楽評論家は、大統領が犬にオペラを遠吠えさせたのは、クラシック音楽にたいする侮辱だといきどおった。ほかの人たちはこの場面が大統領のイメージと、彼の仕事にたいする人びとの敬意をそこなったのではないかと考えた。だがジョンソンは犬との〝歌〟を楽しみ、どう言われようと動じなかった。彼は自慢げに新聞記事を見せながら、こんなことまで言ったのだ。「酷評ばかりじゃないぞ。ほらここに、私の歌が犬とおなじくらいうまかったと書かれている！」

ジョンソンは犬と音楽を楽しんだ唯一人の大統領ではなかった。一九三六年に、フランクリン・デラノー・ローズヴェルトは、全米アマチュアボクシング選手権大会の優勝者、〝スタビー〟ことアーサー・スタッブズと彼のブル・テリア、バドをホワイトハウスに招いた。のちに彼は、スタビーが弾くバンジョーにあわせて、バドがスティーヴン・フォスターのメドレーを歌ったと語った。残念ながら、この演奏は録音されていないが、ローズヴェルト夫人エリノアが述べた感想は残っている。「あれが音楽と言えるかどうかはわかりませんが、おもしろいものでした」

バドの歌声を批評したローズヴェルト夫人とおなじように、犬も人間の歌にたいして手厳しいという説もある。ジョン・スタインベックの有名な小説にもとづいてカーライル・フロイドが書いたオペラ、『ハツカネズミと人間』の舞台にかかわる逸話をご紹介しよう。このオペラがカリフォルニア州サンノゼの劇場で上演されたときのことだ。物語には、犬が撃たれる重要な場面がある。そこで制作者側は本物の犬をだすことにした。

ジェシーという名の犬で、よく訓練されてはいたが、所定の場所にかならずいてくれるかどうかは心もとなかった。不意に立ち上がって歩きだしたり、袖に引っ込んでしまうことも多かったのだ。ある日のリハーサルで、演出家のリリアン・ギャレット＝グローグは、一人の歌手がタイミングをはずしがちで、だいじな場面を台無しにしかねないのにいらついていた。百回ほどもおなじ箇所をやり直したあげく、歌手がまたもや音をはずした。そのときジェシーは、つと立ち上がると歌手のそばにいき、彼の靴におしっこをかけた。ギャレット＝グローグは演奏を止めさせ、誰かがモップをとりに走った。そして演出家はかたわらのスタッフにこうささやいた。「あの犬は行儀がわるいかもしれないけど、音楽的な耳はたしかね！」

もっと現実味のある話へと移ろう。犬が人間のように音楽を作りだせるとは言えないが、犬にも音楽にたいする好き嫌いがあり、いい音楽を構成する要素を感じとるという報告は数多くある。ロンドンのヘレフォード聖堂のオルガン奏者ジョージ・ロビンソン・シンクレア博士は、作曲家のサー・エドワード・ウィリアム・エルガーの友人で、ダンという名のブルドッグを飼っていた。シンクレア博士はエルガーが家を訪れると、彼に作曲用の部屋を提供した。エルガーはダンには音楽的センスがあると考え、とてもかわいがった。ダンはご主人が聖歌隊の練習をするときにそのかたわらに控え、聖歌隊員が音をはずすとうなり声をあげるので、エルガーはいたく感心したのだ。

やがてエルガーは犬に捧げる音楽まで書いた。それにはこんないきさつがあった。ブルドッグにはそういう犬が多いが、ダンは水に浸かるのが大嫌いだった。そのダンがある日、ワイ川の土手を散歩中に川に落ちた。大慌てで岸に這い上がると激しく全身を揺すって水をはねとばし、シンクレア博士とエルガーをびしょ濡れにさせた。このできごとをおもしろがった博士は、これを音楽で描けばいいとエルガーに言った。受けて立ったエルガーは、家にもどると早速曲を書きはじめ、それが〈エニグマ〉変奏曲の中の一曲（第十一曲）になった。というわけで、調子のはずれた声に敏感だったダンは、音楽の中で不滅の存在となったのだった。

犬の好みの音楽は？

楽劇〈ニーベルングの指輪〉で知られる作曲家リヒャルト・ワーグナーは、犬に音楽がわかると強く信じていた。彼が飼っていたキャバリア・キング・チャールズ・スパニエルのペップスは、ワーグナーが作曲しているときはいつもそばにいた。専用のスツールまで用意されたペップスは、ワーグナーが作曲しながら曲をピアノで弾いたり口ずさんだりするのを聞いていた。ワーグナーはしじゅう犬に目を配り、その反応を見て書き直すこともあった。彼はペップスの反応が音楽の調性によってちがうことに気づいた。たとえば、変ホ長調の旋律を聞くと静かに尾を振り、ホ長調になると興奮したように立ち上がるのだ。そこからワーグナーの頭にあるアイディアが芽生え、最終的に「ライトモチーフ」と呼ばれるものが生まれた。オペラの中の特別な気分や感情を特定の調性と結びつけて作りだされた、音楽的動機《モチーフ》である。たとえば、オペラ〈タンホイザー〉では、変ホ長調が清らかな愛と救済に結びつき、ホ長調は官能的な愛と歓楽に結びついている。その後書かれたすべてのオペラで、ワーグナーは重要な人物などオペラのさまざまな要素をあらわすのにライトモチーフを使うようになった。ペップスが死んだとき、ワーグナーは打ちのめされ、おなじ犬種の新しい犬を飼うまで作曲が手につかなかった。第二の犬フィップスも、ワーグナーのピアノの横に置かれた専用スツールに陣取って、必要なときは犬の音楽センスと鋭い耳でご主人の手助けをした。

犬はたしかに音楽にたいする好き嫌いがあり、音楽によって反応のしかたがちがうようだ。北アイルランドのベルファストにあるクイーンズ大学の心理学者デボラ・ウェルズとそのチームは、動物保護施設にいた十頭の犬に、さまざまなタイプの音楽を聞かせてその反応を観察した。聞かせたのは、ポピュラー（ブリトニー・スピアーズ、ロビー・ウィリアムズ、ボブ・マーレーなど）、クラシック音楽（グリーグの〈ペール・ギュント〉からの「朝」、ヴィヴァルディの〈四季〉、ベートーヴェンの〈歓喜の歌〉など）、そしてメタリカなどのヘヴィメタルロックだった。楽音にたいする反応かどうかをたしかめるために、人間の会話を録音したテープを聞かせたり、しばらく静かにしたりもした。

犬たちは流れてくる音楽によって、ちがう反応をしめした。メタリカなどのヘヴィメタルの音楽を聞かせると、犬はかなり興奮して吠えはじめた。ポピュラー音楽や人間の会話を聞いたときの行動は、なにも音がしないときとあまり差がなかった。クラシック音楽は、犬の気持ちを鎮める効果があるようだった。クラシックを聞いているとき、犬はほとんど吠えなくなり、寝そべって落ちつく犬も多かった。ウェルズはこう結論している。「音楽が人の気分に影響をあたえることは、よく知られている。たとえばクラシック音楽はストレスを鎮め、荒々しいロックは敵意、悲しみ、緊張、疲労を増加させる。音楽の好みについては、犬も人間とほぼおなじと考えていいようだ」

犬の画家たち

もちろん芸術は音楽だけではない。犬は色にたいする識別能力に限界があり、視力に弱点もある。だが犬たちがビジュアル・アートを楽しんでおり、創造意欲まであると言う人びともいる。

ヴィターリ・コマールとアレクサンドル・メラミッドの二人はモスクワ生まれの画家で、皮肉たっぷりのパフォーマンス・アートで知られている。一九七〇年代のはじめに、彼らは、当時の社会主義レアリズムに反する展示をおこなったとして、モスクワ芸術家組合から追放された。やがてソ連から亡命してニューヨークに渡り、自分たちがエルサレムで見つけた野良犬で犬の芸術性を実証すると発表。一九七八年には、この犬を使って『イヌ・アート：犬に絵を教える』と題したパフォーマンスをおこなった。だが二人がとった手法は、実際に犬の芸術能力をしめすものとは言えなかった。やったことといえばおもに犬の前足をインクに浸けて、画用紙に何度も押しつけることだったのだ。最終的には、モデルとして犬の前に置かれた鶏の骨に似たパターンができあがった。コマールとメラミッドの共同制作者である犬は、自分がなにをしているのかわかっていず、犬のアーティストというより、人間の画家に絵筆がわりに使われただけだった。だがコマールとメラミッドは、できあがった作品を、犬に絵が描ける〝証拠〟であり、あらゆる動物にひそむ芸術創造への本能をしめすものだと主張した。二人は猿の芸術家とも仕事をし、最近はタイで象の芸術学校をいくつか開設している。

画家としての犬の才能をもっと説得力のある形でしめしたのが、ニューヨークのジャック・ラッセル・テリア、ティリーことティラムク・チェダーで、彼女は〝個展〟も何度か開いている。その画風は、クレヨンを使って描いた場合のジャクソン・ポロックを思わせる抽象画である。作品の多くはうねる線や格子模様が画面の中央からはじまっていたり、一か所に固まっていたり、濃淡がつけられていたりする。斑点もたくさんあり、近くに寄って見ると、犬の歯形のようでもある。

ティリーが絵を描くときは、飼い主でティーン向けロマンス小説作家のボウマン・ハスティーの手で、あらかじめ下準備がなされる。彼はまず台紙を用意し、その上にアクリル系の転写紙をかける。タイプライターで使われるカーボン紙に似ているが、赤、青、黄色、黒、白と色の数が多い。ハスティーは転写紙をテープで台紙にとめる。これが記録紙の役割をはたし、ティリーが上から押したら下の台紙に写るしくみだ。この〝キャンバス〟をあたえられると、ティリーはすぐに仕事にかかる。正確に言うなら、仕事に襲いかかる。彼女は紙の端をかじり、激しく表面を引っかきはじめる。ティリーが爪と歯でひとしきり裂いたり引っかいたりしたあと、ハスティーは完成と判断したところで紙を取りあげ、転写紙の残骸をとりのぞく（ほとんど跡形もない部分もある）。そこにはティリーが引っかいて作った、日輪のような模様ができている。

この工程全体にいささか疑問をもちながらも、作品に「ある種の素朴な魅力」を認めた一人の記者は、どこまでがティリーの力で、どこからがあなたの創作かとハスティーに訊ねた。ハスティーはこう答えた。「人間の画家のために助手を務めたとしても、私はおなじことをするでしょう。私の仕事は材料をそろえ、キャンバスを広げ、絵具を用意し、雑用を引き受け、掃除をすることです。ときには画家をはげますことも、画家が自分の作品にきびしくなりすぎないように、ストップをかけることもあります——つまり、もっとうまく描けるはずだと紙を破ってしまう前に、作品を彼女から取りあげるのです。でも、創造力をそそいで作品を作りあげるのは、すべてティリーです」

二〇〇二年には、なんとニューヨークのナショナル・アーツクラブがティリーの作品の展覧会を開いた。コラボレーションによる特別の展覧会で、二十六人の画家がティリーの描きかけの作品を〝仕上げ〟たり、ティリーが描いたものを大作の中に入れ込んだりした。私はその展覧会で出会ったニューヨーク大学の美術部教授に、ティリーの作品は本当に芸術と言えるだろうかと訊ねてみた。

「ええ、そう思います」彼は言った。「ジャクソン・ポロックの作品をご覧なさい。彼は後期の作品を絵画ではなく、自分の行動の記録だと考えていました。自分はたんに自分の動作を振りつけているだけで、その結果飛び散ったり、したたったりした絵具のあとが芸術になったのだと」

「でも」と私は反論した。「ポロックは、自分が芸術的な創造にたずさわっていることを自覚していました。自分は絵を描いているという自覚があり、その結果がグラフィクアートになることもわかっていた。でも、ティリーにはたして創造にたいする自覚とか、美意識といったものがあるのか、疑問に思いますね」

「ええ、でも世界のどこかで、原始的な部族のメンバーが宗教儀式で使う仮面を作っている場合。彼は自分が芸術品を作っているとは思わず、儀式のための道具を作っていると考えるでしょう。でも、その仮面を私たちは〝芸術的〟だと感じ、現代アーティストが画廊で売るためにおなじスタイルで作った仮面と区別して考えません。つまり作り手の意図は、作品が芸術的に見えるかどうかという問題と、ほとんど関係ないのです。芸術的価値は、見る者の目にやどるわけです」話しているあいだ、教授は黒をバックに赤と白の線が描かれたティリーの作品をずっと見つめていた。彼はタイトルと作品番号と価格が記されたカードに目をやり、メモをとるとポケットにしまいこんだ。芸術かどうかはさておき、絵を見る教授の顔に浮かぶ微笑みから察するに、ティリーの作品が教授のコレクションの仲間入りをすることは確実のようだった。

犬のグラフィックアートと彫刻

犬の芸術作品をもっとも大規模に集めたのが、ニュージーランドのヴィッキー・マティソンだろう。彼女は作品を写真に撮り、『犬による作品集』として出版した。マティソンは心理学の学位をもち、みずからをアーティスト、教師、ジャーナリスト、そして犬のトレーナーと名乗っている。彼女は保護施設から引き取られたロットワイラーとラブラドール・レトリーバーの雑種、ティッチの行動をたまたま見る機会があり、引きつけられたという。

ティッチを引き取ったのは、動物保護施設で働くベラで、彼女が絵を描くティッチの姿をマティソンに見せたのだ。犬は長い棒をくわえて、砂の上に〝模様〟を描き、ベラはそれを芸術的行為と考えた。その後間もなく、マティソンが飼っているスタンダード・プードルのミンカが、鳥の羽に夢中になった。ミンカは羽で〝浮遊するオブジェ〟を作りあげ、それを見て楽しんでいるようだった。

その四年後、海岸を散歩していたマティソンは、コーギーとシェットランド・シープドッグの雑種ジェマイマに出会った。ジェマイマは左右対称のパターンを描くように、穴を掘っていた。それを見てマティソンは、これもまた犬による芸術的な試みだろうかと考えた。もっと多くのデータを集めるため、彼女はいくつかの記事で、芸術的な行動をしめした犬を知っている人からの情報をつのった。驚いたことに、そうした行動をする犬を見たという人や飼い主から、百五十五通もの報せがとどいた。犬がテニスボールで変わったことをする例や、証明不可能な例、信憑性《しんぴょう》がとぼしい例は除外した。残った九十三例は、実際に調べてみる価値がありそうだった。そしていっさい不正な操作のないものだけにしぼり、最終的に彼女が写真を撮ったのは四十例になった。彼女の話によると、犬のカラーにレシーバーを忍ばせ、ハンドラーが指示をあたえている不正行為が少なくとも一件見つかったという。そのほかでは、彼女が助手とカメラ機材をもって訪れても、犬がなにもしないことが多かった。

マティソンが出版した写真が本物だとすれば、犬たちはたしかに見ようによっては芸術的な行動をとっている。砂の上に棒切れで模様を描く、砂にらせんのようなパターンで穴を掘る、左右対称に穴を掘る、など。積み上げたオブジェを彫刻と呼べるなら、いちばん多いのは彫刻だ。棒切れや骨をテントのように積み上げたもの、木の葉やブラシの山を、意図したかのように等間隔でならべたもの。とりわけ印象的な〝芸術作品〟は、犬が素材（棒切れ、骨、ロープ、松かさ、石など）を集めてきて、それを円やXや三角など、人間の目に意味をもって感じられるパターンでならべているものだ。ルークというアラスカン・マラミュートは、シロガネヨシの長い葉を星形になるようにならべ、その真ん中に自分自身が寝そべっている。マティソンは明らかにそのすべてを芸術と考えている。「犬にはある種の芸術的意識がそなわっていると思います。そうでなければ、エミリー（スタッフォードシャー・テリア）が、古い骨を完全な円にならべたりするはずがないでしょう。そしてティッチの絵はとてもみごとで、おなじものは二つとありません」

写真集には、芸術的価値という点では疑問がわく作品もある。犬がソックスを金網にかけただけのものや、高い場所に石や骨を運んで、それぞれ間隔を開けて置いたものなどだ。だが、私は結論を急ぎすぎかもしれない。これもまた、フロリダキーズの島をピンク色のビニール・リボンで巻いたクリストとおなじような、犬版の〝インスタレーション〟なのかもしれない。

犬の芸術感覚を語る場合問題になるのは、私たちの手許にあるデータが偶然の観察によるものばかりで、犬がなぜこうした行動をとるのか、理由がわかっていないことだ。犬には美的感覚があり、美を感じとってそうするのだろうか。物を積み上げて山にするのは、巣づくり本能の名残なのだろうか。犬は自分が作ったものをきれいだと感じ、ほかの者の目を楽しませようとするのだろうか。

著名な犬の行動学者でタフツ大学獣医学部教授のニコラス・H・ドッドマンは、これらの作品が芸術だという意見には反対だろう。彼は、犬が長椅子のクッションについているボタンの六つのくぼみに、一つずつビスケットを入れ、七つ目を椅子の脚のそばにそっと置いて、安心したように横になる行動を例にあげている。ヴィッキー・マティソンなら芸術活動と呼びそうな状況だ。ドッドマン教授は、この行動を美に感じた結果ではなく、強迫神経障害だと考えている。人間がこの障害をもつと、物（役に立たない物が多い）を集め、時間をかけて一定のパターンにならべる。たとえば、強迫神経障害の母親は、ベビーベッドをたえずのぞいて、ぬいぐるみの一つを隅に、もう一つを赤ん坊のそばにていねいに置いたりする。このパターンが少しでも乱れるとストレスと不安が生じる。犬がビスケットをクッションの上にならべるのは、芸術感覚のせいか、それとも神経障害のためだろうか。犬の動機がつかめないかぎり、私たちはこの疑問に答えられない。いまのところ言えるのは、美術の教授が言ったように、「芸術的価値は、見る者の目にやどる」ということだけだ。

犬はサイズのちがいを認識する

犬に美的なものがわかると言いきれないとしたら、犬に数学的な知能はそなわっているだろうか。犬は目の前に肉がならんでいても、大きさに関係なく手近にあるものからまず口をつけるので、犬には大きさのちがいがわからないという説もあった。だが、トロント大学の心理学者ノートン・ミルグラムとそのチームは、犬に大きさのちがいが識別できることを実験で証明した。大きさのちがう二つの物が入った皿を用意し、犬につねに大きなほう（あるいは小さなほう）を選ぶよう教えたところ、かんたんに覚えたのだ。そして「おなじ―ちがう」と呼ばれる訓練で、皿に三つの物（二つはおなじ大きさで、一つは大きさがちがう）を入れて大きさがちがう物を選ばせるようにしたところ、こちらも犬はかんたんに学習し、物のサイズにたいする理解力がしめされた。

犬に物のサイズが理解できることは、ハードルを跳びこえる犬を見るとよくわかる。

犬はいつも自分が跳んでいるものよりも低いハードルはすぐに跳びこえ、いつもよりやや高めでも跳ぼうとする。だが、ハードルの高さをしだいに上げていくと、どこかの時点で跳ぶのをためらうようになる。明らかに犬が高さを認識し、自分に跳べる自信のある高さとくらべている証拠だ。

数学的知能ということでは、数量にたいする認識力もある。これは、数をかぞえることではなく、目で見て瞬間的にXとYのどちらにたくさん物があるかを判断する能力だ。犬は数量を学習できるという証拠もある。ある研究で、犬に一対のパネルが見せられた。どちらのパネルにも、いくつかの丸が映しだされた。犬を二つのグループにわけ、片方には丸の数が多いパネルを選んだら報奨をあたえ、もう片方のグループには丸が少ないほうを選んだら報奨をあたえた。訓練には時間がかかり、何度もくり返しが必要だったが、犬はこの作業をたしかに学習したという。

犬の計算能力

では、犬には実際に数をかぞえられるだろうか。かぞえられると思える例を、私はいくつか体験した。犬に数がかぞえられるとしたら、かんたんな計算はできるだろうか。ここで言うのは、２３３×４７１÷１６などというむずかしい問題ではなく、１＋１＝２のような単純な計算のことだ。二人の研究者、ブラジルのロバート・ヤングとイギリスのレベッカ・ウェストが、十一頭の雑種犬と魅力的なドッグフードを使って、この実験をおこなった。

二人は、生後五か月の人間の赤ん坊に初歩的な計算能力があるかどうかを調べるテストに、手をくわえたものを使った。これは赤ん坊が物を注目する時間の長さで計測する、〝優先的な注視〟と呼ばれる実験を応用した方法である。赤ん坊（おとなもおなじだが）は、意外なものや変わったものを長く見つめる。人間の場合、計測はかんたんだ。まず赤ん坊にテーブルの上にある小さな人形を見せたあと、低いついたてで子供の視界をさえぎる。子供の前で実験者はべつの人形を取り出し、子供に見せ、それをついたての向こう側に置く。子供に計算能力があるなら、ついたてを取り払ったとき、テーブルの上に二つの人形を予想するはずだ。そして実際に二つ見える。だが、実験者が人形の片方をこっそり隠すと、ついたてを取り払っても、人形は一つしか見えない。するとついたてを取り払ったあと、子供は人形が二つあったときよりも長いあいだテーブルの上を見つめる。つまり子供の中で計算がおこなわれていて、人形の数が予想とちがっていたからだと推測できる。

このテストを犬におこなうにあたって、ヤングとウェストは犬に大きなビスケットを一つ見せた。そしてついたてで隠し、犬の見ている前でビスケットをもう一つついたての向こうに置いた。ついたてを取り払ったとき、1＋1＝2の計算がおこなわれていれば、犬は二つのビスケットを期待するはずだ。だが、人間の子供の実験例とおなじように、実験者が陰で二つめのビスケットを隠し、ついたてが取り払われても、ビスケットが一つしか見えない場合もあった。１＋１＝１になってしまったわけだ。赤ん坊の例とおなじように、犬たちはこの意外な結果を、計算が正しく成り立っていたときよりも長く見つめた。だが、犬はたんに数量を認識しただけで計算はしておらず、ビスケットが二つでなくても、二つ以上ならいくつでもよかったのかもしれない。その可能性をたしかめるために、実験者はついたての陰でビスケットの数を一個増やして、１＋１＝３の結果を犬に見せた。すると犬は、数が少なくなっていたときと同様に意外だったらしく、この結果を正解のときより長いあいだ見つめた。つまり、犬は１＋１＝２以外の答えを期待していなかったのだ。だとすれば、犬は数をかぞえられるだけでなく、かんたんな足し算や引き算もできることになる。

　かんたんな計算能力は、犬にとって必要ないものに思えるかもしれない。だが、犬の祖先にとってこれは役に立つ重要な能力だった。たとえば狼は、非常に複雑な群れ社会を構成しており、群れの統制を守るために、おたがいに忠誠心をもったりきずなを結んだりする。第一位の狼に基本的な数学能力があれば、群れの中の味方と敵の数を把握できる。それはリーダーの地位をたもつには欠かせない知識だ。そして、自分の群れのメンバーがいる場所をつねに把握しておくためにも、この能力が役に立つ。子育て中の雌狼は、おなじ数量計算能力を使って、自分の子供が全員そろっていることを確認し、一頭でも欠けていたら探しにでかける。

　そして、湖に投げたボールをとってくるのに、犬が微積分の計算で割り出したとおなじ、最速の方法をとったと語る大学の数学教授もいる。たしかに、犬がもっとも速い方法でボールをとってくるのに、高等数学とおなじ答えをだす場合もあるかもしれない。だがそれは、意識的に計算した結果ではなく、遺伝で受け継がれた本能的な働きだろう。人間の場合も野球選手などは、飛球を捕らえるとき本能的に最速の方法をとる。狩りをおこなう動物にとって、そうした計算が遺伝子に組み込まれていることは重要である。犬の祖先は、それによって逃げるウサギなどの獲物を捕らえる最速の方法を計算できた。しかも、群れの競争社会では、鴨が岸辺近くで不用意に浮かんでいた場合、距離を正しく計算して真っ先に捕まえた狼は、ごちそうの割前を多く手に入れられた。ある種の計算能力が、犬の祖先である足の速いハンターの生存に、有利に働いたのだ。

14 犬にも深刻な老化問題――脳が老いるとき

フランスのエッセイスト、ミシェル・ド・モンテーニュは、一五八〇年にこう書いている。「老いは顔よりもまず脳にでる」人間の場合、たしかに年齢とともに頭の回転の速さと明快さは衰え、思考パターンも変わってくる。おなじことが犬にも言える――実際に、加齢による脳や思考プロセスの変化は、犬と人間で共通したところが多いので、犬を加齢による人間の思考力変化にかんする研究モデルにした心理学者もいる。

研究者にとっては(愛犬家はもちろん同意しないだろうが)、犬の寿命が短いことは、加齢による影響が早くわかる点で非常に都合がいい。人間の場合は白髪がではじめるのは三十代に入ってからだが、犬は六歳で口吻に白いものがまじりはじめる。このように成熟の速度が速いおかげで、研究者は人間の場合よりも短期間に加齢による変化を観察できるのだ。

「犬の一年」＝「人間の七年」はまちがい

犬の年齢を人間の歳に換算するには、いくつか考えておくべき要素がある。犬の一年は人間の七年にあたるという話を、聞いたことがあるかもしれない。これは実際には正しくない。最初の一年で、犬は人間が十六歳までに身につけるような肉体的能力をすべてそなえる。そして思考のしかたも人間の十代とおなじ領域に入る。二年たつと、犬は人間の二十四歳とおなじ段階に到達する。それ以降は、一年がだいたい人間の五年という割合で犬の肉体（脳と神経組織もふくむ）は変化していく。

というわけで、あなたの犬の年齢はこんなぐあいに計算できる。あなたの犬が現在実年齢で十二歳の場合。最初の二年で二十四歳、そのあとは一年に五歳ずつの計算で十年。つまり二十四に五十を足して、七十四歳。それが人間の歳に換算した場合の年齢になる。現在人間の平均寿命は七十四歳で、犬の平均寿命は十二歳である。わかっている範囲で史上最高の長寿犬は、ブルーイという名のオーストラリアン・キャトル・ドッグだ。一九三九年に死んだとき、実年齢で二十九歳と五か月だった。人間の年齢に換算すると、なんと百六十歳以上になる！

犬の年齢計算は、犬種によっても変わってくる。一般的に、大型犬は小型犬よりも短命だ。たとえば、体高がもっとも高い純血種の犬はアイリッシュ・ウルフハウンドだが、平均寿命は七歳強しかない。大型でエレガントなグレート・デーンの平均寿命は八歳、そしてグレート・デーンよりやや小さい屈強なロットワイラーの寿命は九歳。スタンダード・プードルは十一歳、ミニチュア・プードルは十三歳。小型でタフなジャック・ラッセル・テリアと小さなチワワは、いずれも十四歳である。

サイズがおなじような犬でも、ほかの要素で寿命が変わってくる。たとえば、犬の顔の形だ。狼に似た鋭くとがった顔の犬は、一般に寿命が長い。ブルドッグやパグのようなつぶれ顔の犬は、寿命が短い場合が多い。もちろん、十分な愛情をかけられている犬は、平均よりもずっと長生きをする。

同様なことが、犬の脳年齢にも言える。人間の場合、思考プロセスが遅くなったり記憶力が低下したりするのは、だいたい五十五歳くらいからだ。セント・バーナードなどの超大型犬では、思考パターンや問題解決能力に変化が生じ、学習能力が低下しだすのは五歳から七歳のころだ。アラスカン・マラミュートなどの大型犬では、思考の老化が目立ちはじめるのは六歳から八歳。フォックス・テリアなどの中型犬の場合は、七歳から九歳。ビション・フリーゼなどの小型犬は、九歳から十一歳まで老化の徴候を見せない。

だが、思考能力や行動について語る場合、重要なのはおなじ犬種の中でも個体によって大きな差があるのを認識しておくことだ。犬によって、老化が早いものもいれば、いつまでも学習能力が衰えないものもいる。それは人間もおなじだ。若いうちから思考能力が衰える人もいる。思考力の老化は、ある程度個人の行動と関係がある。本を読んだり、習いごとをしたり、パズルをやったり、問題解決が要求されるゲームをしたりする人は、脳の老化が遅い。記憶力や思考力の減退を引き起こすアルツハイマー病その他の問題を抱えることも少ない。犬の場合もおなじことが言えるようだ。頭脳にとってのキーワードは、「使えば、なくならない！」

犬の脳も人間とおなじように老化する

犬や人間の能力がなぜ歳とともに低下するのか、正確にはわかっていない。一説には、遺伝的物質（DNA）は新しい細胞の中で再生をおこなうが、何度も書き換えがおこなわれるうちに、しだいに正確に再生されなくなるためだという。コピー機で複写の複写のまた複写というぐあいに何度もくり返すと、しだいに不鮮明になって読みづらくなるようなものだ。DNAは、有害酵素を生みだす宇宙空間の放射線やもっと地上に近い環境要素（汚染された空気やある種の溶剤の匂いなど）によっても破損される。それによって神経組織などで、細胞が死んでしまうのだ。老化を説明するもう一つの説では、単純に磨耗《まもう》が原因とされている。つまり長年使ったために肉体も神経組織も疲労する、そしてストレスがあるとその疲労がいっそう早まるというのだ。さらにべつの説では、老化は代謝による老廃物、つまり不安定な化学物質（フリーラジカル）が細胞内の分子と接触して機能をさまたげることが原因だという。

老化の原因はどうあれ、犬（および人間）の脳や神経組織は年齢とともに変化する。

老犬の脳は若い犬よりも小さくて軽い。その差はかなり大きく、年取った脳のほうが二十五パーセント軽い。このちがいは、かならずしも脳細胞が死んだせいではない。私が神経生理学をはじめて学んだとき、教科書には成長したあとの人間の脳は日に十万個の細胞をうしなうと書かれていた。たしかに私たちは加齢とともに多くの脳細胞をうしなうが、この数字には大きな誇張があることがその後証明された。実際に私たちが神経細胞の中でうしなうのは、神経細胞同士をつなぐ枝の部分（樹状突起、軸索突起）が多い。加齢とともに、細胞間の連絡がとぎれはじめるのだ。脳を複雑な配線をもつコンピュータと考えれば、線の接続がわるくなったために中央の処理装置のさまざまな回路が機能しなくなるわけだ。神経学者はこの現象を、使われなくなったり必要がなくなったりした枝の、〝剪定《せんてい》〟と呼んでいる。庭木の枝の剪定とおなじだ。脳の大きさや重量が減る原因は、これらの枝の減少がおもである。

そのほかに、加齢によって神経組織内のある場所からべつの場所へと情報が伝達される速度が目立って遅くなり、反射作用も鈍くなる。カンザス州立大学獣医学部のジェイコブ・モーザーは、この加齢による変化は犬も人間とおなじであることを観察した。健康な若い犬では、神経組織内の情報伝達速度が時速三百六十キロであるのにたいし、老犬では時速八十キロだった。

さまざまな計測によって、神経細胞の働きが加齢とともに遅くなることもしめされている。脳スキャンの技術を使うと、代謝される血糖（ブドウ糖）の量で、脳細胞がどれほど活発に反応しているか測ることができる。ある研究では、何頭かのビーグル犬の脳を調べて、代謝されたブドウ糖の量が比較された。判断や評価、問題解決の大半がおこなわれるとされる脳の前頭部では、三歳をすぎるとブドウ糖の代謝量が徐々に減りはじめた。犬が十四歳から十六歳になるころには、代謝されるブドウ糖の量は若い犬のおよそ半分に低下していた。代謝量の減少にくわえて、長期的記憶に直接影響をあたえる酸素の補給量も減っていた。脳全体の細胞活動が加齢によって衰退するが、部分によってその衰えが速かったり遅かったりすることもわかった。

ゆたかな刺激があれば脳は甦《よみがえ》る

脳にゆたかな感覚的刺激（視覚、聴覚、嗅覚、触覚をとおして）をあたえ、問題解決や取捨選択の機会を増やすと、加齢による変化を抑えることができる。それを実証したのが、イリノイ大学心理学部のウィリアム・グリーノーの研究室だった。彼は研究にラットを使ったが、結果は犬（そして人間）にも適用できる。彼はまず歳とって肥満体の、体調のわるいラットで実験をおこなった。それまでずっと研究室のケージの中ですごしたラットである。単調で退屈な環境の中でラットはすることもなく、見たり聞いたりするものもほとんどなく、独房にいるようなものだった。そのラットたちをアミューズメントパークのような、刺激的な環境に移した。この新しい場所にはスロープ、はしご、回転車、ぶらんこ、すべり台があるほか、さまざまな玩具や品物が天井から下がっていた。しかもそこには交流できるラット仲間がいた。予想どおり、最初のうちこの老いたラットたちは新しい環境に怯えたが、しばらくするとなにも怖いものがないことを学習した。いったんそれがわかると、彼らは探検をはじめた。スロープやはしごをのぼり、すべり台、ぶらんこ、回転車、玩具を試した。そしてこの刺激的な世界で、ほかのラットとふれあいはじめた。彼らは体重が減って健康になり、新しい環境の中で非常に楽しげに見えた。

だが、もっとも驚いたのは、ラットの脳を調べたときだった。彼らの脳には、研究室の退屈なケージから移動されなかったラットたちよりも、多くの神経接続が見られたのだ。グリーノーは、部分によっては脳の神経接続が二十五パーセントから二百パーセント増加したのを発見した。いくつかの点で、この発見は重要だった。一つは、動物が老齢にたっしたあとも、神経細胞が接続を増やせるということ。二つ目は、新たな経験や問題解決で脳を使い、脳を刺激することが、神経接続をうながすということである。このような発見が、老いた犬にとって重要なのは明らかだ。加齢が神経細胞の再生やホルモンの分泌、DNAの健全な状態、身体組織全体にあたえる影響を食い止めることはできないが、私たちは犬が肉体や頭脳を鍛え、感覚により多くの刺激を受けられるよう、環境に配慮してやることはできる。この刺激は、犬の脳の働きを高め、結果として老化を遅めることができる。古い格言にある「寝た犬は起こすな」とは逆に、老いた犬には刺激をあたえて大いに考えさせ、体験させるべきなのだ。

年を取ると脳内で化学的変化が起こり、行動や記憶や学習能力に影響がでる。犬も人間も、細胞の核内にある小さな糸状の組織ミトコンドリアが、栄養分をエネルギーに変える働きをする。そして加齢とともに、ミトコンドリアの力が弱まり、健全な細胞の働きにとって重要な化合物を酸化させる、化学物質の〝フリーラジカル〟を漏出《ろうしゅつ》しはじめる。これらの化合物がうしなわれると、細胞は危機に見舞われる。繊維が退化し、〝アミロイド〟と呼ばれる蛋白質の沈殿物が脳に蓄積されるのだ。アミロイドの蓄積量が増え、とくに死んだ細胞の堆積と結びつくと、アルツハイマー病の原因になる。心理学者ノートン・ミルグラムを中心にした研究チームがトロント大学でおこなった研究では、脳内に高レベルのアミロイドが見つかった犬は、記憶力が弱まっており、新しい学習、とくに複雑な思考や問題解決を必要とする学習がむずかしくなっていることがわかった。

老化をふせぐ食品

これらの酸化体《オキシダント》が漏れだして、犬の脳の機能が衰え、機敏な行動ができにくくなった場合、少なくとも理論上では、抗酸化物質を大量に摂取させれば、神経系の損傷を遅らせたり、抑えたりできるはずだ。抗酸化物質をより多く消化すれば、有害なフリーラジカルを中和させる手だてが体にあたえられる。抗酸化物質は身近なもので、食品の中には酸化を抑制する化合物が四千種類以上あると言われている。もっともよく知られている抗酸化物質は、ビタミンC（アスコルビン酸とも呼ばれている）だろう。これは水溶性のビタミンで、あらゆる体液の中に入っていて、神経組織にも浸透している。ビタミンCは、体液の中に溶け込む重要な化合物を、酸化からふせいでくれる。ただし体内に蓄積されないため、毎日摂取しないといけない。抗酸化物質でもう一つ有名なのが、ビタミンEだ。こちらは脂肪に溶けやすく、肝臓その他の組織にたくわえられ、とくに細胞膜を酸化から守る。赤黄色素《カロチノイド》は六百種類もの抗酸化物質をふくみ、もっとも有名なのがベータ・カロチンである。これらはミトコンドリアの働きを促進する（そして〝漏出〟を抑える）。セレニウムなどのミネラルや脂肪酸（DHAやEPA、カルニチン、アルファリポイック酸など）も、細胞を化合物の酸化による損傷から守ろうとする。

トロント大学のミルグラムのチームは、抗酸化物質を豊富にふくんだ特別食を用意して、実験をおこなった。まずは若いビーグル（二歳以下）と、年配のビーグル（九歳以上）に試した。若い犬と年配の犬の、それぞれ半数に抗酸化物質をふくむ食事をあたえ、残りの半数にはバランスのとれたふつうのドッグフードをあたえた。六か月後、ミルグラムは犬たちに、「ちがう物を選びだす」作業を学習させて、その知能の働きを調べた。

この実験でまずわかったのは、年配の犬たちのほうが作業を覚えるのに時間がかかることだった。作業がやさしいときは、年齢による差はさほどなかったが、作業がむずかしくなるにしたがって、年齢による差が大きくなった。もう一つだいじな発見は、期待どおり、抗酸化物質入りの食事で加齢の影響が抑えられたことだった。抗酸化物質を摂取した老犬は、摂取しなかった老犬よりはるかにうまく作業をこなした。その効果は、もっとも難度の高い問題で、明確にあらわれた。むずかしい問題の場合、抗酸化物質を摂取した老犬が答えをまちがえる割合は、摂取していない老犬のおよそ半分だった。だがこの特別食は、若い犬たちにはなんの影響もあたえなかった。

追跡調査の中で、トロント大学のチームは、老いた犬に抗酸化物質が恩恵をもたらすという自分たちの発見と、頭脳を鍛え刺激をあたえることが加齢の影響を抑えるというグリーノーの発見とを結びあわせた。四十八頭のビーグルの老犬を使って、彼らはそのうち二十四頭に抗酸化物質を豊富にふくんだ食事を、残りの二十四頭にバランスのとれたふつうの食事をあたえた。そして、それぞれのグループの半数ずつに、脳を鍛えるために〝認知力アップトレーニング〟をおこなった。具体的には、週に五、六日、隠された食べ物を探しだすなどの作業やパズルを学習させたのだ。一年の終わりに四組の犬すべてにテストがおこなわれ、結果としては特別食を摂取し、学習をおこなったグループが、もっとも得点が高くなった。ミルグラムはこの結果について、こう要約した。「老犬も新しい作業を覚えることができ、それによって脳の衰退が抑えられ、能力の改善につながる可能性もある。実験した犬の中には、明らかに前より知能が向上した犬もいた」

ミルグラムが実験で使った犬用の特別食は、処方箋が必要ではあるが入手できるし、ヒルズ・ペット・ニュートリション社から市販もされている。残念ながら人間用には、少なくともこれを書いている時点では、それに類した食品は作られていないが、抗酸化物質の摂取を増やすためのビタミン剤やサプリメントはある。あなたの犬が年老いていて、処方箋つきの食品や市販のサイエンス・ダイエットに頼りたくないという場合は、犬の食事に果物や野菜を加えてもいい。ビタミンCの重要な供給源は柑橘類だ（たいていの犬はいやがる）。だが、緑色のピーマン、ブロッコリ、イチゴ、生のキャベツ、ジャガイモなどにもビタミンが豊富にふくまれていて、犬もいやがらない。あるいは緑葉野菜を軽く蒸すか半ゆでにし、ゆでた水も一緒に犬の食事にまぜる。水の中にビタミンの一部が溶けているからだ。濃度の高いビタミンEをふくむのが、麦芽、ナッツ、種、穀粒、緑葉野菜（蒸すか半ゆで）、植物オイル、肝油だ。ベータ・カロチンその他のカロチノイドは、ニンジン、カボチャ、ブロッコリ、サツマイモ、トマト、ケール、カラーグリーン、マスクメロン、桃、アプリコットにふくまれている。セレニウムもくわえたい場合は、魚、貝、赤い肉、穀物、卵、鶏肉が供給源である。

十歳以上の犬の六十二パーセントは認知症

ここで私たちが特別な食品や頭の体操でふせごうとしているのは、〝犬の認知症〟と呼ばれる、加齢による脳の機能低下である。この問題は五十年前にはあまり知られていなかった。それは、犬がいまほど長生きをしなかったからだ。獣医学の進歩とともに、現在アメリカで十歳以上の犬はおよそ七百三十万頭にのぼる。

私自身が犬の認知症を実感したのは、二、三年前、私の愛するキャバリア・キング・

チャールズ・スパニエル、ウィザードが、十二歳なかばになったときだった。彼の挨拶のしかたに、まず変化がではじめた。彼はいつもドアのところで私を出迎え、ドアの開く音を聞き逃した場合も、床にブリーフケースをドスンと置くと急いで駆けてきたものだった。それなのに、帰宅に気づいたほかの犬たちが私のまわりを飛び跳ね、いつもながらの大騒ぎで私を喜ばせていても、彼だけは出迎えに一、二分遅れるようになった。彼の関節炎はおさまっていたから、遅れるのは痛みのせいではなかったし、聴力が衰えたせいでもなかった。彼は十歳のころから耳が遠くなっていたが、大きな音（ドアがバタンと閉まる音など）は聞こえたし、振動を感じとることも、犬仲間たちが跳ね起きてドアに駆け寄るようすで私の帰宅を察知することもできた。

彼の変化に気づかされたできごとは、ほかにもあった。犬の訓練クラブで、私はずいぶん前からウィザードにジャンプさせるのはやめて、彼の好きな作業だけをさせていた。彼が昔から好きだった作業の一つが、床に置いてあるダンベル形の玩具の山から、私の匂いのついたものを探しだしてもってくる作業だった。ウィザードはいつも勢いよく山まで走り、尾を左右に振りながら目当てのものを見つけだすと、誇らしげにくわえて私のところへ持ち帰った。それがいまでは山までいっても、そこで困ったように立ち止まり、なにをすべきか忘れてしまったという顔をする。私が「探して！」と命令をくり返すと、彼の頭の中にパッと明かりがついたように、山の中から目的のものを探しだして持ち帰るのだ。

こんなふうに記憶や思考力の低下が、しだいに目立つようになった。たとえば、私は毎朝いちばんに彼を裏庭にだして、排泄をさせる。それまではいつもほかの犬たちと一緒に外の階段を駆け降り、用を足し終えるとドアの前に座って待っていた。ところが彼は、ドアの外にでてもポーチに座り込み、庭にいるほかの犬を眺めるだけになった。犬たちがもどってくると、彼も一緒に中に入る。そして数分後、彼はまたゆっくりドアに歩み寄って、私を振り返り、「トイレにいきたい」と言いたげな顔をする。外にでたとたんに、自分がなにしにきたのか忘れてしまうのだ。結局私が彼にリードをつけ、一緒に外の階段を降りて、彼に排泄をうながすため「早く！」と声をかけることになる。

そしてウィザードは以前より怖がるようになった。彼は生まれつきおだやかでのんびりした犬だった。それがいまでは不安げになり、とくに夜は寝ながらハアハアと息をあえがせる。そして私は週に一、二回彼のうなり声で目を覚まされるのだが、調べても異常は見つからず、ほかの犬たちも落ちついていてべつだん騒いではいない。

これは加齢の影響による認知症の症状だった。最近では十歳以上の犬の六十二パーセントに、認知症の症状があると推定されている。もっとも多いのが、混乱と見当識障害だ。ウィザードにもぴったりあてはまる。私は、自分の家の裏庭にでたあと、家の入口までどうやってもどればいいのかわからなくなった犬の話も聞いた。あとずさりの方法を忘れてしまい、部屋の隅や家具の裏側からでられなくなった犬もいるという。症状の中には、活動力の低下と注意力の低下もある。ウィザードの場合は、しばらくぼんやりと宙を見つめたり、なにもない壁を見つめたりするのがそれにあたる。睡眠パターンの変化も症状の一つだ。不安の増加や徘徊《はいかい》行動をともない、夜眠れなくなることが多くなる。身についていた習慣を忘れてしまう場合もある。飼い主がすぐに気づくのは、それまできちんと外で排泄していた犬が、しつけを忘れ、家の中を汚してしまうことだ。そしてもっとも悲しい症状の一つは、犬がよく知っている友だちや、家族のメンバーまで忘れてしまうことだろう。

ほかの要因（たとえば活動力の低下は関節炎のせいかもしれないし、注意力の低下は視力や聴力の衰えのせいかもしれない）が考えられない場合は、かかりつけの獣医師に相談すべき時期かもしれない。まずは犬の食事に抗酸化物質を増やし、犬に頭の体操をさせるのがいちばんだが、認知症の程度によっては新薬も効果があるだろう。

老犬はガンコ頭

認知症ではない健康な老犬でも、加齢によって頭の働きは鈍ってくる。トロント大学の研究では、年をとるにつれて学習に時間がかかるようになり、とくにむずかしい学習や問題解決でそれが目立つという結果がでた。心理学で〝見本あわせ〟と呼ばれるかんたんな記憶作業では、まず犬に品物を見せたあとそれを引っ込め、つぎに二つの品物を見せる。その片方が、すでに犬に見せた物である。犬はたんに自分がすでに見た物を選びだせばいいのだ。老犬はこの作業を難なくこなすが、一つの物を見せたあと、テストまでしばらくあいだが開くと、若い犬より正解率が低くなった。老犬のほうがやや早めに記憶をうしなうようだ。問題はつぎの作業だ。犬に自分がすでに見た物ではなく、ちがう物を選ばせた場合。これは〝非見本あわせ〟と呼ばれる作業だが、老犬の正解率はぐっと落ちた。そして品物を見せたあとテストまで時間を置くと、老犬は要求されたことを理解するのにとても苦労した。

カリフォルニア大学アーヴァイン校の心理学者ドワイト・タップは、さまざまな作業で犬をテストした。彼はまず犬たちに大きな物と小さな物のちがいを教えた。まずは犬が二つの品物のうち大きなほうを選んだら、報奨をあたえるようにした。二つの品物にはときにはボール、ときには缶が使われて、物の形は関係なく大小だけが問題にされた。老犬はこの作業を覚えるのに若い犬より時間がかかったが、着実な進歩を見せて学びとった。大きいほうを確実に選べるようになったところで、つぎに問題を逆転した。小さなほうを選んだら、報奨をあたえるようにしたのだ。若い犬は、最初は何度かまちがえたが、すぐに新しいルールを覚え、報奨を手に入れた。だがここで、老犬たちは大いにつまずいた。

このような記憶作業の結果を分析すると、一般原則が見えてくる。老犬は新しいことを学べないのではなく、自分がすでに学習したことを消去したり保留にしたりすることがむずかしいのだ。彼らは自分がすでに学んだ解決法に執着する。これは心理学では〝保続〟と呼ばれ、ルールが変わり、以前に学習したことがもはや通用しないのが明らかであっても、ある記憶や考えに固執したり、行動をつづけたりくり返したりすることを意味している。老犬の場合、以前に学習したことが、新しい学習の前に立ちふさがり、新たな概念や問題解決の習得をさまたげるのだ。

身近な例をご紹介しよう。わが家のケアーン・テリア、フリントが十二歳になったころのこと。あるとき朝の散歩の途中で、駐車中の白いヴァンの下から一匹の猫が飛び出した。テリアの習性で、フリントはリードを目一杯引っ張って猫を追いかけようとした。その後二週間のあいだ、彼は白っぽい車が路上に停まっていると、かならずその下をのぞいた。白い車の下には猫がいると学習した彼は、いないことを散歩のあいだに何十回となく経験しても、その考えを改められなかったのだ。若い犬（当時五歳だったウィザード）は、最初の数回は獲物探しにくわわったが、そのあとはフリントがしつこく車の下を探しつづけるようすを、いささか軽蔑のまじった困惑顔で見守った。若い犬のほうは、どの白い車の下にも猫がいると思うのはまちがいだと、すぐさま学習していたのだ。

七年前に別れたご主人を忘れなかった犬

とはいえ、古い記憶は新しい記憶より長く残るので、老犬も自分が若いときに学んだことは忘れない。老いた犬は、何年も前の人や場所にたいする好き嫌いまで覚えている。老犬がなにかをいつまでも忘れずにいたという話には、感動的なものが多い。ヴァージニア州ノーフォークに住むスティーヴン・バーチからも、そんな話を聞いた。彼は第二次大戦の最初のころ、ブラック・アンド・タン・クーン・ハウンドのフランネルを残して、軍隊にくわわった。フランネルは当時三歳で、スティーヴンが帰還したときは十歳近くになっていた。スティーヴンは自分の家の玄関ポーチに座り、フランネルの曾孫《ひまご》をなでながら、遠くを見るような目で、こう語ってくれた。

フランネルはきれいな犬だった。フランネルという名前をつけたのは、耳がやわらかくてすべすべしていたからだ。私が飼った最初のクーン・ハウンドで、彼とはなにをするのも一緒だった。散歩にでかけるときも、遊ぶときも、私が仕事をしにガレージに下りるときも、彼は踊るようにくるくるまわって、前足を上げ、「ウー・ウー」とうれしげな声をたてた。私がしばらく留守にしたときは、私が帰るとドアのところでおなじダンスを踊った。ただたんに興奮したせいじゃない。彼は私にしか踊ってみせなかった。私には彼がそうやって「あなたが好きです」と私に話しかけ、私からも楽しいことを期待しているように見えたね。

それはさておき、彼と別れたのは一九四一年ごろだ――そのころ、私は訓練を受けて戦地へ送られた。まず北アフリカへ渡ったあと、イタリアの戦線にまわされたんだ。戦争が終わって兵士たちは故郷に帰りはじめたが、私は捕虜収容所の仕事をあたえられ、おかげで兵役を解かれるのがずいぶん遅れた。ようやく故郷に帰れたのは、一九四八年になってからだ。

両親は私が帰還することはわかっていたが、具体的な日にちは知らなかった。そこで下船して迎えの車に乗ったとき、私は二人を驚かせようと考えた。わが家に着いてドアを開けると、そこにフランネルがいた。もちろん前よりだいぶ歳をとり、鼻面に白いものがまじっていた――でも、その耳は相変わらずフランネルのようだったよ。そして彼が私を見上げたとたん、時間のへだたりがすっかり消えてしまった。彼は前とおなじようにダンスを踊りながら、「ウー・ウー」と歌いはじめたんだ。

私が帰ったとは夢にも思わずに、母がキッチンからでてきた。そしてフランネルが歌っているのを聞いて、こう声をかけた。「いったいどうしたの、フランネル。スティーヴはまだよ。それなのにお迎えの真似なんかして」あとで母から聞いたところによると、フランネルは私がいないあいだ、ダンスを踊ったり、「ウー・ウー」と歌ったりしたことは一度もなかったそうだ。だけど、彼ははっきりと覚えていて、私を見るやいなや、それをはじめたのさ。そして死ぬまで毎日くり返した。あの「ウー・ウー」を聞いて、私は感じたよ。ああ、私はわが家にもどった、ここに私を忘れず、私を懐かしがり、私を変わらずに愛してくれる存在がいる、とね。

老犬が怒りっぽくなる理由

これまで脳の神経組織に起きる変化のせいで、行動に変化があらわれる話をしてきたが、犬の体と感覚能力に起きる変化も、行動や思考、あるいは性格にまで影響をあたえる。筋肉、骨、関節に起きる変化は、ものごとにたいする反応や受け取り方と重要なかかわりをもつのだ。

年齢を重ねると、犬の筋肉の大きさや量は、その脳とおなじように減ってくる。また老犬は関節炎をわずらうことが多く、これは痛みをともなう。もっとも一般的な症状は、動きが遅くなる、脚を引きずる、脚を上げる、特定の関節をさわられると痛がる、などだ。患部が背中から腰にかけての場合（脊椎炎と呼ばれる）、犬は階段の上り下りをいやがるように（あるいは、できなく）なる。それまでご主人のいるベッドやソファーに跳び乗っていた犬はそれができなくなり、座ったり走ったりすることすら、ままならなくなる。つるつる滑りやすい木やタイル、リノリウムなどの床は、いまや犬にとって歩くのに不安な場所になる。そして動きが鈍るだけでなく、動きの変化がもたらす結果も重要だ。犬は社会的動物なので、彼らにとって群れや家族といるのはだいじな意味をもつ。だが老犬は飼い主と一緒に部屋から部屋へ動きまわることが困難になり、それが気分を落ち込ませる。動きが鈍くなった結果、犬は社会的に孤立しはじめる。これまでおだやかに暮らしていた犬が、飼い主がべつの部屋にいっただけで、飼い主と離れるのをいやがる〝分離不安〟の症状を見せるようになる。

わが家のウィザードが、年齢のせいで動きが鈍くなりはじめたとき、彼は不安なようすも見せた。そこで私は彼が暮らしやすいように、いくつか具体的な手段をとった。まず私は（妻を面食らわせはしたが）、彼が生後六か月のときからねぐらにしていた私のベッドに階段をつけ、ウィザードが上がれるようにした。つぎに、家の真ん中あたりの床に彼用のクッションを置いて、私たちがリビングにいるときも、キッチンとのあいだを往復するときも、ウィザードがその場所から眺められるようにした。そのおかげで彼は孤立することなく、仲間の一員という感覚がもてた。

老いた犬がおだやかさや落ちつきをなくし、猛々しく攻撃的になる場合もある。筋肉や関節の衰えは、苦痛をともなうことが多い。この本の前半で、犬は痛みを表にあらわさないと書いた。だが、実際に痛みがあるとき、犬は神経過敏になる。この過敏になった神経が、犬の性格を変えてしまう場合もある。老化にともなう痛みのせいで、客人や家族や家にいるほかのペットにたいして、犬がそれまでにない攻撃的な態度をとることがある。それは犬が、痛みの原因は自分にさわった相手にあると思ってしまうからだ。

老犬がそれまでより怒りっぽくなる原因の一つは、動きが不自由になったためだ。たいていの犬はいやな目に遭うと、自然な反応として、その原因となる人間や動物や環境から離れようとする。自分を守るには、走って逃げ出すのがいちばんいい。だがあいにく老犬は、その手段がとれない。痛みと、動きの不自由な体のために、犬はその場から立ち去れないのだ。危険や脅威を感じた場合、自分のまわりの狭い縄張りを守ろうとする老犬は、牙をむいて警告したり、実際に攻撃にでたりするようになる。問題なのは、新入りの子犬や、よく動きまわる人間の幼児が家にいた場合だ。老犬にじゃれかかったり、さわろうとしたりすると、老犬は脅威やストレスを感じはじめる。老犬は容易にその場を立ち去れないので、なんとかして子犬や子供を追い払うしかない。そこで敵意をしめし、攻撃にでることになる。というわけで、飼い主が注意しなければいけないのは、老犬と若い成犬との接触ではなく、子犬や幼児との接触なのだ。かんたんな解決法は、老犬に安全な〝巣穴〟をあたえること。犬小屋のようなところに入れておくのがいい。中に入って扉を閉めておけば犬は安心でき、小さな指を柵の中に突き入れたりしないかぎり、子犬も子供も安全でいられる。

目が老いるとき

この本の前半で犬の頭脳と思考プロセスについてお話ししたとき、私は思考や問題解決の土台は、感覚だとご説明した。私たちが世の中から得る情報の質は、私たちの感覚が取り込む情報の質に左右される。残念ながら、老犬の肉体的な変化は、感覚にも影響をおよぼす。目や耳は非常に傷つきやすい組織であり、それが多くの問題を引き起こすのだ。

年を取ると犬の目の水晶体を作りあげている蛋白質が変質し、水晶体が硬くなってくる。犬はもともと近くの物が見えにくいのだが、加齢とともに遠視の傾向が進む。それに加えて、ピントをあわせるのに時間がかかりはじめ、物や人を認識するのが遅くなる（脳の反応がにぶくなったせいもあるが）。この問題は、目の瞳孔（虹彩の中の、光が通過する穴）が敏感に開いたり閉じたりしなくなることとも関連がある。瞳孔を光の量に応じて適切に絞ったり開いたりできなくなると、取り込む光の量が多すぎたり少なすぎたりして、さらに物の形がわかりにくくなる。

犬の目の変化で目立つのが、老犬の目の水晶体が曇ってくることだ。これは、〝核硬化症〟と呼ばれている。非常に濃く白濁した場合はべつだが、さいわい犬の視力にさほど影響はないようだ。この状態を、もっと深刻な、失明につながりかねない白内障と誤解する人も多い。犬の白内障は、加齢によって水晶体の細胞が黒ずんで不透明になったときに起きる。遺伝によって白内障がでやすい犬種もあり、とくにコッカー・スパニエル、プードル、ラサ・アプソにその傾向が見られる。白内障はまた、糖尿病、怪我、栄養不足、ある種の毒素などによっても起きる。そして明るい太陽の光を大量に浴びるなど、紫外線にさらされた場合も水晶体に濁りが生じる。さいわい、現在の獣医学では効果的な外科処置が可能であり、人間の場合とおなじように人工水晶体を使うことで、犬の視力は大幅に回復する。

失明につながるもう一つの深刻な状態が、緑内障である。緑内障の大きな問題は、目の中の房水《ぼうすい》と呼ばれる液体の圧力が増加し、網膜と視神経に損傷をあたえることだ。健常な目では、房水が排出されると、同量の房水が新たに補給されるのだが、緑内障では房水の出口が狭くなったり閉じたりしてしまうのだ。この病気にも遺伝的な要素があり、コッカー・スパニエル、シベリアン・ハスキー、バセット・ハウンド、ビーグルなどの犬種は、緑内障にかかりやすい。早期発見ができれば、薬品や手術でしばらく失明をくいとめることができるが、長期的な成功例は残念ながら少ない。

失明した犬について、飼い主は犬が突然視力をうしなったと思いがちだ。だがたいていの場合、視力は徐々にうしなわれる。そして視力がほぼ役に立たなくなったとき、ようやく飼い主が気づくというのが現実だ。行動や性格の微妙な変化が、視力の低下を知る手がかりになる。視力がうしなわれはじめた犬は、以前より臆病になる。飼い主への依頼心が強くなり、動作が緩慢になり、以前より攻撃的になることもある。目立った徴候として、投げられたボールをとってくるのが下手になったり、ボールを追いかけるのに興味をしめさなくなったりする。階段の上り下りや、家具への上り下りに慎重になる。歩道の縁石でも、上がったり下りたりするときに注意深くなり、脚を必要以上に高く上げることもある。

視力をうしなった犬でも、十分暮らしを楽しむことはできるが、行動や性格の一部は完全に変わってしまう。たいていの犬は臆病に、用心深くなり、飼い主への依存心が強くなる。そしてリードにつながれたほうが、安心するようだ。触覚をとおして、飼い主の居場所や動きがわかるからだ。失明した犬は、走るかわりに歩くようになる。そして声をだすことが多くなる。飼い主の姿が見えないので、注意を引くために吠える量が増えるのだろう。目が見えなくなった犬にとって、いちばん落ちつけるのは自分がよく知っている環境だ。だから、室内の家具の位置は動かさないほうがいい。

うしなわれた視力のかわりをするのが、ほかの感覚だ。廉価の香水や香油を、とくにだいじな場所に振りまいておくと役に立つ。犬が寝たり食べたりする場所や、いかないほうがいい場所（階段の吹き抜けのてっぺんなど）だ。場所に応じて匂いを変えたほうがいい。犬が眠る場所の近くに、はっきりとわかるような絨毯を敷いておくと、犬は触覚でその場所を感じとれる。私の友人は目が見えなくなったコッカー・スパニエルのために、大きさのちがう（つまり音のちがう）鈴を、自分と娘が首から下げたほか、家で飼っている視力が正常な二頭の犬の首輪にもつけた。視力をうしなった犬はたちまち鈴の音の意味を学びとり、家族の居場所をそれで察知できるようになった。おかげで犬の気分は少し落ちついた。そして失明した犬には、さわる前に話しかけることがだいじだ。いきなりさわると、びっくりして相手をたしかめずに嚙みつくことがある。

〈かんたんにできる犬の視力テスト〉

あなたの犬の視力が落ちているかどうかを調べるには、かんたんな方法がある。もっとも手っとり早いのは、〝**光にたいする瞳孔の反射運動**〟を調べる方法だ。小さくて明るい光（懐中電灯など）を、犬の目の片方にあてる。犬の目に光があたると、瞳孔は小さくなるはずだ。そしてもう片方の目の瞳孔も、小さくなるのがわかるだろう。この光に瞳孔が反応しない場合は、視力に問題がある証拠で、失明の恐れもある。だが、瞳孔が光に反応しても、犬が物やその形、動きを識別できない可能性もある。このテストでは、明るさへの反応しかわからない。

瞳孔の反応テストに合格しても、まだあなたの犬の視力に不安がある場合は、べつのテストを試してみよう。一つは、〝**迫ってくるものへの反射運動**〟を調べるものだ。なにかがあなたの目や顔にぶつかりそうになったら、あなたはまばたきをするだろう。犬もおなじだ。この反応を調べるには、犬の目に向かって、素早く手を突き出す。だが、ここで問題なのは、手の動きでわずかに風が起こり、それが犬のひげにあたって、まばたきをうながす可能性もあることだ。それを避けるには、犬の顔の前に透明なガラスかプラスティックの薄い板を用意し、そのうしろから犬の目に向かって手を突き出すといい。犬がまばたきをしたら、あなたの手とその動きが見えた証拠だ。

視力をもっと正確に測るには、〝**視覚による位置確認**〟と呼ばれる方法がある。これは犬を実際にもちあげないといけないので、小型から中型の犬のほうがやりやすい。前足が自由に動かせるような状態で犬を抱き上げる。そしてテーブルやカウンターなどの表面に犬の顔を向けさせる。犬の視力が正常なら、自動的に前足をのばしてその上に下りようとするだろう。これは視覚に導かれた反応であり、犬がこれをおこなったら、まだ視力が働いていると考えられる。

最後にもう一つ、〝**追跡テスト**〟というものもある。物を投げて犬がそれを追うかどうかを見るのだが、物が床に落ちる音など、音がヒントになってはいけない。

そこで、まるめた脱脂綿などを投げる。犬の左側か右側でそれを振ってから、指先で遠くへ投げる。このとき、脱脂綿がかならず犬の目の前を通過するようにする。犬は物が飛んだ方向へ首を向け、目でそれを追うはずだ。

もちろん、こうした家庭でできるテストは獣医師がおこなう検査ほど正確ではない。だが、犬がこれらに失敗したら、視力が機能しているかどうか、本格的な検査の必要があると考えていいだろう。

耳の老化

人間の高齢者とおなじように、老犬は聴力も衰える。年取ったあなたの犬が聴覚をうしなった場合の症状については、四章ですでにその一部をお話しした。だいじなのは、音にたいする反応が変わったかどうかをたしかめることだ。犬と長く一緒に暮らしてきた飼い主なら、犬がいつもどんな行動をとるかわかっているだろう。だから行動の変化は、すぐ目につくはずだ。わかりやすい変化は、それまでいつも命令に反応していた犬が、あなたの呼ぶ声を無視すること。とくにあなたのほうを見ないときは問題だ。ほかに、犬がそれまでのように大きな音で飛び起きたりせず、ぐっすり眠るようになるのも徴候の一つだ。外にでたときは、近づいてくる車の音に気づかないこともある。わが家の老犬フリントの場合、聴力の衰えが最初にわかったのは、冷蔵庫の開閉音にも、キッチンカウンターの上に物を置く音にも気づかず、姿を現さなくなったときだ。視力をうしなったときとおなじように、性格的な変化も起きる。犬は前より臆病に、依存心が強く、不活発になり、攻撃的になる場合もある。そして眠っている最中にさわられると、うなったり嚙みつこうとしたりする。飼っている犬の聴力に不安をもったときは、四章の聴力テストをご参照いただきたい。

加齢による聴力の衰えは、たいていの場合、肉体的な磨耗が原因だ。音を鼓膜から内耳へと伝達する内耳の小さな骨（耳小骨）の、関節の部分が磨耗しはじめ、関節炎になったときのように運動能力をうしなう。内耳（蝸牛）の中で、音を捉えるために小さな有毛細胞が屈伸するのだが、長年にわたって屈伸をくり返すうちに疲労が生じ、何度もおなじ箇所を曲げられた針金のハンガーとおなじように、有毛細胞が切れてしまう。この線毛は頭髪や体毛のように再生しないため、有毛細胞が破壊されるごとに、聴力は少しずつ弱っていく。人間でも犬でも、この現象はまず高い音に反応する細胞で起きる。高音のほうが、線毛が激しく屈伸するため、磨耗も早いのだ。有毛細胞の破損は、大きな音を聞いたときに起きがちなので、間近に銃声を聞くことが多い猟犬や、騒音にとりかこまれた都会の犬は、聴力が衰えやすい。そして、聴覚経路や処理センターの細胞が死んだり破損したりするために、聴力がうしなわれる場合もある。これはたんなる加齢が原因だが、洗剤、シンナー、プラスティック溶剤などの身近な溶剤を吸収すると症状が悪化する。大きな音や環境化学物質に毎日のようにふれたストレスの累積が、老犬になったとき聴力の喪失につながるのだ。十二歳から十五歳の犬のほとんどに、なんらかの形で聴力障害が見られる。

だが、加齢による失聴と思われていたのが、じつはほかに原因があり、回復可能だったという例も多い。犬の耳の導管は人間のものよりも長く、鼓膜の手前で右方向に曲がっている。つまり、かすがたまるのに理想的な形をしているのだ。耳垢、埃《ほこり》、抜け毛などが導管にたまって栓のようになり、鼓膜にとどく音をさえぎってしまう。またこれらのかすは耳ダニを引き寄せ、耳炎の原因になる。その結果生じる腫《は》れや分泌物のかたまりは、音を中耳にとどきにくくさせる。とくに水があまりきれいでない池や湖などで泳ぐことが多い犬は、こうした状態になりやすい。また、ハウンド系やスパニエル系のような垂れ耳の犬は、耳の中に空気が流れにくく、水分がたまりやすいため、耳が病気の温床になりがちだ。

犬の耳に問題がある場合は、いくつかの徴候が見られる。激しく頭を振る、耳を掻く、耳をさわられるといやがる、などだ。耳の中の匂いを嗅いで、悪臭がしたら問題のある証拠だ。健康な耳はピンク色で、少量の耳垢は正常である（むしろ耳の導管の保護に役立つ）。じくじくした分泌物や、血腫、異常な赤み、かさかさした破片のようなものが見られたら、難聴をもたらす感染症や耳ダニの疑いがある。これらの症状があるときは、獣医師に相談したほうがいいだろう。

老化による失聴がゆるやかに進行する場合は、性格的な変化も急激には起きない。もっとも重要なのは、失明した犬と同様、聴力をうしなった犬が孤立感に襲われて、分離不安やパニックを起こしかねないということだ。それをやわらげるには、失明した犬にたいするときとおなじ方法を使う。飼い主がいつもきまったボディーローションやアフターシェーブをつけていると、老いて耳の遠くなった犬は安心できる。その香りで居場所がわかりやすくなるからだ。しかも、香りは空気中や物の表面に残るから、犬は飼い主がいましがたまでそこにいたことを感じとり、声が聞こえなくても安心していられる。そして、眠っている犬を驚かせないように、匂いを使うこともできる。眠っている犬に近づくとき、まず鼻の近くに手をのばして匂いを嗅がせるのだ。あなたの匂いが睡眠中の犬の脳に伝わり、犬はあなたがいることを認識して目を覚ますだろう。犬が目を開けたら、手をのばしてなでてやる。

ふしぎなことだが、耳の不自由な犬でよく問題になるのが、吠えすぎることだ。吠えたい気持ちはあるのに、自分の声がよく聞きとれないので、聞こえるように声を張り上げるのだ。孤立して不安な気持ちがあるため、飼い主の注意を引こうとして吠える。そんなとき犬をなだめようとしてビスケットをあたえたりなでたりして、逆に吠えることを奨励してしまう飼い主もいる。それより有効なのは、吠えやむまで犬を狭い部屋か犬小屋に入れてひとりきりにすること。犬が三十秒間ほど吠えるのをやめたら外にだし、静かにしたことにたいするほうびをあたえる。

失明した犬の場合は、飼い主やほかの犬が鈴をつけると、居場所をわからせるのに役立つが、耳の聞こえない犬には、この方法は役に立たない。だが、聴力をうしなった犬自身に鈴をつけると、飼い主には助けになる。難聴の犬は呼んでも走ってこないが、飼い主は鈴の音で犬がどこにいるか見当がつけられる。

〈耳そうじのしかた〉

こうした問題の予防や治療には、定期的な耳そうじが効果を発揮する。まず目に見えるところから、手入れをはじめる。スパニエル、テリア、プードル、シュナウザー、ラサ・アプソ、ブービエ・デ・フランダース、オールド・イングリッシュ・シープドッグなど、犬種によって耳の導管の中にまで毛が生える犬もいる。すると空気の流通がさまたげられ、水分がたまりがちになるため、これらの犬は耳の感染症にかかりやすい。耳の導管の外側の毛は、鉗子《かんし》を使ってかんたんにトリミングができる。耳の開口部から一センチほど中に入ったところまで、一度に数本ずつ毛を引き抜くのだ。ただし、それ以上奥はさわらないようにする。

耳そうじで耳垢をとりのぞくには、市販の耳の洗浄液かオリーブオイル、軽いミネラルオイルを使う。大型で力の強い犬の場合は、犬をおさえてくれる人を確保したほうがいいだろう。まず綿球かやわらかい布を過酸化水素（オキシドール）かオイルに浸ける。耳の開口部のまわりから、垢を拭きとる。綿棒を耳の中に突っ込んではいけない。耳を傷つけるだけでなく、垢を耳の中に押し込む結果になり、内部にたまったかすをさらに固めて大きくしてしまい、とりのぞくには獣医師の手が必要になる。

オイルの瓶を湯せんし、人肌くらいに温める。犬の頭を片方の耳が上を向くように寝かせて、耳の導管の入口のところまでこのぬるいオイルを注ぎ込む。そして人差し指と親指で犬の耳のつけ根をやさしくマッサージし、垢をふやかす。耳に残ったオイルを綿球で拭きとる。オイルをそそぐときも拭きとるときも、犬は激しく頭を振るので、オイルが飛び散ってもかまわない場所を選ぶ。犬がオイルをはね飛ばし終えたら、耳のまわりをきれいに拭く。導管がつまっている恐れがあるときは、両耳ともこの処置を週に二回おこなうが、ふだんの手入れの場合は週に一回でいい。これによって耳垢がやわらかくなり、自然に外にでる。垢をとりのぞいて、導管の中を耳ダニが住めないような環境にしてやると、それまで難聴かと思えた犬に、奇蹟が起きる。

老化を知らない犬

もう一つの大きな問題は、老いて耳が聞こえなくなった犬とのコミュニケーションだ。わが家で私は、「老化知らず」と名づけたテクニックを使っている。わが家の犬が高齢になり、視力や聴力をうしなった場合のことを考えて、声の命令だけでなく手の合図にも反応できるように、犬たちを訓練してあるのだ。おかげで犬がどちらかの能力をうしなった場合も、コミュニケーションがつづけられる。遠くから「いい子だ！」と伝えるための、手の合図までである。手を大きく開いて指をひらひらさせながら、「いい子だ」と言い、すぐにビスケットをあたえるのだ。

これまで犬に手による合図を教えていなかった場合も、犬に「来い」「座れ」「伏せ」「待て」などを、手の合図を使って教え直すことはかんたんにできる。ただし合図は明確でわかりやすいものにすること。あるかしこい犬のトレーナーは、耳の聞こえないシェットランド・シープドッグとのコミュニケーションに、ごく単純な方法を使っている。彼は小さなフラッシュライトを首から下げていて、ミニーというその犬に手の合図を送るときはライトをつける。「それで手の合図がよりわかりやすくなりますし、ミニーの視力が落ちたときは、私の手よりライトのほうがよく見えるでしょう。それに、注意を引きたいときは、ミニーの前でライトをつけるだけで私が呼んでいることがわかり、私のほうを向いてくれます」

耳の聞こえない犬に気持ちを伝える方法は、ほかにもある。床を踏み鳴らすと、犬に振動が伝わり、注意を引くことができる。犬がこちらを見たら、手の合図を送る。室内灯を点滅させても、おなじ効果がえられる。夜、庭にいる犬を呼びもどすときは、表の明かりを点滅させると、犬は「帰れ」の合図だとすぐに学習する。

年老いた犬も、外界から情報をえられているあいだは、適切に行動し、問題を解決し、新しい仲間ときずなを結び、満足して暮らすことができるのだ。感覚が衰えたあとも、犬と意思をつうじあわせる方法はあり、世界について犬に教えることもできる。そしてこれまでとちがう形で、老犬を介助することもできそうだ。目の不自由な人には盲導犬が、耳の不自由な人には聴導犬がいる。老犬に、介助犬がいてもいいのではないか。家にいる若い犬が、その役目をはたせそうだ。犬は社会的な動物なので、老いた犬もほかの犬の動静を見聞きして、それにしたがう。あなたが若い犬を呼んだとき、老犬がその反応に気づいて行動をともにする可能性は高い。

カナダのハル市に住むエレーン・ダウドは、そんな「視力をうしなった犬のための介助犬」で効果をあげている。飼っているドーベルマン・ピンシャーのエマが失明したとき、介助犬を手に入れたのだ。介助犬はおなじくドーベルマンのエイミーで、首に鈴をつけている。そしてエイミーの鈴音のあとをつけるよう、エマを訓練した。いまではエイミーの先導で、エマはエレーンと一緒にどこにでもいく。家具を迂回することも（その上に乗ることも）、壁やドアにぶつからないようにすることも、岩山を登ることもできる。エレーンは、二頭を買い物にも連れていく。「エマの目が見えないと気づく人はいません」と彼女は言う。「わかったときは、誰もが信じられないと言います！」

15　犬は人を犬だと思っている――犬に意識はあるか

遊ぶのが大好きだった私の黒い犬、オーディンが死んだとき、あとに残ったダンサーはその死を悲しんだ。少なくとも私にはそう見えた。ダンサーが生後八週でわが家にきたとき、先輩のオーディンは彼に家での行儀作法や吠え方、私の妻の猫ロキとのつきあい方など、だいじなことをすべて教えた。二頭は毎日一緒に遊び、何時間も一緒に走りまわった。そのオーディンが逝《い》ったあと、ダンサーは黒い犬がいつも寝るときに使っていた四つの場所を、一つ一つ丹念に調べた。自分の師でもある友を、ほぼ一時間おきに探しまわったのだ。そのあとで彼はいつにない感じで部屋の真ん中に立ちつくし、黒い犬がいつもいたテーブルの下のからっぽの空間と私を見くらべて、嘆くように悲しげに啼いた。

このとき小さな茶色い犬が感じていたのが悲しみだったとしたら、彼は頭の中にオーディンを思い浮かべていたはずだ。そしてオーディンと一緒だったときのイメージと、いま自分の感覚が捉えた友のいない現実とをくらべたにちがいない。そしてちがいに気づいたのだろう。いま自分がひとりになったことまで認識し、友のいない未来について思いめぐらしたかもしれない。そのすべては、意識と自意識をふくむ、きわめて高度な思考プロセスだ。

ダンサーを眺めながら、私は自分がその昔教授たちからいましめられた「科学における擬人化《ぎじんか》の罪」を犯しているのだろうかと考えた。擬人化とは人間以外のものを、人間になぞらえることだ。私は愛犬の死を悲しみ、彼がいなくなったことを意識した。では、ダンサーにも私とおなじような思考や体験や感情をもてると考えることは、擬人化になるだろうか。

犬を擬人化して考えるのは見当はずれか

擬人化は、心理学で〝再帰意識〟と呼ばれる人間の能力に根ざしている。つまり、自分自身の行動や感情に照らして、他人の行動を理解し予測することである。平たく言えば、ある状況における人びとの感情や行動を予測するために、自分だったらどうするかを想像することだ。「私だったらどうするか」を考えるのが巧みな人は、非常に有利だ。自分のライバルがどんな行動にでるか予測して、出し抜くことができる。また、衝突が起きるのを前もって予測し、問題を回避することもできる。こうした思考力がないと、チームを組んで協力しあうことが必要な、こみいった仕事はできない。建設や農作業、製造作業、狩猟、あるいは戦争などだ。

相手も自分とおなじように行動し考えるという前提に立って、相手の反応を予測するのは人間だけではない。私はこんな言葉をよく耳にする。「うちの犬は、自分を人間だと思っています」これはまちがいだ。犬は、私たち人間を犬だと思っているのだ。四本足ではなく二本足で歩く、妙な姿をした犬。犬的な行動に完全には反応できない、あまり頭のよくない犬。だが、犬と似た行動をすることも多いので、犬は自分だちとおなじ反応を予測して、人間とつきあうことができる。というわけで、犬は人間にたいして〝擬犬化〟をおこなっているのだ。だからこそ、犬はほかの犬にするように人間に向かって尾を振り、前脚をのばして遊びに誘うおじぎをし、人間の匂いを嗅ぐのだ。もっとも重要なのは、人間が犬の行動をコントロールできるため、犬が順位社会のリーダーとして私たちに敬意を払い、群れのリーダーにたいするときとおなじように私たちの命令に反応し、したがうことだ。

擬人化や擬犬化がなくては、犬がみごとに家畜化され、人間の家で暮らし、人間のコンパニオンや仕事仲間になることはなかったと思われる。人間は再帰意識を使って犬の行動を予測することで、犬が人間と仕事をした場合、どんな作業ができるかをあらかじめ割り出すことができた。犬に苦痛をあたえれば、犬はその状況や人間を避けるようになり、犬に食べ物、遊び、安全、やさしい肉体的接触、快適な社会的相互関係をあたえれば、犬は人間に引きつけられ、その命令に応える。それを人間は知っている。かたや犬のほうも、人間の意図を理解しているかのように、自分が最大限の恩恵にあずかれるような行動をする——犬の側にも再帰意識があるのだろうか。

正直に言えば、私はこれまでこの本の中であれこれ言い逃れをしながら、犬の飼い主がもっとも聞きたい質問と向きあうのを避けてきた。その質問とは、「犬には本当に人間とおなじような意識や思考力があるのか」言い換えれば、「擬人化的な表現は、あたっているのか」だ。かんたんに答えてしまえば、ある程度あたっていると言えるだろう。さもなければ、擬人化はとっくの昔にすたれていたはずだ。ふだんの暮らしの中で、私たちは犬を少なくとも低次の意識があるかのように扱っている。

心理学者のあいだで、意識の定義は完全に一致していない。日常会話の中で使われる意識という言葉は、覚醒していて、環境に反応する状態を意味し、その反対が睡眠や昏睡状態である。たとえば、個人は環境を意識すると同時に、世界を頭の中で思い描くことができ、それをもとに将来の行動を計画する。意識のある個人はできごとの記憶をもっていて、それを行動の指針にする。意識の中でも重要なのが、自意識だ。自分が個人として独自の肉体をもって生きており、ほかの人たちとはちがうという感覚である。そして最後に、自分には意図や計画があり、ほかの人たちにも自分と異なる意図や計画があるのを理解すること。私たちは犬とのかかわりの中で、犬に意識があり、犬が人間と似ている、少なくとも人間の子供と似ていると考えて行動することが多い。人間に置き換えた推測が、ときには見当はずれの場合もあるが、擬人化による想像はかなりあたっていることも多いようだ。

行動にかんする推測がはずれるのは、擬人化する相手に、私たちが想像するような能力が欠けているときだ。たとえば私たちは、生まれたての赤ん坊が泣いていると、こちらの注意を引きたいからだと考える。だが、生後数日、あるいは数週の赤ん坊の場合、これはあたっていない。赤ん坊はまだ幼すぎて、「自分が泣いたら、誰かがきてくれるだろう」などと考えられるほど、頭脳が発達していないのだ。もっと極端なのは、私たちが機械を擬人化する場合だ。たとえば私の妻は「この車、今朝は動きたくないみたい」と言ったり、私の仕事仲間は「このパソコンは、ぼくを破滅させたがっている」、あるいは「株式市場はおれを憎んでる！」と言ったりする。ただしこれらの場合、発言者にあらためて訊ねれば、彼らは車にもパソコンにも株式市場にも、そして赤ん坊にさえ、自分たちが言ったような能力がないのはわかっている。ただ自分の気持ちを表現するのに都合がいいから、そう言ったまでだと認めるだろう。だが犬の場合、状況はちがう。たいていの人が、犬には思考力も意識もあると考えている。

機械と人間を見分ける方法

では、本題に入ろう。ダンサーでもどんな犬でも、疑り深い科学者に意識や論理的思考力があることを納得させるには、なにをすればいいのか。問題の核心を理解するために、ダンサーが問われている問題に、あなたが直面した場合を考えてみよう。つまり、あなたに、意識や論理的思考力があることを証明するには、どうすればいいだろう。ある日目覚めたとき、あなたが配偶者あるいは恋人から、突然偽物だとなじられた場合を想像してみよう。相手はあなたが人間ではなく、あなたに似たロボットで、異星人か政府の陰謀で送り込まれたのだと言い張る。実際にこういう症状は脳障害で起きることがあり、カプグラ症候群と呼ばれている。この障害をもつ患者は、自分の配偶者や近親者が偽者で、人間ではないと確信するようになる。自分の夫や妻に外見もふるまい方もそっくりな偽者としか思えず、いくら本物だと主張しても、カプグラ症候群の患者は、嘘をついていると思い込む。障害をもつ患者が、侵入してきた〝偽者〟や〝ロボット〟を攻撃して殺してしまう悲劇的な例もある。

では、ここで問題。このカプグラ症候群の患者に、あなたがロボットではなく、意識と思考力をもつ本物の人間だと証明するには、どうすればいいだろう。納得させるためにはなにを言えばいいのか。本人しか知らない個人的なことを聞いてもらう? いや、あなたに本物の個人情報がプログラムされているだけだと、思われるだろう。あなたの中に意識をもった頭脳があることを、言葉や行動で証明する方法は、一つもない。もちろん、脳スキャンの結果を見せることもできるが、相手はあなたの頭の中に脳に似たものが組み込まれていて、電気的に動いているだけだと思うだろう。

コンピュータの知能を犬の思考力になぞらえると、犬に意識が存在するかという難題に、どう取り組むべきかが見えてくる。二十世紀のなかばに、デジタル・コンピュータの開発で先駆者の一人となったアラン・チューリングは、この問題を取りあげた。当時、SF作家も一般大衆も、〝考える機械〟が、巨大コンピュータという形をとって、ほどなく完成されるだろうという思いにとり憑《つ》かれた。ニューロンでできている脳も、構造は複雑だが機械のように動くから、というのがその理由だった。ニューロンは頭の中に何百億個もあり、脳も機械に似ている。非常に複雑な機械ではあるが、まだ自然の法則に左右されている。人間はすでに多くの複雑な機械を作りだしたから、少なくとも理論上は、脳とおなじような情報処理能力をもつ機械を作りだせるはずだと考えたのだ。一九五〇年代、六〇年代の小説には、意識と思考力をそなえたコンピュータ（たいていは、地球侵略をくわだてる）が登場した。初期のコンピュータ開発者たちはその可能性を否定したが、機械が実際に意識的思考をもったとき、人間とのちがいがはたして見分けられるだろうかという疑問もわいた。

　チューリングは、機械に実際に思考力があるかどうかを調べるテストを提案した。彼は、意識は主観的で計測不可能なので、コンピュータに知能があるかどうかを調べるには、質問形式をとるしかないと言った。そしてコンピュータを一つの部屋に設置し、人間をべつの部屋に入れて、一人ないし複数の人たちに質問をさせ、専門家がコンピュータと人間がだした答えを調べて、どの答えがどちらのだしたものか判断すればいいと提案したのだ。彼はこうしめくくった。「人間と機械の〝知能〟に見分けがつかなければ、機械も人間だと判断していいだろう」つまりチューリングは基本的に、「外見も行動もアヒルのようで、アヒルのように飛び、アヒルのように泳ぎ、アヒルのようにガーガー鳴くものは、みなアヒルだ」という、古い言い回しをなぞったのだ。

遊ぶために自分から頭にタオルをかぶった犬

チューリングのテストで、思考力や意識の有無が調べられると誰もが思ったわけではないが、ほかに有効な方法を考えつく者もいなかった。チューリングのテストで一ついい点は、犬の行動に応用して、それを意識的思考が必要とされる人間の行動と比較できることだ。行動がおなじだった場合は、犬に意識的な思考力があるという可能性を考えてもいいだろう。たとえばつぎのような例で、チューリングのテストを犬の行動にあてはめたら、どうなるだろう。

私がわが家の小さな農場にいっていたときのこと。義理の娘カーリが、自分の幼い娘センテーンを連れてきていた。霧雨が降るどんより曇った日だったので、野外で遊ぶことはできず、カーリと私の妻ジョーンは連れ立って町に買い物にでかけ、私は家に残って孫娘のお守りをすることになった。しばらくすると、玩具もテレビもセンテーンの興味を引かなくなり、彼女はほかのことを探しはじめた。さいわい私は、まだ二歳になったばかりの彼女が喜びそうな〝ゲーム〟を思いついた。

それは、わが家のビーグル、ダービーも参加するゲームだった。ダービーはそのころ生後九か月か十か月だったが、すでに社会的な接触が好きで食べ物が好きという、いかにもビーグルらしい特徴をあらわしていた。ゲームはこんな内容だった。ダービーを床に座らせ、私がバスタオルをその頭にかける。そして歌うような声でセンテーンに、「ダービーはどこかな?」と訊ねる。彼女は犬によちよち近づいて、不器用にタオルをその頭から引きはがす。彼女は私から、歌うような声で「できたぁ! ダービーがいたぁ!」と、拍手とともにほめてもらえる。ダービーは屈辱的な役割をじっとがまんしたごほうびに、私か孫娘からビスケットをもらい、頭もなでてもらう。彼もゲームを楽しんでいた証拠に、尾が左右に振られていた。もっと重要なのは、彼がこの騒ぎから安全な場所に逃げ出したりせず、そこに座りつづけていたことだ。

その年齢の子供にありがちなように、彼女はおなじゲームを十回ほどもくり返した。ときどきセンテーンがうしろを向いているあいだに私が犬にタオルをかけたり、一、二度はタオルをかける役を彼女にまかせたりもした。ダービーはそのあいだじゅう、いとも楽しげに座りつづけ、ビスケットをもらい注目の的になった。やがてセンテーンはゲームをやめ、私を見上げて唇を鳴らし、「ムンム」というような音をだした。喉がかわいたのでミルクが飲みたい、と言っているようだった。私は最後にまたダービーの頭をなでて、タオルを近くの椅子に投げかけ、冷蔵庫までセンテーンのミルクを取りにいった。

センテーンは中身がこぼれないカップに入ったミルクを受け取ると、今度はつけっ放しになっていたテレビに注意を向け、その前に座り込んだ。いっぽうダービーはと見ると、ゲームをしていたときとおなじ場所にじっと座っていた。孫娘からしばらく目を離して、私は彼のようすを眺めた。彼は立ち上がると、部屋を見まわした。そして私がタオルを投げかけた椅子に近づくと、後ろ足で立ってタオルを口にくわえ、そのまま床の真ん中まで引きずっていくと、その前に座った。私が手をださずにいると、彼はまずタオルを、つぎに私を、そしてまたタオルを見た。彼がもっとゲームをしたい(少なくともゲームにはビスケットがついてくるから)と、言っている気がして、私は胸が躍った。それでも私が動かずにいると、小さな犬は首をのばしてタオルの端をくわえた。そして横向きに寝そべると、タオルをくわえたまま体を一回転させ、床に腹這いになった。つぎにかなり苦労しながら座る姿勢をとった。いまではタオルが、彼の頭から背中にかけてたれ下がっていた。そのようすはじつにB級SF映画の登場人物さながらで、カルト教団の鼻の大きな僧侶が、衣のフードを目深《まぶか》にかぶって顔を隠しているような感じだった。

私が思わずふきだすと、彼は自分の意志を強調するかのように、クーンと啼いた。その声を聞きつけたセンテーンは、すぐにカップを手から放し、キーキー声をあげながらフードをかぶった犬によちよち歩きで近づくと、その頭からタオルを引きはがし、手を叩いた。かくしてゲームがまた二、三回くり返され、ダービーはビスケットをもらい、尾が前より速く振られて、満足の気持ちがあらわされた。

ダービーがもっとゲームをしたいと伝えるためにとった子供っぽい試みに、私は思わず笑ったが、頭のいい科学者たちから、そんなことはありえないと言われることも想像がついた。私とおなじ心理学者の多くは、ダービーの行動を意識的な推理、論理、方向性をもった知能のあらわれとは認めないだろう。彼らは、犬にそんな能力はないと言うにちがいない。自意識をもち、計画を立て、将来のできごとを予測することなど犬にはできないと。そして私が擬人化しているのだと、結論するのではなかろうか。

話を展開させるために、ダービーとセンテーンの役割を逆にしてみよう。「センテーンはどこ?」という、孫娘の頭にタオルをかけるゲームをしていた場合。これは実際にある二歳児用の遊びで、「○○はどこ?」と訊ねられたら、お利口な子は自分の頭からタオルをはずす。子供がタオルをもってきて自分の頭にかけ、ゲームをつづけさせるために、声をだして訴えたとしたら。今度は慎重な心理学者たちも、なんの問題もなくこんなふうに言うだろう。「その子はゲームをつづけたくて、もう一度君を誘うために自分で自分にタオルをかけ、まわらぬ舌でこっちを見てと伝えたのさ」つまり、犬とちがって子供には計画を立てる力、将来の結果を見通す感覚、論理性、自意識があるというわけだ。犬も子供も、おなじ状況で、おなじ反応をしたというのに!

それなら状況を少し変えて、チューリングのテストをこれらの行動にあてはめてみよう。視覚的な情報をとりのぞいて、子供と犬のどちらがしたのかわからないように、言葉だけで行動を表現し、その結果を判断してもらうとしたら。たとえばこんなぐあいだ。「その個体は、タオルがかかっている椅子に近づき、タオルを自分の頭にかぶせて、こちらを見つめ、注意を引くために声をだした」このように表現すると、例にだした二つの行動を区別するのは、非常にむずかしくなる。犬のダービーが推理をおこない、意識的に計画した行動をとったことを認めるか、孫娘が無意識に反応しただけだとするか、二つに一つの選択を迫られる。たいていの人は子供に推理力と意識（未成熟な形にせよ）がそなわっていることを認めたがるから、チューリングのテストの原則にしたがえば、犬にもおなじものを認めざるをえないだろう。

なかには、これが思考力や推理力のあらわれだとしても、意識の存在は証明できるだろうかと、こだわる人もいるかもしれない。チューリング流に考えれば、証明できたと考えていいはずだ。私はときどき『夢の解釈』を著《あらわ》したジークムント・フロイトの、つぎの言葉をよりどころにする。「意識的存在の特性について過剰な評価を捨て去らないかぎり、精神的なるものの根源について正しい見方はできない」結局のところ、先にお話ししたように、私たち自身でさえ、自分がよくできた機械ではなく意識をもった存在であることを、証明できないのだから。

犬も夢を見る

フロイトの夢にかんする有名な本を引き合いにだしたので、犬に意識があるかどうかを探るために、ここで夢という体験について考えてみよう。夢に登場するものは、私たちの意識の中に存在するものだけだ。この事実は誰でも受け入れるだろう。夢は脳内の活動と結びついているが、無関係な現実は入り込まない。基本的に夢は、睡眠中に意識の中に飛び込んでくる〝頭の中の映画〟だ。夢が頭の中の映画であり、昼間のできごとや、意識的なイメージを思い浮かべる者の幻想が、再現され、編集されたものだとしたら、夢を見ることはその存在に意識がある証拠になるだろう。

睡眠中の犬を観察して、犬が夢を見ていると強く感じる人は多い。眠っている最中に体を震わせたり、脚をひくつかせたり、さらにはうなったり嚙みつく真似までして、夢を見ている印象をあたえる。犬の脳の構造は人間の脳と似ており、睡眠中の彼らの脳波パターンは、人間の場合とおなじような時系列で似たような段階を経過し、犬が夢を見ていることを示唆している。

じつのところ、犬が夢を見ていないとしたら、そのほうがむしろ驚きだ。というのも最近、犬より単純で知能も劣る動物が、夢を見ることが実証されたのだ。マサチューセッツ工科大学のマシュー・ウィルソンとケンウェイ・ルーイは、睡眠中のラットの脳が、夢を見ているとしか思えない働き方をしていると発表した。人間が夜見る夢の多くは、当人がその日経験した活動とむすびついている。おなじことがラットにも言えるようだ——彼らはその日学習した複雑な迷路の夢を見ていた。ラットが覚醒して迷路を学習しているときに、脳の中で記憶の形成と蓄積をつかさどる海馬の電気活動を記録した結果、脳波が独特な特定のパターンをとることがわかった。のちにラットが眠りに入り、その脳波が人間の場合でいうと夢を見る段階に入ったとき、まったくおなじ脳波パターンがしめされたのだ。実際に、脳波パターンはきわめて鮮明で特徴的だったので、研究者たちは、ラットがいま夢の中で迷路のどこにいるか、動いているか立ち止まっているかまで、判読することができた。ウィルソンは慎重にこう結論づけている。「ラットはたしかに、人間が夢を見るときとおなじように、眠っているあいだに覚醒時に起きたできごとの記憶を甦らせていた」

犬の脳はラットの脳とおなじ電気活動をしめし、しかももっと複雑なので、犬も夢を見ていると考えていいだろう。犬が夢を見るだけでなく、夢の内容はふだんの活動についてだということも、実証されている。その研究は、夢のとおりに体を動かすことを抑える、脳内の特別な構造を利用しておこなわれた。その部分は脳橋（脳幹の一部）と呼ばれ、年を取るにつれて働きが弱ると、夢のとおりに体を動かすことが多くなり、夢を見ながら跳び上がったり、動きまわったり、妙な行動や危険な行動をしたりするようになる。実験で犬の脳からこの部分をとりのぞくと、脳波がまだ熟睡状態にあることをしめしているのに、犬は突然動きまわったりしはじめた。動きはじめたのは、脳が夢と結びつく睡眠段階に入ったときだけだった。夢を見る段階に入ると、犬は自分たちが夢の中で見ている行動を実際におこなう。というわけで、夢を見ているポインターは獲物を追いかけてポイントし、スプリンガー・スパニエルは夢の中の鳥を飛び立たせ、ドーベルマン・ピンシャーは泥棒に襲いかかるかもしれないのだ。

あなたの犬が夢を見ているかどうかは、脳手術や脳波の測定をしなくても、かんたんにわかる。犬が眠りはじめたら、観察するだけでいい。眠りが深くなると呼吸が規則的になる。平均的なサイズの犬の場合、二十分ほどすると、最初の夢がはじまる。犬の呼吸が浅く不規則になるので、変化がわかる。筋肉がひくひく動いたりする。近づいてよく見ると、閉じたまぶたの裏側で眼球が動くのがわかる場合もある。目が動くのは、犬が現実の世界を眺めるように、夢の世界を眺めているからだ。この目の動きは夢を見ている状態の顕著な特徴である。人間の場合、このように眼球が動く、いわゆるレム睡眠のあいだに起こされると、かならずといっていいほど、夢を見ていたことがわかる。

犬によって見る夢はちがう。なぜか小型犬のほうが、大型犬よりよく夢を見る。トイ・プードルなどの小型犬は十分おきに夢を見るが、マスティフやアイリッシュ・ウルフハウンドのような大型犬は、一つの夢からつぎの夢まで一時間半ほどあいだがあく。犬の夢と人間の夢の共通点が、もう一つある。人間とおなじく、犬が夢を見る時間量は、年齢によって変わる。若い犬のほうが老犬より夢を見る時間が長い。だが年齢にかかわらず、夢は脳波によって測定が可能な、特殊な意識状態の中でのみ生じるようだ。つまり、夢の存在は、その動物になにがしかの意識がそなわっていることを強く暗示すると言えるだろう。そして犬は、たしかに夢を見る。

頭の中に記憶の地図をもつ

犬に意識を認めるのに、心理学者は理論上、夢を見るという以上の証拠をほしがる。

そこでまず、意識とはなにか、非常に専門的な説明が必要になってくる。意識は睡眠や昏睡の状態にあるときよりも、覚醒しているときのほうがあるといった単純な区分け以上のものが必要なのだ。昔から哲学者も心理学者も、意識に覚醒以上の意味をもとめてきた。意識とは外界を知覚し、外界にかんする情報を処理し、感じたものを記憶にたくわえる能力、と言うだけで十分だとする者もいる。もっときびしい条件をもとめ、意識とは直接的な感覚を超えて外界を思い描けることだとする者もいる。つまり、自分が見ていても見ていなくても、ものが存在することを理解できる能力だ。最近では意識の条件として、自意識をもち、自己の概念をもち、自己の存在について自覚があることをあげる者もいる。意識にかんするもっともきびしい条件は、みずからの意識を自覚し、ほかの個体にもそれぞれの知能と意識を認めること、である。

意識の証明に必要とされるこれらのきびしい条件を、犬にあてはめてみよう。最初の条件は、感覚が直接捉えるものを超えた世界を、心の中に思い描けることだ。わかりやすく言えば、私は妻が部屋からでていって姿が見えなくなっても、彼女がまだ存在しているのがわかっている。そしてわが家のキャバリア・キング・チャールズ・スパニエルのバンシーが、昼寝のためにデスクの下にもぐりこんで姿を消しても、どこかにいることはわかっている。このように直接的な感覚に頼らずにものの存在を知ることを、スイスの心理学者ジャン・ピアジェは〝対象の永続性〟と名づけた。彼はこの能力が先天的なものではないことを実証した。これは、一歳くらいの幼い子供に、その子が好きな玩具を見せればかんたんに証明できる。子供は当然玩具に手をのばす。つぎに子供が玩具を見ているあいだに、白い紙などで視界をさえぎり、玩具が見えないようにする。この条件のもとでは、子供は紙の裏側に手をまわしたりはせず、玩具がもう存在しないかのように、あらぬ方向を見たり、泣きだしたりするだろう。非常に幼い時期の子供には、両親でさえ、たんに見えたら存在し、見えなければ存在しないものにすぎない。だからこそ、赤ん坊は「いないいないばあ」のゲームに大喜びするのだ。一歳半から二歳くらいになると、子供は対象の永続性を身につけ、玩具が見えなくなっても、まだそこにあるのがわかるようになる。紙でさえぎっても、その裏側に手をのばしたり、紙をどけたりして、玩具を手に入れようとする。ピアジェに言わせれば、子供はこの段階で〝心的表象〟あるいは〝認知地図〟を形成したのだ。そして子供はその地図を意識の中に取り込む。それは彼に、姿が見えなくなってもものがまだ存在していることを教え、どこにあるかを教える。意識の中で子供は、最初のうちは具体的に、のちにはもっと抽象的に、地図を操作するようになる。ピアジェは、対象の永続性を発達させる前の子供に意識がないと言っているわけではない。この理解力を発達させたとき、子供の意識のレベルが上がり、それまでより複雑な思考や問題解決ができるようになると言っているのだ。

わざわざ実験でたしかめなくても、犬に対象の永続性があることは明白だ。犬の祖先が、岩や曲がった道の向こうに姿を消したウサギその他の獲物を、もういなくなったと考えたとしたら、彼らはとっくの昔に餓死していただろう。そして優秀なレトリーバーは、撃ち落とされた二羽の鳥が、背の高い草むらの中に落ちて見えなくなったあとも、そこにいるのを知っているからこそ、確信をもって迷わずその場所に向かい、ご主人のもとに二羽とも持ち帰るのだ。

犬の対象の永続性を、正式に調べたのは、ケベックにあるラヴァル大学のシルヴァイン・ギャノンとフランソワ・ドレだった。二人は、犬の場合、この心理的能力が人間よりはるかに早く芽生えることを発見した。生後わずか五週間の子犬が、すでに対象の永続性の基本を理解していたのだ。生後八週になると、生後八か月の人間の子供なみにしっかりした、対象の永続性が身につく。

この事実をしめしても、まだ犬が世界を意識的に見ているとは納得せず、もっとレベルの高い意識の証明を要求する人たちもいるだろう。人間の場合は、対象の永続性をもっと複雑な形でテストして、子供の中に心的表象（認知地図）があることを明確に把握できる。それは「見えない移動テスト」と呼ばれている。このテストでは、まず実験者が子供の前で容器に物を入れる。つまり、子供の目に物はもう見えず、まだ存在することを知るには、対象の永続性にたいする理解力が必要とされる。つぎに実験者は容器をついたての裏側に移動させ、子供には見えない状態のままで、容器から物を取り出して、そこに置く。こうして見えない移動をおこなったあと（子供は物が容器に入れられたのは見ているが、そこから移動されたのは見ていない）、実験者は容器を見える場所にもどし、子供に中がからになったのを見せる。子供はからになった容器を見て、物が動かされたと考える。そして子供に心的表象がそなわっている場合は、物が移動されたとすれば、それがある場所は唯一ついたての裏だと推理する。そしてたちまち物を見つける。この推理はかんたんそうに見えるが、実際には高度の意識が必要とされる。単純な対象の永続性の問題を解く場合よりも、成熟した知能が要求されるのだ。だが、人間の子供は二歳くらいで、この問題をかんたんに解く。ギャノンとドレは「見えない移動テスト」を犬にもおこない、一歳くらいで容易にこの問題を解くことを発見した。その後の追加調査で、このテストの難度をさらに上げて、物の移動先を五か所にし、容器がからになったのを犬が知ったときと、それを見つけにいくまでのあいだに、最長四分の時間差をつけた。それでも犬はかなりいい成績をあげた（ついたての数が少なく、時間差が短いときほどうまくはできなかったが）。この難度を上げた問題を解くには、記憶の地図のようなものが必要であり、意識にもとづく推理が働いていることを否定はできない。

人の記憶を助ける犬

何年か前に、タフツ大学の哲学者ダニエル・デネットから、自分は犬にエピソード記憶がないと確信している、だから犬に人間とおなじような意識があるとは認められないと、はっきり言われたことがある。そしてのちに私は、多くの哲学者や行動学者が彼と同じように考えていることを知った。彼の言葉の意味を理解するには、記憶にはさまざまな種類があることを知っておかねばならない。心理学では記憶をまず、〝顕在記憶〟

と〝潜在記憶〟の二つに大きくわけている。かんたんに言うと、顕在記憶はあなたが言葉で語ることができ、自分の意志で思い出せる記憶であり、潜在記憶は反射的で、意識のおよばない記憶である。潜在記憶のいい例は、習得した技術だ。たとえば自転車の乗り方は覚えていても、それを誰かに説明しようとすると、ほとんど不可能に近い。どうすればいいかはわかっているが、その行動を意識にのぼらせてほかの人に伝えることはできないのだ。

顕在記憶には、〝エピソード記憶〟と〝意味記憶〟の二種類がある。エピソード記憶は、あなたが個人的に体験したことの記憶だ。前日の夜はなにを食べたか、昨日はどんな服を着ていたか、はじめてのキスはどんなだったか。そんな質問に答えるとき、あなたはエピソード記憶を思い起こしているのだ。かたや意味記憶は、事実の記憶だ。「ジョージ・ワシントンはなにをした人ですか？」「月の気候はどんなふうですか？」といった質問に答えるときは、意味記憶が使われる。これはエピソード記憶ではない。あなたはジョージ・ワシントンに会ったことも、月にいったこともないのだから。エピソード記憶は、自分の過去を意識の中に呼び戻すことによって、以前の体験にもう一度返る、頭のタイムトラベルのようなものだと言われることもある。この記憶は練習や反復にもとづいていない。生活の中のできごとは、一度しか起こらなくても記憶されるのだ。エピソード記憶の重要な特徴は、記憶の一つ一つに、いつ、どこで、なにを、という独自のデータがふくまれていることだ。

デネットの発言は、ごく日常的な犬の行動に照らしても、私には納得しかねるものだった。たとえば、犬を飼っている人は、犬になにかを探してもってこさせる命令の言葉を、それぞれに用意しているだろう。わが家では、「ボールはどこ？」と声をかけると、犬たちはダッシュしてボールを見つけにいき、私のところにもってくる。自分にはとれない場所にあると、その近くまでいって吠える。「ジョーンはどこ？」という言葉にも反応し、私の妻を探す手伝いをしてくれる。この言葉を聞くと、犬は自分が彼女を最後に見かけた部屋にいく。彼女が上の階や地下室にいる場合は、階段がある場所までいって待っている。ジョーンが外出しているときは、彼女がでていくときに使ったドアのところまでいく。彼女がどこにいるのかわからないときや、自分が最後に見かけた場所から彼女が移動していた場合、犬はジョーンを探しはじめる。そのどれにもエピソード記憶が作用している。犬は対象物を最後に見た場所を、記憶しているのだ。この記憶には明らかに、いつ、どこで、なにを、の要素がふくまれている。特定の対象物について、いちばん最近見かけたとき、どこにいたかを訊ねているのだから。

私が「ジョーンはどこ？」の例をデネットに話しても、彼は感心しない顔をした。そこに「エピソード記憶的な行動」があることを、認めただけだった。そしてしばらく考えてみて、君の推論に穴が見つかったら、連絡すると言った。その後、この問題について彼から一度も連絡はない。

じつのところ、犬のエピソード記憶力は非常にすぐれている。いつか盲導犬や聴導犬にくわえて、記憶介助犬が誕生する可能性がありそうなほどだ。信じられないかもしれないが、そんな犬がすでに存在する。カナダのアルバータ州ウェタスキウィンに住むジョン・ディナードが、その飼い主だ。ディナードは五歳のときに車にはねられ、脳に損傷を負った。それがもとで学習障害になり、短期記憶も非常におぼつかなくなった。長期記憶のほうは、なにかを脳にたくわえるまでに、何度もくり返し学習し直さないといけなかった。幼いときの記憶はまだ残っていて、四歳のとき住んでいた家の電話番号は覚えているが、新しい家の電話番号は覚えられない。たとえば、自分の妻の名前を記憶するのに一年かかった。彼は言った。「六百回聞き直さないと、名前を覚えられないというのは、じつに憂鬱です」悲しいことだが、彼はこの本のために私がインタビューしたことを、もう忘れているのではないかと思う。

　実生活では、短期記憶がないとかんたんなことも悪夢になる。ショッピングモールにいっても、ディナードは自分の車をどこに停めたか完全に忘れてしまう。そこで活躍するのが、犬のエピソード記憶の力なのだ。現在ディナードは、彼の記憶を助けてくれるゴリアテという名のジャーマン・シェパードのおかげで、自信をもって買い物ができている。その役目をする犬は、ゴリアテで三代目だ。もちろんゴリアテは、名前や電話番号や買い物リストで彼の力になることはできないが、ギリシア神話の英雄テーセウスが怪物ミノタウロスを倒したあと、迷宮を抜け出すのに頼りにした糸玉とおなじような役目をはたしている。ゴリアテの仕事は、ディナードがはじめての建物で出口を思い出せないとき、ご主人をそこへ導くことなのだ。

ディナードは言った。「彼がいなければ、私は道に迷ってばかりいるでしょう。いまでは、彼に『出口にいけ』とか『車にもどれ』と声をかけるだけで、そこへ連れていってもらえます」ゴリアテのエピソード記憶は、その記憶をもちにくいご主人のかわりをはたしている。デネット博士は、それを聞いてなんと言うだろう。

犬に自意識はあるか

学者の中には、意識を認めるにはもっと条件が必要だとする人びともいる。その条件とは、自意識、すなわちみずからの独自性や人格にたいする認識である。そのためには、自分自身から抜け出し、自分を第三者として捉えられることが前提になる。動物に自意識があるかどうかを調べるのは、言葉を使わないかぎり不可能に思えるが、少なくとも霊長類については、鏡と口紅さえあれば調べられる。

最初に実験をおこなったのは、チャールズ・ダーウィンだった。彼は動物園で動物と人間の表情の研究をおこなう際に、オランウータンのいる檻に鏡を取りつけた。そして観察記録をつけた。オランウータンは、まず鏡をのぞきこみ、うしろにまわってそこに猿がいないかたしかめた。つぎに彼らは鏡を見つめながら手足を動かしたり、顔の表情をあれこれ変えてみたりした。ダーウィンは、この行動がなにを意味するか結論をだしかねた。顔の表情を変えたのは、自分とはちがうオランウータンがいると考え、わざと見せつけるためだったのかもしれない。あるいは、鏡に映っているのは自分の姿だと認識し、自分がどんなふうに見えるか、表情を調べていた可能性もある。この〝表情〟ゲームは、人間の子供も鏡の前でよくやる。

オールバニーにあるニューヨーク州立大学の心理学者、ゴードン・ギャラップは、ダーウィンの観察結果に注目し、みずからも実験をおこなった。彼は鏡をチンパンジーの檻に入れた。最初チンパンジーはオランウータンとまったくおなじ行動をとった。だが、盲目として生まれ、のちに視力が回復した人や、それまで鏡を見たことのなかった子供も、はじめて鏡で自分の姿を見たときは、それが自分だとは思わないものだ。そして時間がたつとともに、彼らはそれが自分の姿だと学習する。そこでギャラップは、しばらく鏡を檻の中に入れっ放しにした。つぎに彼はチンパンジーを麻酔で眠らせ、そのあいだに赤い色を片方の眉と、片方の耳につけた。麻酔から覚めたチンパンジーは、最初はなにも反応しなかった。だが、鏡を見て赤い色がついているのに気づくと、じっと鏡を見つめながら、自分の眉と耳をさわりはじめた。ギャラップは、それをチンパンジーが自分を意識した証拠だと考えた。猿は、自分が一個の個体であり、いま鏡の中に自分自身を眺めているが、その姿がいつもとちがうこと——つまり、自分自身のどこかが変わったことを理解したのだ。オランウータン、ゴリラ、そしてイルカも、鏡に映る自分の姿にたいして、おなじように自意識をもった反応をしめす。

犬その他の種は、鏡を見せても自分以外の動物を見るように反応するか、完全に無視するかのどちらかだ。そのことから研究者は、犬に自意識が欠けており、したがって意識もないと結論する。もちろん、べつの結論も引き出せる。犬は鏡に映る姿を自分だと認識するが、霊長類のようにうぬぼれが強くないので、自分の姿に関心を払わない、のかもしれない。

コロラド大学の生物学者マーク・ベコフは、この否定的に見える結論に、べつの解釈を試みた。犬は人間や猿にくらべて、視覚で捉えたものに反応しにくい。問題は、犬の自意識を調べるのに使われた、感覚的要素にあるのではないか。犬にとってもっとも重要な感覚は、すでに見てきたとおり、嗅覚である。犬は親しい犬や人間の匂いをたしかに認識している。だから犬の自意識を調べるには、犬に自分の姿を認識させるよりも、自分の匂いを認識させたほうがよいのではなかろうか。そこでベコフは、犬の自意識を探るために、〝赤い色のテスト〟のかわりに、〝黄色い雪のテスト〟をおこなった。実験には彼自身が飼っている、ロットワイラーとジャーマン・シェパードの雑種犬、ジェスロを使った。彼はこのあまりエレガントとは言えないが、着眼点のすぐれた実験について、こう書いている。

五年のあいだ、冬がくるたびに、私はジェスロのうしろを歩いて、彼が残した黄色い雪をすくいあげ、遠く離れた、尿のあとがついていないべつの場所に移した。ほかの犬たちの黄色い雪も集めて、おなじく場所を移動させた。雪にはしっかり尿が残り、しかも持ち運びがかんたんなので、とても都合がよかった。十分なデータを集めるのに冬五回ぶんかけたのだ。じつに愛の所業と言えるだろう。

この雪の移動は、ジェスロに気づかれないように、犬がべつの場所にいっているあいだにおこなわれた。実験はいたってかんたんなものだった。ベコフはジェスロがその場所までいくのを眺め、着いた時間を記録し、尿の痕跡の匂いをどのくらい嗅いでいたか時間を計り、ほかになにをしたかを観察した。犬の飼い主なら想像がつくだろうが、ジェスロは黄色い痕跡に出会うごとに立ち止まって匂いを嗅ぎ、ほかの犬の黄色い痕跡の上に自分の尿をかけて匂いをつけた。だが、自分自身の尿の痕跡に出会った場合は、ほかの犬の痕跡に出会ったときよりはるかに匂いを嗅ぐ時間が短く、なにもしなかった。

このデータにもとづいて、ベコフは犬にも人間とおなじような自意識の要素があると結論した。彼によるとそれは、自分が自分自身の体を所有しているという、〝肉体意識〟のようなものだという。「自分の前足」、「自分の顔」といった感じである。それにくわえて、犬には〝自分のもの意識〟がある。つまり、なにが自分のもので、なにが他者のものかという感覚だ。そこには、「自分のテリトリー」「自分の寝場所」「自分の骨」などの感覚がふくまれる。このデータでは裏づけられないのが、犬に〝自己意識〟があるかどうかである。これは、ほかにいい例がないのだが、ターザンが「おれ、ターザン、君、ジェーン」と言うような感覚だ。犬の自意識を調べる実験では、そこまではまだ十分実証されていないようだ。

自分と他者とのちがいを知る能力

意識にかかわるもっとも要求の高いテストは、ペンシルヴェニア大学の心理学者デイヴィッド・プレマックが〝心の理論〟と名づけたものだろう。心の理論について最初に理解していただきたいのは、これが科学者の考えだした心理学の理論ではなく、私たちが自分以外の存在とその心について抱く理論であるという点だ。基本的には、私たちには自意識と意識があり、自分以外の存在にも自意識と意識がある、という認識である。そして、他者には独自の視点や思考があり、自分自身の視点や思考と共通しない場合があることも、理解している。それが条件になる。心の理論は、好ましい社会的相互関係にとって欠かせないものだ。私たちは「自分がこれをやったら、彼はこう考えるだろう、そうしたらどんな行動にでるだろうか」といったぐあいに考える必要があるからだ。それによって交渉が成り立ち、衝突が避けられると同時に、嘘をついたりだましたりする行為も生じる。心の理論をもつ動物は、意識の最高レベルに到達している。心の理論には意識の要素がすべてふくまれているからだ――感覚による状況把握力、世界にかんする認知地図、そして自意識である。なかでも、自分自身の体験と思考プロセスをもとに、他者の存在の思考や行動を予測するのに役立つのが自意識だ。

四歳以下の子供は、心の理論が十分発達していない。自分が見たり経験したりするものは、ほかの誰もが経験するものとおなじだと考える。自分とちがう見方や考え方があるとは想像できないのだ。これはかんたんな実験ですぐにわかる。子供に二つの指人形を見せながら、こんなお話を聞かせるのだ。

こちらはバート。バートはバスケットをもっています。こちらはアーニー。アーニーは箱をもっています。バートはクレヨンをもっていて、それをバスケットに入れます。バートはお散歩のために、部屋からでていきます。一人になったアーニーは、バスケットからクレヨンをだして、箱に入れます。バートがお散歩からもどってきました。クレヨンで遊びたいのです。バートはクレヨンを、どこから取り出そうとするでしょう。

子供はクレヨンがバスケットから箱に移された場面を見ているから、クレヨンがいまどこにあるか知っている。だが、人形のバートは移された場面を見ていないので、それを知らない。三歳以下の子供は、たいてい箱を指さす。自分自身が知っていることと、他者（人形）が知っていることとを、区別して考えられないのだ。彼らの中で、ほかの人たちには自分とちがう視点や考え方があるという心の理論は、まだ発達していない。だが、四歳になると、バートはクレヨンが動かされた場面を見ていないので、自分たちとちがって、クレヨンがいまどこにあるか知らないということを正確に理解する。心の理論が発達しているため、バートの視点に立ってバスケットを指さす。

　幼い子供に「隠れて」と言うと、自分の目を手でおおうことがあるのも、一つにはそのためだ。心の理論が欠けているため、自分に相手が見えなければ、相手にも自分が見えないと考えるのだ。

　私と孫のラヴィとの笑ってしまう（いささかもどかしくもある）会話も、その一例だろう。ラヴィが三歳くらいのとき、私たちは彼に絵本を三、四冊送った。動物の本、トラックと車の本など、それぞれはっきりちがうものだった。そのあと娘のレベッカが電話をしてきて、ラヴィがそのうちの一冊をとても気に入って、ありがとうと言いたがっているからと彼を電話口にだした。

「それで」と、私は言った。「どの本がいちばん好きだったの？」

「これ」彼は答えた。

「これって、どれのことかな」私が訊ねた。

「これのこと。こっちはそんなに好きじゃないの」彼は言った。

　彼が本をぜんぶ自分の前に置いて、かわるがわる指さしているのは明らかだが、電話ごしではなにも伝わらない。だが彼には、自分のいま見ているものが、べつの人間に見えない場合もあるということが、わからなかった。心の理論がまだ十分発達していなかったのだ。

　ところで犬は、自分とべつの生き物に独自の見方と考え方があることを理解しているようだ。犬が心の理論を発達させた理由を考える場合、犬が進化のうえできわめて適応性が高いことを心にとめる必要がある。狼のような野生の犬族は、狩猟の技術として、ほかの生き物に「なりかわって」考える能力を発達させたと思われる。心の理論は、獲物に姿を見られたり足音を聞かれたりしてはならないと狼に教え、足音を忍ばせて忍び寄るすべを身につけさせたのだろう。実際に追跡がはじまると、狩りをする犬たちはこの能力を使って、たとえば獲物がどの方向に逃げるかを予測する。大型の獲物を集団で狩るときは、狼は群れを分割する。一、二頭が特定の方向へ送り込まれ、そこで地面に伏せて待ちの態勢に入る。待ち伏せ役が位置につくと、残りの狼は一定の角度から獲物を追い上げ、待ち伏せている狼たちのほうへ獲物を追い込む。これには、かなり高度な先見性と計画性、そして獲物がどのように状況を捉えて反応するかを予測する能力が必要とされる。というわけで、犬のような社会的ハンターにとって、心の理論は非常に役に立つのだ。

人間の目を盗むすべを心得ている犬たち

犬は、自分以外の個体に独自の見方があり、それを考慮するのが重要だという事実を、非常によくわきまえているようだ。犬になにかを投げてとってこさせるだけで、それがかんたんにわかる。何度かボールをとってこさせてから、ボールを投げたあと、犬にくるりと背中を向けてみせるのだ。犬はあなたの前にまわりこんで、ボールを落とすだろう。これは、人間にボールを見せないと投げてもらえないこと、そして目の前まで運ばないと人間には見えないことを、犬が理解している証拠だ。

　動物の行動と、動物と人間のふれあい方にかんするすぐれた本の著者スティーヴン・ブディアンスキーは、心の理論を犬が有効に活かした例をあげている。彼の飼い猫は、納屋の馬具部屋で食べ物をもらっていた。彼は犬が入って猫の食べ物を横取りしないよう、いつも扉を閉めるようにしていた。しかし、ブディアンスキーがなにかを取りにその部屋に入ったときに、雌のボーダー・コリーもこっそり入り込んで、猫の食べ物を失敬することがある。もちろん、見つかったときは叱られて、食べるのをやめる。だが、その部屋には電話がついていた。ブディアンスキーがその部屋の電話を使うときは、会話に気をとられ、視線がべつの方向にさまよいはじめる。そのとたん、コリーは猫の食べ物に飛びついてつまみ食いをし、たいてい気づかれずにすむ。ブディアンスキーは、犬に心の理論があるということには疑問をもっているが、明らかにコリーの行動は、ご主人が電話にでているときは注意がそれ、つまみ食いをしても気づかれないと、意識的に計算したうえのものだ。犬は心の理論を使って、このチャンスに乗じれば、禁じられたことをしても大丈夫だと判断し、自信をもって行動にでるのだ。

　犬が自分以外の存在の視点を意識することは、実験でも証明されている。たとえば、マックス・プランク進化人類学研究所のジョーセプ・コールとそのチームは、犬が人間の視線を観察して、その人間がなにを意識し、なにに気をとられているか察知することを実証した。実験で彼らは床に食べ物を置き、犬には食べないようにきびしい警告をあたえた。だが、その人間が部屋からでていったとたんに、犬はたちまち食べ物をかすめとった。人間がその部屋にいて、じっと見ているあいだは、犬は食べ物をとろうとしなかった。とる場合は、見られないようにそっと近づいてこっそり横取りした。もっとも興味深かったのは、人間が部屋にいて、犬に背中を向けたり、ちがうことをはじめたり、目を閉じたりしたときだった（ブディアンスキーが、電話にでるために犬に背中を向けたのとおなじ状況である）。そんなとき、犬は人間の注意が自分からそれたのを察知し、そのチャンスに食べ物をかすめとろうとした。これらの犬は、明らかに人間の視線を観察し、人間がなにに気をとられているか、そして自分たちはどう反応すべきか、心の理論のようなものを使って見定め、その判断にしたがって行動したのだ。

犬は嘘をつく？

これまでご説明してきた数々の犬の行動は、犬に心の理論があること、そしてその情報を個人的な目的のために使い、ときには相手をだしぬく手段にもすることを示唆している。単刀直入に言えば、一般に犬は誠実で正直だと信じられているが、これらの行動からすれば、われらが最良の友は、嘘をつくこともだますこともできるらしいのだ。だが、相手をうまくだますためには、その相手に独自の見方や考え方があることをわきまえたうえで、それを操作しないといけない。かなり高度な意識だが、競争社会で暮らす場合、相手をだしぬくことが犬にとって有利に働くのはまちがいない。

そんなふうに犬が相手をだしぬく例を一つあげてみよう。私の娘カーリが飼っている二頭の犬、テッサとビショップの場合だ。私たちはこの二頭を、週末にわが家の農場へ連れていき、私の犬たちと遊ばせた。テッサはもうかなりの歳なのでほかの犬と走りまわることには興味がなかったが、一緒に外にでて、都会では味わえない草むらでの探索を楽しんだ。だが、テッサがなにより好きなのは、燻製《くんせい》の豚の耳だった。農場では、どの犬も毎日このごちそうがもらえた。その日、私が豚の耳を配り終えると、寝そべって食べるのが好きなテッサは、自分の場所でむしゃむしゃやりはじめた。ビショップも自分のぶんをくわえていたが、まだ食べはじめていなかった。そのとき私の妻が買い物からもどり、彼女のヴァンが家の前に停まった。ビショップはその車の音を聞きつけたせいか、あるいは警戒怠りない〝家の守護神〟モードに入ったせいか、とっさにくわえていた耳を落とし、吠えながらドアに駆け寄った。テッサは彼のようすを眺め、彼がドアを目指して部屋からでたとたん、自分が食べていた豚の耳を放り出して、小走りにビショップのいた場所までいき、彼が落としていった豚の耳を拾い上げた。そしてもとの場所にもどると、自分が食べかけていた耳の上に寝そべって、ビショップのぶんの耳をかじりだした。私の妻の出迎えを終えたビショップは、急いでごちそうのところにもどった。自分が耳を落とした場所を調べ、近くにないかとあたりを探した。ビショプの目にはもとの場所から動いていないように見えるテッサは、そしらぬ顔でビショップの豚の耳を食べつづけていた。彼女はじきに食べ終えたが、その場所から立ち上がらなかった。かわりに前足をのばして頭をのせ、目を半分閉じて、なりゆきをうかがった。しばらくするとビショップは捜索をあきらめ、部屋からでていった（廊下で耳を落としたのかもしれないと、探しにいったのだろうか）。そして今回も彼が姿を消すと同時にテッサは立ち上がり、体の下にあった豚の耳を取り出した。そしてもとの体勢にもどると、もともと自分がもらった豚の耳を食べはじめた。ビショップはその後部屋にもどらなかったので、テッサが彼のものを盗んだばかりか、自分がもらった耳の上に寝そべって、盗みを隠していたとは、知るよしもなかった。

犬が相手をだしぬいた例は数かぎりなくあり、なかには巧妙な画策をおこなう犬までいる。シカゴのブレンダ・エドワーズが飼っている、ドーベルマン・ピンシャーのロルフとファニーもその例だ。彼女はこんなふうに話してくれた。

私がなぜファニーを、本物のペテン師だと思うようになったのか。その背景として知っておいていただきたいことが、二つあります。一つは、うちの犬たちは骨が大好きだということ。私は二、三日おきに牛の脛骨《けいこつ》を一本ずつあたえます。骨が汚くなったり小さくなったりすると、私が拾って捨てるのです。どこかにいって、わからなくなることもあります。一本だけ残った場合も、ロルフとファニーは争ったりしません。そのとき骨をもっている者がその所有者だと、おたがいに理解しあっているようなのです。

もう一つは、犬たちが骨以上に好きなのが、私の夫だということ。その理由は、帰ってくるたびに夫が二頭をなでてやるだけでなく、裏口のドアの脇に置いてあるジャーから、特別のおやつをだしてあたえるからだと思います。スティーヴはいつも家の裏のガレージに車を停めて、裏口から入ってきます。だから彼の帰宅は、犬たちにとっておやつがもらえるチャンスなんです。

そしてある日の午後、彼女はロルフは骨をしゃぶっていて、ファニーは自分の骨が見つかりませんでした。彼女はロルフのようすを眺め、部屋を歩きまわったあと、立ち止まって彼の骨をじっと見つめました。私がなにかの用事でキッチンにいっていると、突然ファニーが私の脇をすりぬけて裏口のドアへ突進しました。彼女は後ろ足で立ち上がり、前足でドアを叩いたのです。古いドアで少しぐらぐらしているので、叩くとまるでドアが閉まるときのようなバタンという音がします。そのあと彼女はキッチンまでもどって、カウンターのそばに身を寄せました。キッチンのドアに近いと同時に、そこを通りぬける者からは見えない場所です。裏口のドアがバタンといったとたんに、ロルフが姿を現しました。私の夫が帰ってきたと思ったのです。そしてロルフがキッチンに入ってくるやいなや、ファニーは猛烈な勢いで飛び出していって、骨を自分のものにしました。

ファニーが裏のドアを叩いて大きな音をたてたのは、ロルフがそれを聞いてスティーヴだ、おやつがもらえる、と判断するのがわかっていたからにちがいありません――そのあいだに骨を盗もうと考えたのです。これは計画的にやったなと私が確信したのは、彼女が裏口のドアを叩いたあとカウンターの下に身をひそめ、ロルフが通りすぎたとたん、行動を開始したからです。まったく、凄腕のペテン師です！

人とのだましあいを楽しむ犬たち

テッサやファニーのような例で問題なのは、それが自発的に起こり、科学的な証明がしにくいことだ。だが、二人の心理学者、イースタン・ケンタッキー大学のロバート・ミッチェルとクラーク大学のニコラス・トンプソンは、犬が相手をだますために心の理論を使っていることを、日常的な例で実証した。それは、遊びの中で起きることだ。彼らは、二十四頭の犬が飼い主やはじめての相手と遊ぶようすをビデオに撮り、その動きを一秒単位で分析した。遊んでいる最中に、人間も犬も、たびたび相手をだましていた。その方法は、〝見せかける術〟と、〝身をかわす術〟の二つだった。人間のほうは、こんなふうに犬をだました。犬にとってくるもの（ボールなど）を見せ、犬にあたえるふりをしておびき寄せ、さっとうしろに隠すか、犬がほしがって駆け寄ると、それを遠くへ投げる。あるいは投げるふりをして、実際には投げない。

犬のほうも、ゲームをしていた。〝見せかける術〟では、犬がボールをくわえて近づいてきて、人間が手をのばしてもまだとどかない距離で、受け取るように誘う。ときにはわざと立ち止まってボールを落としてから、それを見下ろしたり、一、二歩下がったりして、人間に渡したがっているようなふりをする。誘いにひっかかって人間が手をのばすと、とたんに犬はボールをその場でくわえたり、遠くへ転がしてからくわえたりして、人間の手のとどかないところに運び去る。〝見せかける術〟に〝身をかわす術〟をくわえたゲームでは、犬は人間に駆け寄ると見せかけて、人間が近づこうとしたとたん、ひらりと身をかわして逃げていく。

このゲームでは人間も犬も、おたがいの心の理論を試しあって楽しんでいるように見える。どちらの側も、相手をうまくだましおおせるとうれしそうにする。だからこそ遊んでいるあいだに、七十八パーセントの人が犬をだまそうとし、九十二パーセントの犬が人をだまそうとするのだろう。この結果を見ると、犬のほうが人間よりだましたがる割合がやや高いことがわかる。

この研究でもう一つ興味深い数字が、相手をうまくだましおおせた割合だ。ゲームのあいだに人間が犬をだまそうとして成功した割合は、四十七パーセント。かたや犬が人間をだまそうとして成功した割合は、四十一パーセントだった。その成功が、心の理論を使って、相手がなにに注目し、どのように解釈し、どんな行動にでるかを正確に読みとれた結果だとすれば、人間は犬よりもすぐれた心の理論をもっていることになるが、その差は六ポイントにすぎない。たいていの人が想像するよりも、はるかに小さい数字だ。犬は意図的に相手をだしぬこうとし、しかもほぼ人間なみにそれが巧みなようだ！

この研究結果にさらに補足をくわえてみるのも、おもしろそうだ。たとえば、特殊技術を使って、ミッチェルとトンプソンが集めたビデオに手を入れて、犬と人間の画像を、双方の見分けがつかない、おなじサイズの丸に変えてみるのだ。そのあとで、二つの丸の動きを見て、どちらが人間でどちらが犬か、人びとに判断してもらう。おそらくたいていの人は、解答に苦労するだろう。両者の行動に見分けがつかないとすれば、犬はチューリングのテストに合格することになる。そうなったら、チューリング博士の説にしたがえば、犬と人間がおなじ種類の推理力、心の理論、そして意識をもっているという仮説は、少なくともこの状況にかぎっては、有効になるはずだ。

犬にも文字が読める？

この解釈を、私たちはどこまで押し進めることができるだろう。私はもちろん、犬は四本足で歩く、毛皮のコートをまとった人間だなどと、言うつもりはない。犬には、（あたえる問題によって）人間の二歳から四歳の子供と、およそおなじくらいの知能があり、ある程度の自意識と、少なくとも人間の四歳と同程度の心の理論がそなわっているようだ。犬に人間の成人とおなじ意識の側面や質が、すべてそなわっているとは言えないが、もし人間の二歳児から四歳児に意識と推理力を認めるとすれば、否定できるデータもないからして、犬にもおなじものを認めてさしつかえないと思う。

とはいえ、犬と人間が、まったくちがう思考プロセスを使って、おなじ状況でおなじ行動をとることはつねにありうる。私は心理学者仲間の友人ジムから、飼っているゴールデン・レトリーバーのホージョに、読むことを教えたので見にきてくれと誘われたときのことを思い出す。

　私が訪ねたときジムは言った。「じつは読めるのは、二つの言葉だけなんだ――ぼくの娘たちの名前さ。でも、ぼくらはそれでゲームができる」

　ジムは、〝ステファニー〟、〝パット〟と、娘たちの名前をべつべつのカードに書いた。そしてホージョを呼び、手にもった二枚のカードを見せて言った。「さあ、ホージョ、郵便を配達して」

　犬は二枚のカードを見くらべたあと、「ステファニー」と書かれたほうを選ぶと、部屋の奥でくすくす笑っている、二人の少女の片方に渡した。そして急いでもどってくると、「パット」と書かれたカードをもう一人の少女にとどけた。少女はホージョを抱きしめて、おりこうさんねと言った。

「今度は、ぼくにやらせてくれないか」と、私は頼んだ。飼い主が無意識にだす合図や信号に犬が反応している可能性もあるからだ。

　私は自分で少女たちの名前を書いた二枚のカードを、黄金色の大きな犬に見せた。彼は二枚をじっくり調べると、また「ステファニー」と書かれたカードを選んで、名前どおりの少女のもとに運び、すぐにもどってきて、もう一枚をもう片方の少女にとどけた。

　私は感心してしまったが、私がカードを集めているとき、ジムが近寄ってきて、けげんな顔をした。

「へんだな」彼は言った。「ぼくはいつも娘たちの名前を大文字の活字体で書く。犬にはそのほうが覚えやすいと思ってね。でも君は活字体を使っているけど、大文字は頭文字だけで、あとは小文字にしている。ぼくは彼に小文字を教えてないんだが」

私は急いで新たに二枚のカードをもらい、今回は名前を活字体ではなく筆記体で書いてみた。ホージョは少しも動じたようすを見せなかった。今回もまた、文字を正確に読みとって、それぞれの少女にカードをとどけた。犬に筆記体を教えていなかったジムは、理解できずにぶつぶつ言った。だが、カードをじっと眺めているうちに、私の頭にふとあることがひらめいた。

そこで私はまた新たに二枚のカードをもらって、一枚には九個のXを、もう一枚には三個のXをならべて書いた。ホージョはこの二枚を眺め、自信ありげにXが九つならんでいるほうをステファニーに、Xが三つのほうをパットにとどけた。これで謎が解けた。ジムは、犬にかんたんな言葉の見分け方――二つの言葉の読み方――を教えたと考えていた。人間の場合は、そのように頭が働くからだ。だがホージョは、読み方や文字の形を学習したわけではなかった。なにかが書かれた二枚のカードを見せられたときは、どちらの目印が横に長いか見きわめて、それをステファニーに運び、目印が短いほうをパットに運べばいいと理解したのだ。

心すべきことは、これだ。犬はたしかにすぐれた知能と明快な思考力をそなえている。

だが、犬と人間がおなじ結果をだすとしても、そこにいたる道のりは、おたがいにおなじではない。

おわりに

この本の最後の部分を書いているとき、興奮した鼻声が聞こえた。わが家のビーグル、ダービーが、私の書斎とキッチンのあいだを弾むようにいったりきたりしていた。なにがあったのだろうと、私はパソコンの前を離れて見にいった。ダービーは私の妻の猫ロキをいつも気にしていて、自分の短い足には高すぎるテーブルやカウンターに、ひらりと跳び乗れる猫をうらやんでいるようだった。そしてわが家のほかの犬たちと同様、彼はキャットフードが好きで、すきあらば猫の皿からかすめとろうとした。そこで犬たちのおやつにされないように、私たちはロキの食事用の皿をキッチンカウンターの上に置いていた。そのときも、少し前にロキに食べ物をあたえたばかりだった。カウンターは高いので、ものぐさな猫が必死で跳び乗らなくてもいいように、小さなプラスティックの踏み台を置くこともある。だが、この踏み台は背が低いので、食い意地の張った足の短い犬がこれに乗っても、カウンターにはとどかない。いつもどおり、ダービーは食事の儀式に興味津々《しんしん》で、私がキャットフードをロキの皿に入れるとき、そのようすをじっと眺めていた。そしていつもどおり、彼は興奮と期待の入りまじった声をたてた。私がようすを見にキッチンにいったのは、猫がカウンターから飛び下りた直後だった。ダービーはカウンターを見上げたあと、猫に目をやり、つぎに私を見てから、じつに奇妙な行動にでた。カウンターの下を掘るような動作をしたのだ。私が上から見下ろしても、なにも見えなかった。

「なにが言いたいんだい、ダービー？」私は彼に訊ねた。

彼はまた私を見たが、ふたたびカウンターの下を狂ったように掘りはじめた。私は近寄って下を眺めたが、やはりなにも見えない。ダービーは一瞬手をとめたが、前にもまして熱心におなじ場所を引っかきはじめた。彼がなにを取ろうとしているのか、間近に寄って調べるために、とうとう私は四つんばいになった。そのとき不意に私はなにかが自分の背中に乗る気配を感じ、目を上げると、カウンターに乗ったダービーが、猫の食べ残しを大急ぎでかきこんでいる姿が見えた。

この一連のできごとには、さまざまな解釈がつけられるだろう。こまかいことにこだわらずに考えれば、ダービーは猫が踏み台を使うのを見ていたが、自分にはもっと背の高い踏み台が必要だとわかっていた。そして彼は、自分がなにかに熱中していると、私がようすを調べにやってくるのを知っていた。というわけで、彼が意識的に計画していたとすれば、彼の計略はいたって単純だ——すなわち、私をカウンターのそばでしゃがみこませ、私を背の高い踏み台がわりにすること。これはあれこれ考えあわせた私の推測であり、小さな犬に高度な意識と推理力を認めることになる。科学者として私は、そんなことが彼の頭の中に行き交ったという証拠はないとわかっている。だがいっぽう、それが彼の頭の中になかったという証拠もない。この一件で、犬が心理学の博士号を取得した人間をだしぬいたのは明らかであり、それが犬の思考力と知能のあかしだと考えるほうが、私の心はなぐさめられる。

訳者あとがき

犬と身近に接したことのある人なら、ときどき犬が「はてな？」と言いたげに小首をかしげるのを見たことがおありだろう。わが家にいた犬たちも、はじめてのものを見たときや、思いがけないものを見たときに、首をかしげることが多かったように思う。そんなとき、その犬がなにか頭の中で考えていると、ごく自然に思ったものだった。だが、学者のあいだでは、犬に思考力があるとみなすのは、長いあいだ「憶測」にすぎないと考えられていたようだ。数々の研究が進み、犬をふくむ動物たちに思考能力や感受性がそなわっていると認められるようになったのは、かなり最近のことなのだ。

そんな歴史を背景に、犬に実際に考える力があるのか、あるとしたらどの程度どんな能力がそなわっているのかを探ったのが、この本『犬も平気でうそをつく？』(原題 How Dogs Think: Understanding the Canine Mind) である。

〝思考力〟や〝意識〟は、脳に送り込まれる情報を外界から取り込む視覚、聴覚、嗅覚、触覚、味覚が土台になる。そこで本書では犬の五感の特徴を基本にして、犬にどのような思考力や感受性があるかが解き明かされている。取りあげられる能力の中には、予知能力やテレパシーといった超能力や、音楽や美術にかんする能力までふくまれている。

それらの能力を調べていく過程で、ふだん目にする犬の行動にどんな秘密が隠されているかが明かされていく。また、犬は色を識別できず世界をグレーにしか見ていない、犬は痛みを感じないから、多少手荒なことをしても、かまわないなどという「神話」のあやまりも見えてくる。

犬にそなわっている能力を正しく理解すれば、幼い犬の育て方、しつけ方、老犬になったときの介護のしかたもおのずとわかってくるのだ。そうした犬の育て方やしつけ方についても、非常に具体的に、納得のいく理由とともに書かれている。「犬の飼い方」のテキストとしても、すぐれた本と言えるだろう。力で強制するのではなく、犬を「ほめてしつける」ほうが効果的だというあたりは、人間の子供とまったくおなじだ。そんな意味で、「犬」の本ではあるが、犬についてのみならず、人間についても教えられる点が多い。そして随所に、犬を愛する著者ならではの鋭い洞察と、ユーモアがあふれているのがうれしい。

さまざまな能力を考えあわせると、犬には、想像以上に「人間くさい」ところがあるようだ。その一つの例として、忠誠心の代名詞のように言われることが多い犬たちも、「相手をだます」ことがあると著者のスタンレー・コレンは言う。犬たちは人や犬仲間を鋭く観察し、相手の先まで読んで行動するのだ。ただし犬が遊びのあいだに相手の裏をかこうとするのは、"うそ"といっても邪気がなく、"ふざけている"感じに近い。犬もユーモアを理解するのだろうか(訳者はつねづね、犬は少なくともまじめな猫たちよりも、ユーモアがわかるとにらんでいるのだが)。

数々の犬の本をとおして、「ひょっとしたら犬の世界のドリトル先生か」とも言われるスタンレー・コレンは、犬とのコミュニケーションのとり方をわかりやすく、具体的に教えてくれる書き手として、日本でもすっかりおなじみになった。そのコレン先生について、ここで少しくわしくご紹介しよう。一九四二年にフィラデルフィアで生まれ、ペンシルヴェニア大学心理学科を卒業後、スタンフォード大学で心理学博士号を取得。その後カナダのヴァンクーヴァー市にあるブリティッシュコロンビア大学に移り、現在も同大学の心理学教授、および人間神経心理学/知覚研究所の所長を務めている。

心理学の分野で、人間の視覚、聴覚、神経心理学、頭脳、睡眠、利き手、行動遺伝学など多岐にわたる研究をおこない、出版された専門書も数多く学界での受賞歴も多い。これらの心理学者としての深い知識が、コレン先生の書く犬の本に、動物学者が書いたものとは一味ちがう、奥行きの深さをあたえていることはまちがいない。

実生活でも犬を愛し、犬と関連した活動でも知られ、ヴァンクーヴァー服従訓練クラブのインストラクターも務めている。現在はキャバリア・キング・チャールズ・スパニエルのバンシー、ノバスコシア・ダック・トーリング・レトリーバーのダンサー、ビーグルのダービー、そしてオレンジ色の猫(実際には妻ジョーンのものである)ロキとともに暮らしているという。

日本ではこれまでに、『デキのいい犬、わるい犬』『哲学者になった犬』『相性のいい犬、わるい犬』『犬語の話し方』と犬の本四作のほか、『左利きは危険がいっぱい』『睡眠不足は危険がいっぱい』が出版されている。なお、本書の訳出にあたっては、これらの本にすでに書かれている内容と重複する部分を省略したことをおことわりしておく。

コレン先生は、犬に人間と重なる能力を認めながらも、「犬と人間がおなじ結果をだすとしても、そこにいたる道のりは、おなじではない」と、強調している。人と犬には共通する部分が多く、心をつうじあわせることができる。だが、人と犬とは「完全におなじ」ではない。その「おなじでない部分」もふくめて理解すべきだとコレン先生は言っているのだろう。

二〇〇六年九月　　　　　　　　　木村博江

文春文庫

犬《いぬ》も平気《へいき》でうそをつく？

定価はカバーに
表示してあります

2007年1月10日　第1刷

著　者　スタンレー・コレン
訳　者　木《き》村《むら》博《ひろ》江《え》
発行者　庄野音比古
発行所　株式会社 文藝春秋
東京都千代田区紀尾井町 3-23　〒102-8008
TEL 03・3265・1211
文藝春秋ホームページ　http://www.bunshun.co.jp
文春ウェブ文庫　http://www.bunshunplaza.com

落丁、乱丁本は、お手数ですが小社製作部宛お送り下さい。送料小社負担でお取替致します。

印刷・凸版印刷　製本・加藤製本

Printed in Japan
ISBN978-4-16-765161-9